KU-107-128

MISTRZOWIE LITERATURY

Tego autora polecamy

MIASTO BIAŁYCH KART

BALTAZAR I BLIMUNDA

WSZYSTKIE IMIONA

JOSÉ SARAMAGO

MIASTO ŚLEPCÓW

Przełożyła
Zofia Stanisławska

DOM WYDAWNICZY REBIS
Poznań 2010

Tytuł oryginału
Ensaio sobre a Cegueira

This edition published by arrangement with
Literarische Agentur Dr. Ray-Güde Mertin Inh.
Nicole Witt e. K., Frankfurt am Main, Germany

Projekt okładki

Opracowanie graficzne okładki
Zbigniew Mielnik

Wydanie III poprawione (dodruk)
Wydanie I ukazało się w 1999 roku
nakładem wydawnictwa Muza S.A.

ISBN 978-83-7510-248-2

Dom Wydawniczy REBIS Sp. z o.o.
ul. Żmigrodzka 41/49, 60-171 Poznań
tel. 061-867-47-08, 061-867-81-40, fax 061-867-37-74
e-mail: rebis@rebis.com.pl
www.rebis.com.pl

Skład KALADAN www.kaladan.pl

Pilar
i mojej córce Violante

Jeśli masz oczy, patrz.
Jeśli widzisz, spostrzegaj.
Księga Przestróg

Zapaliło się żółte światło. Dwa samochody z przodu zdążyły przejechać, zanim rozbłysło czerwone. Na przejściu dla pieszych zamigotała sylwetka zielonego ludzika. Czekająca cierpliwie grupa przechodniów wkroczyła na jezdnię, depcząc połyskujące na czarnym asfalcie białe pasy, które, nie wiadomo dlaczego, niezbyt trafnie nazwano zebrą. Kierowcy nerwowo naciskali sprzęgła, trzymając w pogotowiu swoje maszyny, które cofały się i ruszały niczym narowiste rumaki, strzygące uszami na trzask bata. Większość pieszych już przeszła, ale dopiero po chwili zapaliło się zielone światło dla kierowców. Niektórzy niecierpliwili się z powodu tych paru sekund zwłoki, które wydają się bez znaczenia, biorąc pod uwagę czas, jaki traci się na pokonywanie niezliczonych skrzyżowań, i doda sekundy stracone podczas oczekiwania na zmianę świateł. Jest to jedna z przyczyn przestojów w ruchu ulicznym, a mówiąc językiem współczesnym – powstawania korków.

Wreszcie zapaliło się zielone światło. Samochody gwałtownie, choć nierówno ruszyły do przodu. Jedno z aut znajdujące się na środkowym pasie, tuż przed światłami, stało w miejscu, może jakiś problem, nie działa pedał gazu, awaria skrzyni biegów, system chłodzenia nawalił, zablokowany hamulec, zapłon szwankuje, a może po prostu zabrakło benzyny, co zdarza się bardzo często. Ludzie gromadzący się koło przejścia dla pieszych przyglądali się kierowcy, który zaczął gwałtownie machać rękami. Z tyłu dało się słyszeć nerwowe trąbienie klaksonów. Niektórzy kierowcy wysiedli ze swoich aut gotowi zepchnąć zepsuty samochód na pobocze, aby nie tamował ruchu, i rozwścieczeni zaczęli walić w szyby, podczas gdy znajdujący się w środku człowiek bezradnie kręcił głową na wszystkie strony, widać, że coś krzyczał, z ruchu warg można się było domyślić, że ciągle powtarza jedno, nie, dwa słowa, i rzeczywiście, gdy wreszcie ktoś wpadł na pomysł, by otworzyć drzwi, wszyscy usłyszeli krzyk, Jestem ślepy, jestem ślepy.

Nie do wiary. Na pierwszy rzut oka kierowca wyglądał normalnie, nie miał zwężonych źrenic, tęczówka prawidłowa, porcelanowa barwa białek. Jedynie szeroko otwarte powieki, głębokie bruzdy na twarzy i uniesione brwi wskazywały na jego wzburzenie. Nagle gwałtownym ruchem zakrył twarz, jakby w akcie rozpaczy próbował przypomnieć sobie ostatni obraz, który miał przed oczami, czerwony krążek światła na skrzyżowaniu. Jestem ślepy, jestem ślepy, powtarzał zrozpaczony, gdy pomagano mu wysiąść z samochodu, a toczące się po policzkach łzy nadawały jego martwym oczom nienaturalny blask. To minie, nie ma obawy, to pewnie nerwy, pocieszała go jakaś kobieta. Światła znów się zmieniły, a do samochodu podchodzili wciąż nowi, żądni wrażeń ludzie, wśród nich kierowcy, którzy utknęli w korku i chcieli sprawdzić, co się dzieje. Wznosili gniewne okrzyki, przekonani, że zdarzył się jakiś niegroźny wypadek, zbity reflektor, urwany błotnik, coś, co by mogło usprawiedliwić rosnące zamieszanie, Wezwać policję, krzyczeli, zabrać stąd ten wrak. Ślepy tymczasem błagał, Proszę, niech mnie ktoś odwiezie do domu. Kobieta, która napomknęła coś o nerwach, stwierdziła, że trzeba wezwać karetkę i zawieźć biedaka do szpitala, ale ten kategorycznie odmówił, nie, tylko nie to, chciał wrócić do domu, To blisko, naprawdę, bardzo proszę. A co z samochodem, odezwał się jakiś głos, na co inny odpowiedział, Kluczyki są w stacyjce, można przestawić go na chodnik. Nie ma potrzeby, wtrącił trzeci głos, ja się tym zajmę i odwiozę tego pana do domu. Przez tłum przeszedł szmer aprobaty. Ślepy poczuł, jak ktoś chwyta go za ramię i mówi, Proszę ze mną. Posadzono go obok kierowcy, zapięto pasy, a on wciąż jęczał, Nic nie widzę, jestem ślepy, Gdzie pan mieszka, spytał nieznajomy. Przez szyby samochodu zaglądali żądni sensacji przechodnie. Ślepy uniósł ręce, poruszył nimi przed sobą, Nic nie widzę, wszystko jest jak we mgle, jakbym tonął w morzu mleka, Niemożliwe, odezwał się nieznajomy, przecież niewidomi widzą ciemność, No właśnie, a ja widzę tylko biel, Może ta staruszka miała rację, że to nerwy, z nerwami różnie bywa, Teraz już wiem, co za nieszczęście, co za nieszczęście, Proszę mi powiedzieć, gdzie pan mieszka, spytał nieznajomy, przekręcając kluczyk w stacyjce. Niewidomy zaczął się jąkać, jakby utrata wzroku osłabiła jego pamięć, w końcu podał swój adres, mówiąc, Nie wiem, jak mam panu dziękować, na co tamten odparł, Nie ma za co, dzisiaj pan, jutro ja, nikt nie zna dnia ani godziny, Ma pan rację, nie uwierzyłbym, gdyby dziś rano ktoś mi powiedział, że spotka mnie takie nieszczęście, Dlaczego nie ruszamy, spytał, Jest czerwone światło, Aha, westchnął ślepiec i znów się rozpłakał. Już nigdy nie zobaczy czerwonego światła na skrzyżowaniu.

Dom niewidomego rzeczywiście znajdował się niedaleko. Niestety, wszędzie stało pełno samochodów, dlatego długo krążyli po bocznych uliczkach, zanim znaleźli wolne miejsce. Uliczka była tak wąska, że od strony kierowcy między drzwiami a murem miejsca starczyło ledwie na szerokość dłoni. Dlatego, zanim zaparkowali auto, niewidomy musiał wysiąść, by uniknąć uciążliwego przeciskania się między siedzeniem a skrzynią biegów i kierownicą. Kiedy wysiadł z samochodu, poczuł się niepewnie, jakby ziemia zaczęła falować mu pod stopami. Próbował zdusić w sobie krzyk rozpaczy, który wydobywał mu się ze ściśniętego gardła. Znów zaczął machać nerwowo rękami przed sobą, jakby próbował pływać w bieli, którą nazwał morzem mleka, otwarte usta gotowe już były wołać o pomoc, ale w ostatniej chwili ręka nieznajomego dotknęła lekko jego ramienia, Niech pan się uspokoi, zaprowadzę pana. Szli wolno, niewidomy, chcąc uniknąć upadku, ciężko powłóczył nogami, ale właśnie dlatego co i rusz potykał się o nierówny chodnik, Spokojnie, jesteśmy prawie na miejscu, powtarzał cicho jego towarzysz, a po chwili zapytał, Czy ktoś się panem w domu zajmie, a niewidomy odparł, Nie wiem, żona pewnie jeszcze nie wróciła z pracy, a ja akurat musiałem wyjść wcześniej, no i widzi pan, co się stało, Wszystko będzie dobrze, nigdy nie słyszałem, żeby ktoś nagle oślepł, No właśnie, a ja nawet nie nosiłem okularów, No widzi pan. Dotarli na miejsce, w bramie domu stały dwie sąsiadki i przyglądały im się ciekawie, o, idzie ten pan z trzeciego, ale nie miały odwagi spytać, Czy wpadło panu coś do oka, na co on odpowiedziałby, Tak, wlało mi się morze mleka. Kiedy weszli na klatkę schodową, niewidomy powiedział, Dziękuję panu bardzo, przepraszam za kłopot, Nie ma sprawy, wjedziemy razem na górę, nie mogę tak pana tutaj zostawić. Z trudem weszli do ciasnej windy, Na którym piętrze pan mieszka, Na trzecim, nie wyobraża pan sobie, jak bardzo jestem wdzięczny za pomoc, Nie ma za co, dzisiaj pan, Tak, wiem, przerwał niewidomy, jutro ktoś inny. Winda zatrzymała się, wyszli na korytarz, Mam panu pomóc otworzyć drzwi, Nie, dziękuję, poradzę sobie. Wyjął z kieszeni mały pęk kluczy, pomacał każdy z osobna i powiedział, To chyba ten. Końcami palców lewej ręki dotknął zamka i próbował włożyć klucz, To nie ten, niech pan pokaże. Za trzecim razem drzwi się otworzyły. Niewidomy zawołał, Jesteś w domu. Nikt nie odpowiedział, Mówiłem, że jeszcze nie wróciła. Wyciągnął ręce przed siebie i dotykając ścian, wszedł do środka, po czym odwrócił się z obawą w stronę, gdzie, jak mu się wydawało, stał nieznajomy, Naprawdę, nie wiem, jak mam panu dziękować, Zrobiłem tylko to, co należy, powiedział skromnie nieznajomy samarytanin, Nie ma za co dziękować, i dodał, Może pomogę panu się rozebrać, posiedzę z panem, zanim przyjdzie żona. Jego gorliwość wydała się niewidomemu podejrzana. Nie miał zamiaru wpuszczać do domu obcego, który być może zaczął właśnie knuć spisek przeciw bezradnemu człowiekowi, kto wie, może nawet chce związać i zakneblować bezbronnego ślepca i zabrać z domu co cenniejsze przedmioty. Nie trzeba, niech się pan nie trudzi, wszystko w porządku i powoli zamykając drzwi, powtórzył, Nie trzeba, nie trzeba.

Odetchnął z ulgą, gdy wreszcie usłyszał szmer zjeżdżającej windy. Odruchowo odsłonił wizjer i wyjrzał na zewnątrz, zapominając, że nie widzi. Zdawało mu się, że ma przed sobą białą ścianę. Poczuł nad łukiem brwiowym chłód śliskiego metalu, rzęsy otarły się o mikroskopijne szkiełko, którego nie zauważył, gdyż wszystko pokrywała mleczna mgła. Wiedział, że jest w swoim domu, czuł to po zapachu, nastroju i ciszy panującej we wnętrzu, bez trudu rozpoznawał meble i przedmioty, wystarczyło dotknąć, delikatnie przesunąć palcami po powierzchni. A jednak wszystko miało inny wymiar, rozpływało się w nieznanej przestrzeni bez biegunów i punktów odniesienia, bez góry i dołu. Prawdopodobnie jak większość ludzi w dzieciństwie bawił się w ślepego. Co by było, gdybym oślepł, i po pięciu minutach chodzenia z zamkniętymi oczami dochodził do wniosku, że to nieszczęście, jakim niewątpliwie jest ślepota, można znieść, jeśli tylko zachowa się w sobie wystarczająco konkretny obraz form i przestrzeni, nie tyle pamięć kolorów, co powierzchni i ogólnego zarysu przedmiotów. Oczywiście, miało to sens przy założeniu, że nie było się ślepym od urodzenia. Zdawało mu się nawet, że ciemność, w której przebywają niewidomi, jest tylko i wyłącznie brakiem światła, że to, co nazywamy ślepotą, to jedynie odbieranie rzeczom ich czysto zewnętrznej formy, podczas gdy cała reszta pozostaje niezmieniona, choć spowita czernią. Teraz było inaczej, otaczała go oślepiająca wszechogarniająca biel, której blask pochłaniał, zamiast odbijać, pochłaniał nie tylko kolory, ale same rzeczy i istoty, czyniąc je w ten sposób podwójnie niewidzialnymi.

Mimo iż szedł powoli i ostrożnie w kierunku salonu, dotykając ręką ścian, strącił wazon z kwiatami, który nieoczekiwanie znalazł się na jego drodze. Być może o nim zapomniał albo żona postawiła go tam przed wyjściem do pracy, z zamiarem przestawienia go po powrocie w odpowiednie miejsce. Ukucnął, aby sprawdzić rozmiar dokonanych szkód. Woda rozlała się po wypastowanej podłodze. Chciał pozbierać kwiaty, ale zapomniał o kawałkach rozbitego szkła. Długi, wąski odłamek wbił mu się w palec. Syknął z bólu i rozpłakał się jak opuszczone dziecko, oślepiony bielą na środku własnego mieszkania, w którym zalegał mrok nadchodzącego zmierzchu. Czuł, że krew spływa mu po dłoniach, ale nie wypuścił kwiatów z rąk, tylko wyjął z kieszeni chusteczkę i niezdarnie owinął ją wokół palca. Potem po omacku, zaczepiając o przedmioty, omijając meble, ostrożnie, by nie potknąć się o dywan, podszedł do kanapy, na której zwykle oglądał z żoną telewizję. Usiadł, położył kwiaty na kolanach i powoli odwinął chusteczkę. Przestraszył się lepkiej konsystencji krwi, może dlatego, że nie mógł jej zobaczyć, że stała się pozbawioną koloru cieczą, lepkością samą w sobie, czymś obcym, własnym, a mimo to groźnym. Ostrożnie próbował zdrową ręką umiejscowić i wyjąć ostry jak igła kawałek szkła. Za pomocą kciuka i palca wskazującego zdrowej dłoni zdołał wyrwać odłamek w całości. Znów zawinął okaleczony palec, zaciskając chusteczkę tak, by zatamować upływ krwi, po czym zmęczony i przygnębiony opadł na kanapę. Po chwili poddał się słabości ciała, które wykorzystując ogarniającą go rozpacz i zniechęcenie, przestało walczyć, choć zgodnie z logiką właśnie teraz każdy jego nerw powinien być napięty jak struna. Poczuł dziwne zwiotczenie mięśni, obezwładniającą senność nie wynikającą ze zmęczenia. Zaczął śnić, że bawi się w dziecięcą grę, gdybym był ślepy, że zamyka i otwiera oczy, za każdym razem czując się tak, jakby wracał z długiej podróży witany przez konkretne, wyraźne i niezmienione przedmioty, przez znany, oswojony świat. Jednak tę spokojną pewność zakłócała niejasna obawa, podejrzenie, że to zwodniczy sen, z którym prędzej czy później musi się rozstać i zaakceptować zupełnie mu nieznaną rzeczywistość. Po chwili, jeśli to właściwe słowo, by opisać słabość trwającą tyle co mgnienie oka, będąc już w stanie połowicznego przebudzenia zwiastującego powrót do rzeczywistości, zrozumiał, że zamiast bić się z myślami, obudzić się czy nie obudzić, obudzić się czy nie, musi po prostu stawić jej czoło. Siedzę tu z kwiatami na kolanach, z zamkniętymi oczami, jakbym bał się je otworzyć, pomyślał, Dlaczego tu śpisz z kwiatami na kolanach, spytała żona.

Nie oczekując odpowiedzi, demonstracyjnie zaczęła zbierać kawałki potłuczonego wazonu, wytarła podłogę, mamrocząc z nieukrywaną złością. Mogłeś sam to zrobić, zamiast chrapać na kanapie, jakby nic cię to nie obchodziło. Jednak on wciąż milczał, ukrywając oczy pod zaciśniętymi powiekami w nadziei, że gdy je otworzy, znów będzie widział. Żona podeszła do niego i gdy zauważyła zakrwawioną chustkę, jej złość prysła, Biedaku, jak to się stało, spytała czule, odwijając prowizoryczny opatrunek. Całą siłą swej woli zapragnął zobaczyć żonę klęczącą u jego stóp, lecz po chwili, kiedy upewnił się, że to niemożliwe, otworzył oczy, No, wreszcie się obudziłeś, mój ty śpiochu, powiedziała czule. Zapadła cisza, którą przerwał jego zdławiony głos, Oślepłem, nic nie widzę. Kobieta skarciła go, Nie żartuj, są rzeczy, z których nie należy się śmiać, Ileż bym dał, żeby to był tylko żart, ale mówię prawdę, oślepłem, nic nie widzę, Proszę, nie strasz mnie, spójrz tutaj, zapaliłam światło, Wiem, że tu jesteś, słyszę cię, czuję i domyśliłem się, że zapaliłaś światło, ale naprawdę nic nie widzę. Kobieta przytuliła się do niego i wybuchnęła płaczem, To niemożliwe, powiedz, że to nieprawda. Kwiaty i zakrwawiona chustka spadły na podłogę, krew zaczęła znów kapać ze skaleczonego palca, a on chciał powiedzieć, Wszystko będzie dobrze, ale zdołał jedynie wyszeptać, Widzę tylko biel. Na jego ustach pojawił się smutny uśmiech. Kobieta przysunęła się bliżej i objęła go jeszcze mocniej. Z namysłem, powoli ucałowała jego czoło, policzki, powieki, Zobaczysz, to minie, nigdy nie chorowałeś, nikt nie traci wzroku tak nagle, Boże drogi, opowiedz, jak do tego doszło, co czułeś, gdzie to się stało, kiedy, nie, poczekaj, najpierw musimy porozmawiać z lekarzem, znasz kogoś, Nie, przecież żadne z nas nigdy nie nosiło okularów, A może pojedziemy do szpitala, Niewidzącym oczom nie pomoże ostry dyżur, Masz rację, najlepiej od razu pójść do okulisty, zaraz poszukam numeru w książce telefonicznej, najlepiej kogoś, kto ma gabinet w pobliżu. Wstając, spytała, Czujesz jakąś zmianę, Żadnej, odparł, Uważaj, zapalę światło, powiesz, czy odczuwasz różnicę, Nie, żadnej, Na pewno, Nic, po prostu biel, tak, jakby nie istniała noc.

Słyszał, jak żona nerwowo przewraca kartki książki telefonicznej, jej stłumione szlochanie i ciężki oddech. W końcu powiedziała, Ten będzie dobry, może nas przyjmie. Wykręciła numer, upewniła się, czy to gabinet lekarski, czy lekarz jeszcze przyjmuje i czy może z nim zamienić kilka słów, nie, nie, pan doktor mnie nie zna, sprawa jest bardzo pilna, tak, rozumiem, ale zapewniam panią, że to poważne, bardzo, proszę powtórzyć doktorowi, chodzi o to, że mój mąż nagle stracił wzrok, tak, tak, nagle, nie, nie jest pacjentem pana doktora, nie nosi okularów, nie, nigdy nie nosił, miał świetny wzrok, tak jak ja, tak, bardzo pani dziękuję, poczekam, oczywiście, że poczekam, tak, panie doktorze, nagle stracił wzrok, mówi, że widzi tylko biel, nie wiem, jak to się stało, nie miałam nawet czasu, żeby go zapytać, przyszłam właśnie do domu i zastałam go w takim stanie, mam go zapytać, nie, bardzo dziękuję, zaraz będziemy, zaraz. Mężczyzna wstał. Poczekaj, powiedziała żona, pozwól, że najpierw opatrzę ci palec. Wyszła i po chwili powróciła z butelkami wody utlenionej i merkurochromu, kawałkiem waty i plastrami opatrunkowymi. Kiedy odkażała mu ranę, spytała, Gdzie zostawiłeś samochód, przecież w takim stanie nie mogłeś prowadzić, a może to się stało już w domu, Nie, na ulicy, zatrzymałem się na światłach, jakiś człowiek zaofiarował się, że mnie odwiezie, samochód zaparkował pod domem, Dobrze, więc chodźmy, zaczekaj przy drzwiach, a ja pójdę po samochód, gdzie są kluczyki, Nie wiem, nie oddał mi ich do rąk, Kto, Ten człowiek, który przywiózł mnie do domu, to był mężczyzna, Pewnie zostawił je gdzieś tutaj, zaraz sprawdzę, Nie trzeba, nawet nie wchodził do środka, Ale kluczyki muszą tu gdzieś być. Wydaje mi się, że zapomniał ich oddać i przez pomyłkę zabrał ze sobą, Tego tylko brakowało, Weź swoje, poszukamy tamtych, No dobrze, chodźmy, podaj mi rękę. Jeśli nie da się nic zrobić, powiedział ślepiec, skończę ze sobą, Nie pleć głupstw, wystarczy jedno nieszczęście, Dobrze ci mówić, ale to ja oślepłem, nie rozumiesz, co czuję, Lekarz ci pomoże, zobaczysz, Zobaczę.

Zeszli na dół. Kobieta zapaliła światło na klatce schodowej i szepnęła, Poczekaj chwilę, jeśli usłyszysz, że idzie któryś z sąsiadów, rozmawiaj z nim normalnie, powiedz, że czekasz na mnie, patrząc na ciebie, trudno się domyślić, że oślepłeś, nie musimy obnosić się ze swoim nieszczęściem, Dobrze, ale pospiesz się. Kobieta szybko wyszła. Nikt z sąsiadów nie wchodził ani nie wychodził. Mężczyzna wiedział z doświadczenia, że światło na klatce schodowej zgaśnie, kiedy przestanie tykać automatyczny mechanizm, więc gdy zapadała cisza, naciskał przycisk. Światło to stało się dla niego dźwiękiem. Zastanawiał się, dlaczego żony jeszcze nie ma, samochód zaparkowali obok na ulicy, jakieś osiemdziesiąt, sto metrów od domu. Jeśli się spóźnimy, lekarza już nie będzie, niepokoił się. Bezmyślnie podniósł lewą rękę i spojrzał na zegarek. Zacisnął wargi, jakby nagle przeszył go dotkliwy ból. Dziękował opatrzności, że nie mijał go teraz żaden sąsiad, bo gdyby go o coś zapytał, rozpłakałby się jak dziecko. Usłyszał nadjeżdżający samochód, Nareszcie, pomyślał, ale zdziwił się, że warkot silnika nie ustaje, Co to, diesel, czyżby przyjechała taksówka, pomyślał, i znów zapalił światło. Po chwili weszła jego żona, zdenerwowana i roztrzęsiona, Ten świętoszek, który ci pomógł, szlachetna duszyczka, ukradł samochód, Niemożliwe, źle szukałaś, Dobrze szukałam, nie jestem ślepa, wymknęło jej się mimo woli, Mówiłeś, że samochód stoi za rogiem, ale go nie znalazłam, chyba że zaparkowaliście go gdzie indziej, Niemożliwe, jestem pewien, że to było na tej ulicy, W takim razie samochód zniknął, A kluczyki, Twój wybawca zabrał je, wykorzystując nieszczęście, które cię spotkało, okradł nas, A ja lękałem się wpuścić go do domu, gdyby został do twego przyjścia, nie ukradłby samochodu, Chodźmy, złapałam taksówkę, ale oddałabym wszystko, żeby ten drań też oślepł, Nie krzycz tak, I żeby ogołocili mu doszczętnie mieszkanie, Może jeszcze się pojawi, No pewnie, jutro zapuka do drzwi, powie, że się pomylił, przeprosi i spyta, jak się czujesz.

W drodze do lekarza oboje milczeli. Kobieta próbowała zapomnieć o kradzieży samochodu, ściskała mocno rękę męża, który w obawie przed wzrokiem kierowcy w lusterku wstecznym spuścił głowę i wciąż próbował odpowiedzieć sobie na pytanie, dlaczego akurat jemu przytrafiło się to nieszczęście, Dlaczego ja, dlaczego. Słyszał odgłosy z ulicy, kiedy taksówka stawała na światłach, gwar narastał. Podobnie dzieje się podczas snu, gdy słyszymy dźwięki z zewnątrz przedzierające się przez obezwładniającą zasłonę nieświadomości, która owija nas niczym biały całun. Spuścił głowę i westchnął. Żona pogładziła go lekko po twarzy, jakby chciała powiedzieć, Uspokój się, jestem obok. Oparł głowę na jej ramieniu, było mu obojętne, co sobie pomyśli kierowca. Gdyby nie mógł prowadzić i nic nie widział, zrobiłby to samo, przyszła mu do głowy dziecinna myśl i nie bacząc na absurdalność sytuacji, zapomniawszy o nieszczęściu, pogratulował sobie umiejętności logicznego myślenia. Kiedy wysiadał z taksówki, dyskretnie podtrzymywany przez żonę, starał się zachować spokój, lecz po wejściu do gabinetu, gdzie miał poznać przyszłość, zapytał żonę cichym, drżącym głosem, Ciekawe, kim będę, kiedy stąd wyjdę, po czym z rezygnacją spuścił głowę.

Kobieta wyjaśniła pielęgniarce, że pół godziny temu dzwoniła w sprawie męża. Zaprowadzono ich do małego pomieszczenia, gdzie czekali inni pacjenci. Był tam stary człowiek z czarną opaską na oku, zezowaty chłopiec siedzący obok kobiety, przypuszczalnie matki, młoda dziewczyna w ciemnych okularach oraz niewyróżniające się niczym dwie inne osoby. Nikt z nich jednak nie był ślepy, ślepcy nie chodzą przecież do okulisty. Kobieta doprowadziła męża do krzesła i nie znalazłszy miejsca dla siebie, stanęła obok, Musimy poczekać, szepnęła mu do ucha. Słysząc liczne głosy, domyślił się, że jest kolejka. Zdenerwowało go to, gdyż uznał, że im dłużej będzie czekał, tym trudniejsza do wyleczenia stanie się jego choroba. Za chwilę może się okazać, że nie ma już dla niego ratunku. Poruszył się niecierpliwie na krześle, chciał podzielić się z żoną swoimi wątpliwościami, ale w tej samej chwili otworzyły się drzwi gabinetu i pojawiła się w nich pielęgniarka, Proszę państwa do środka, to pilna sprawa i pan doktor chce jak najszybciej pana zbadać. Matka zezowatego chłopca zaczęła protestować, mówiąc, że to niesprawiedliwe, że jest pierwsza w kolejce i czeka od ponad godziny. Inni pacjenci poparli ją nieśmiało, ale nikt nie śmiał podważać decyzji lekarza, który przez złośliwość mógłby ukarać ich za niecierpliwość, każąc im czekać jeszcze dłużej. Stary człowiek z czarną opaską na oku okazał się bardziej pobłażliwy, Zostawcie tego biedaka, widzicie, że czuje się gorzej od nas. Jednak ślepy mężczyzna już go nie słyszał. Gdy weszli do gabinetu, pierwsza odezwała się żona, Dziękuję panu doktorowi z całego serca, mój mąż, urwała, zastanawiając się, co powiedzieć, ale nie potrafiła wyjaśnić, co właściwie spotkało jej męża poza tym, że oślepł i że ukradziono mu samochód. Lekarz poprosił, by usiedli, wziął mężczyznę za rękę i pomógł mu zająć miejsce. Od tej pory zwracał się już tylko do niego, Proszę opisać, jakie pan ma objawy. Pacjent wyjaśnił, że kiedy siedział w samochodzie, czekając na zielone światło, nagle przestał widzieć, że różni ludzie próbowali mu pomóc, jakaś starsza kobieta, wiek jej ocenił po głosie, powiedziała, że to prawdopodobnie załamanie nerwowe, a potem jakiś nieznajomy odwiózł go do domu, ponieważ on sam nie był w stanie się poruszać. Widzę tylko biel, panie doktorze. Nie wspomniał o kradzieży samochodu.

Czy to pierwszy raz, spytał lekarz, A może już przedtem zdarzyło się panu coś takiego. Nie, nigdy, panie doktorze, nawet nie noszę okularów, Mówi pan, że to się stało nagle, Tak, panie doktorze, Jakby zgasło światło, Nie, raczej tak, jakby zapanowała nagła jasność, Czy ostatnio widział pan gorzej, Nie, panie doktorze, Czy w pana rodzinie ktoś oślepł, Wśród członków rodziny, których znam, nikt, Czy ma pan cukrzycę, Nie, Syfilis, Nie, panie doktorze, Czy ma pan nadciśnienie tętnicze lub wewnątrzczaszkowe, Co do tego drugiego, nie wiem, tętniczego nie miałem nigdy, wiem to, bo w pracy robią nam okresowe badania, A może wczoraj albo dzisiaj uderzył się pan w głowę, Nie, panie doktorze, Ile ma pan lat, Trzydzieści osiem, No dobrze, obejrzymy teraz pańskie oczy. Mężczyzna otworzył je szeroko, jakby chciał ułatwić lekarzowi zadanie, ale okulista wziął go za ramię i podprowadził do aparatu, który wydawał się pacjentowi czymś w rodzaju konfesjonału, gdzie oczy zastępują słowa, a spowiednik, patrząc w nie, zagląda w duszę grzesznika. Proszę oprzeć tu brodę i nie ruszać się. Kobieta podeszła do męża, położyła mu rękę na ramieniu i uspokajała, Zobaczysz, wszystko będzie dobrze. Lekarz długo podnosił i opuszczał lupę, długo ruszał pokrętłem, wreszcie zaczął badanie. Sprawdził rogówkę, tęczówkę, siatkówkę oka, Ciałko szkliste i żółta plamka w porządku, nerw wzrokowy działa prawidłowo, wszystko bez zarzutu. Odsunął się od aparatury, przetarł oczy i bez słowa znów przystąpił do badania. Kiedy skończył, na jego twarzy malowało się bezgraniczne zdziwienie, Nie znalazłem żadnej nieprawidłowości, pańskie oczy są w znakomitym stanie. Żona pacjenta klasnęła z radości i krzyknęła, Widzisz, mówiłam, że wszystko będzie dobrze. Nie zwracając na nią uwagi, pacjent zwrócił się do lekarza, Mogę opuścić brodę, Tak, oczywiście, przepraszam pana, Skoro pan mówi, że wszystko jest w porządku, to dlaczego jestem ślepy, Nie potrafię panu odpowiedzieć, musimy zrobić szczegółowe badania, analizy, echografię, encefalogram, Myśli pan, że to ma jakiś związek z mózgiem, Możliwe, ale nie sądzę, Przecież mówił pan, że oczy mam zdrowe, To prawda, Nic nie rozumiem, Rzecz w tym, że jeżeli rzeczywiście nic pan nie widzi, to nie potrafię wyjaśnić, dlaczego tak się stało, Uważa pan, że udaję, Ależ skąd, jednak przypadek jest szczególny, nigdy dotąd w całej mojej praktyce zawodowej nie spotkałem się z podobną chorobą, co więcej, obawiam się, że w całej historii okulistyki nie zetknięto się z takim przypadkiem. Sądzi pan, że wyzdrowieję, Ponieważ nie znalazłem żadnej nieprawidłowości ani zmian w pańskich oczach, moja odpowiedź powinna być twierdząca, Ale nie jest, Nie chcę robić panu płonnych nadziei, gdyż nie mam ku temu żadnych podstaw, Rozumiem, To dobrze, Czy powinienem się leczyć, brać lekarstwa, Na razie nic panu nie przepiszę, nie warto robić niczego na ślepo, Dobrze to pan ujął, zauważył pacjent. Lekarz puścił tę uwagę mimo uszu, odsunął się od ruchomego pulpitu, przy którym przeprowadzał badanie, wstał i pochylając się nad biurkiem, wypisał skierowanie na podstawowe badania. Podał je żonie pacjenta, Proszę to wziąć i wrócić do mnie, kiedy będą już państwo mieli wyniki, gdyby jednak w międzyczasie nastąpiła jakaś zmiana, proszę mnie natychmiast powiadomić, Ile płacę za wizytę, Pielęgniarka wystawi państwu rachunek. Dorzucił kilka zdawkowych słów otuchy, Ano, zobaczymy, proszę nie tracić nadziei. Kiedy znalazł się sam w gabinecie, wszedł do przylegającej doń łazienki i długo wpatrywał się w swoje odbicie w lustrze. Nic nie rozumiem, mruknął pod nosem. Potem wrócił do gabinetu i wezwał pielęgniarkę, Proszę wprowadzić następnego pacjenta.

Tej nocy ślepiec śnił, że oślepł.

je coś takiego jak ludzka uczciwość, którzy powiedzą, że każda okazja jest dobra do grzechu, choć nie zawsze musimy go popełnić. Cóż, nam jedynie wypada wierzyć, że gdyby ślepiec przyjął propozycję nieznajomego i ten dotrzymał mu towarzystwa do powrotu żony, pod wpływem chwili zwyciężyłaby w nim wrodzona dobroć. Może ufność biednego ślepca wzbudziłaby w złodzieju poczucie odpowiedzialności, zagłuszyła złe myśli i wznieciła żar najczystszych uczuć tkwiących nawet w najbardziej zdemoralizowanych jednostkach. Ale niestety, dobrymi chęciami wybrukowane jest piekło, jak uczy stare, ludowe przysłowie.

Sumienie, przez niektórych nierozważnie zagłuszane, a przez wielu wyśmiewane, istnieje i istniało zawsze, nie jest wymysłem ludzi z epoki kamienia łupanego, dla których zresztą pojęcie to było dość mgliste. Na przestrzeni wieków wyobrażenie o sumieniu i grzechu ulegało licznym transformacjom, wynikającym ze zmian w obyczajowości oraz w genach ludzkich. Kiedyś uważano, że moralność zależy od koloru krwi lub obfitości łez, a oczy nazywano zwierciadłem duszy, co wkrótce spowodowało, że ludzkość wpadła we własną pułapkę, gdyż jej oczy zaczęły zdradzać kłamliwość ust. Dodać do tego należy skłonność większości ludzi, szczególnie prostych, do mylenia wyrzutów sumienia z przesądami, co zwykle kończy się o wiele większym cierpieniem, niż na to zasłużył winowajca. Niestety, w przypadku naszego złodzieja trudno ocenić, w jakiej mierze strach i udręczona świadomość wpłynęły na jego desperacki krok. Nie dowiemy się, dlaczego wsiadł do samochodu i odjechał. Trudno uwierzyć, by z radością zajmował za kierownicą miejsce człowieka, który przed chwilą stracił wzrok, jeszcze niedawno patrzył przez przednią szybę auta i nagle oślepł. Nie trzeba wielkiej wyobraźni, by pojąć grozę sytuacji, ujrzeć wielkie kaprawe oczy strachu. Przerażeniu towarzyszyły również wyrzuty sumienia, które, gdybyśmy chcieli je sugestywnie opisać, są niczym ostre zęby gotowe gryźć. I właśnie to sumienie, po części wrodzone, po części ukształtowane przez minione pokolenia, podsuwało złodziejowi spychany w niepamięć obraz ślepego kierowcy, który zamykając drzwi, powtarzał nerwowo, Dziękuję, nie trzeba, człowieka, który już nigdy nie zrobi samodzielnie kroku.

By zagłuszyć gnębiące go myśli, złodziej skupił całą uwagę na prowadzeniu auta, gdyż wiedział, że nie może sobie pozwolić na najmniejszy błąd lub nieuwagę. Wokół roiło się od patroli, wystarczyło, by któryś z policjantów kazał mu się wylegitymować, Prawo jazdy, proszę, dowód osobisty, i znowu więzienie, twarde życie. Całą uwagę skupił na sygnalizacji, żeby przypadkiem nie ruszyć na czerwonym świetle, przeczekać żółte aż do pojawienia się zielonego. W pewnej chwili stwierdził, że zbyt uporczywie wpatruje się w światła. Zaczął więc jechać tak, by na każdym skrzyżowaniu trafić na zieloną falę, raz zwalniając, to znów przyspieszając, co chwilami wyprowadzało z równowagi jadących za nim kierowców. W końcu wyczerpany i roztrzęsiony skręcił w boczną uliczkę, gdzie nie było świateł. Zaparkował, prawie nie patrząc przed siebie, co świadczyło o jego wielkiej wprawie. Miał wrażenie, że znajduje się na skraju załamania nerwowego, dokładnie tych słów użył w myślach, Chyba przechodzę załamanie nerwowe. Zaczął się dusić. Opuścił z obu stron szyby, ale nie poczuł orzeźwiającego powietrza, więc wysiadł. Co się ze mną dzieje, zadawał sobie pytanie. Garaż, do którego miał odstawić samochód, znajdował się daleko za miastem, ale w takim stanie nie mógł dalej prowadzić.

Tu złapie mnie policja, jeśli pojadę, na pewno spowoduję wypadek, a to już koniec, szeptał. Najlepiej zrobię, gdy wysiądę, przejdę się trochę, odpocznę. Wszystko spokojnie przemyślę, to, że jakiś facet stracił wzrok, nie znaczy, że i mnie to spotka, to nie grypa, którą można się zarazić. Przejdę się do skrzyżowania i zaraz mi minie. Wysiadł z samochodu; nie warto zamykać drzwi, dookoła nie ma żywej duszy. Zrobił jakieś trzydzieści kroków i oślepł.

Ostatnim pacjentem, którego przyjął okulista, był stary człowiek z czarną opaską na oku, ten sam, który dodawał otuchy biedakowi oślepionemu przez nieznaną chorobę. Przyszedł tylko po to, żeby ustalić datę usunięcia zaćmy, która pojawiła się na jego jedynym oku. Szczęśliwie nie miał nic wspólnego z tajemniczym przypadkiem, pusty oczodół od dawna zakrywała czarna opaska, Tego typu dolegliwości przychodzą z wiekiem, uprzedził go podczas jednej z pierwszych wizyt lekarz, usuniemy zaćmę, kiedy dojrzeje, będzie pan widział jak nowo narodzony. Gdy stary człowiek wyszedł z gabinetu, a pielęgniarka powiedziała, że w poczekalni nie ma już nikogo, lekarz wziął do ręki historię choroby pacjenta, który nagle stracił wzrok. Przestudiował ją raz, drugi, trzeci, pomyślał chwilę, po czym zadzwonił do kolegi i odbył z nim taką oto rozmowę, Wyobraź sobie, że zetknąłem się dzisiaj z niesamowitym przypadkiem, przyszedł do mnie człowiek, który ni stąd, ni zowąd stracił wzrok. Badanie nie wykazało żadnych widocznych uszkodzeń rogówki ani wady wrodzonej, mówi, że widzi tylko biel, coś w rodzaju gęstej, mlecznej masy, która zalewa mu oczy, powtarzam słowo w słowo jego opis, tak, oczywiście, wiem, że to bardzo subiektywne, nie jest już młody, trzydzieści osiem lat, jeśli słyszałeś, a może czytałeś o podobnym przypadku, daj mi znać, na razie nie wiem, co robić, żeby zyskać na czasie, wysłałem go na badania, oczywiście, któregoś dnia możemy go zbadać razem, po kolacji zajrzę do paru podręczników, przejrzę bibliografię, może znajdę jakieś wyjaśnienie, tak, wiem, może to rzeczywiście agnozja wzroku spowodowana zaburzeniami wyższych czynności nerwowych, ale w takim razie po raz pierwszy mamy do czynienia z czymś podobnym, bo nie ma wątpliwości, że ten człowiek jest całkiem ślepy, a wiesz przecież, że agnozja polega na nierozróżnianiu kształtów, masz rację, na początku też myślałem, że być może chodzi tu o amaurozę, ale mówiłem ci, że on widzi tylko biel, co wyklucza amaurozę, to tak jakby widział białą ciemność, zgoda, wiem, że to byłby pierwszy zanotowany przypadek tego typu, dobrze, jutro dam ci znać, powiem mu, że chcemy go zbadać wspólnie. Po tej rozmowie lekarz oparł się wygodnie o krzesło i w tej pozie przesiedział kilka minut, po czym wstał i powoli, zmęczonym ruchem zdjął fartuch. Poszedł do łazienki umyć ręce, ale tym razem nie szukał w lustrze odpowiedzi na egzystencjalne pytania, Co by było, zastanawiał się niczym naukowiec rozwiązujący łamigłówkę, gdybym to ja natrafił na pierwszy przypadek zidentyfikowania równocześnie agnozji i amaurozy, oba te zjawiska są dokładnie opisane w literaturze medycznej, w praktyce występują oddzielnie, mogły przecież pojawić się jakieś odmiany obu chorób, mutacje, jeśli to odpowiednie słowo w tym przypadku, być może właśnie nadszedł ten dzień. Istnieje tysiąc powodów, dla których mózg może odmówić posłuszeństwa, wystarczy drobnostka i koniec, myśli są wtedy jak spóźniony gość, który zastaje zamknięte drzwi. Trzeba dodać, że okulista był miłośnikiem literatury i potrafił na poczekaniu znaleźć odpowiednią metaforę.

Tego wieczoru, po kolacji, powiedział do żony, Dzisiaj w pracy miałem dziwny przypadek, być może jest to jakaś odmiana agnozji lub amaurozy, choć do tej pory choroby te nigdy nie występowały równocześnie, Co to za choroby, amauroza i to drugie, spytała żona. Lekarz odpowiedział na pytanie w sposób zrozumiały dla osoby niewtajemniczonej, po czym, zaspokoiwszy jej ciekawość, zasiadł do swych specjalistycznych książek. Niektóre pamiętały jeszcze czasy jego studiów, ale miał też nowe i najnowsze publikacje z tej dziedziny, do których dotąd nie miał czasu zajrzeć. Najpierw przeglądał spis treści, a potem po kolei czytał wszystko na temat agnozji i amaurozy. Jednak czuł się niepewnie, gdyż była to dziedzina zupełnie mu nieznana, tajemniczy obszar wiedzy z neurochirurgii, o której miał jedynie mgliste pojęcie. Dobrze po północy odłożył książki, przetarł zmęczone oczy i usiadł wygodnie na krześle. Wydawało mu się, że znalazł rozwiązanie zagadki. Gdyby chodziło o agnozję, pacjent wkrótce odzyskałby wzrok i widział wszystko tak wyraźnie jak przedtem. To natomiast wyglądało tak, jakby mózg przestał na chwilę dostrzegać przedmioty, nie rozpoznawał krzesła tam, gdzie stało krzesło, czyli nadal prawidłowo reagował na bodźce światła, które docierały przez nerw wzrokowy, ale – używając prostych sformułowań – przestał rozumieć dostarczane mu informacje, a co więcej, nie był w stanie ich wyartykułować. Co do amaurozy, nie było wątpliwości. Gdyby rzeczywiście chodziło o taki przypadek, pacjent widziałby ciemność, o ile w ogóle można zobaczyć całkowitą ciemność. Natomiast człowiek ów twierdził, tu znów musimy odwołać się do tego samego czasownika, że widzi wyłącznie gęstą biel, jakby zanurkował z otwartymi oczami w morzu mleka. Byłoby to sprzeczne z objawami amaurozy i niemożliwe z punktu widzenia neurologii, dlatego że niezdolny do spostrzegania kształtów i kolorów mózg nie mógłby wyróżnić akurat bieli, niekończącej się, jednakowej bieli, która jak na obrazie pozbawionym półcieni pokryła nagle formy i kolory widziane przez zdrowego człowieka, choć pojęcie dobrego wzroku jest względne. Lekarz zdał sobie sprawę, że znalazł się w tunelu bez wyjścia. Zniechęcony pokręcił głową i rozejrzał się wokół. Żona już spała, jak przez mgłę przypomniał sobie, że przyszła pocałować go na dobranoc, Idę spać, powiedziała, całując go w czoło. W domu zapanowała cisza, na stole leżały porozrzucane książki. Co się dzieje, pomyślał, i nagle poczuł lęk, że sam za chwilę nieuchronnie i na zawsze straci wzrok. Znieruchomiał i wstrzymał oddech. Nic się nie stało. Dopiero po kilku minutach, kiedy zbierał książki, by poustawiać je na półkach, przestał widzieć swoje ręce i zrozumiał, że jest ślepy.

Przypadłość dziewczyny w ciemnych okularach nie była groźna, miała zwykle zapalenie spojówek, które można wyleczyć kroplami działającymi miejscowo, Proszę pamiętać, nie wolno pani zdejmować okularów, chyba że w łóżku, zażartował lekarz. Ten dowcip z brodą okuliści przekazywali sobie z pokolenia na pokolenie, a efekt zawsze był ten sam, lekarz uśmiechał się dwuznacznie, a pacjent odpowiadał mu równie dwuznacznym uśmiechem. W tym przypadku żart się opłacił, gdyż dziewczyna miała piękne białe zęby i z chęcią je pokazywała. Zapewne jakiś niedowiarek, zgorzkniały lub oszukany przez życie człowiek, znając sekrety tej młodej kobiety, uznałby jej piękny uśmiech za zwykłą sztuczkę, rozwiązły grymas. Wierzyłby święcie, że ten uśmiech podszyty był fałszem już w czasach, gdy jego właścicielka uchodziła za niewinne dziewczę, cóż za staromodne słowo, a przyszłość była dla niej zamkniętą księgą, którą wkrótce miała otworzyć rodząca się ciekawość życia. Mówiąc prościej, należało przypuszczać, że ta młoda kobieta uprawiała najstarszy zawód świata, choć zawiłości stosunków międzyludzkich, zarówno dziennych, jak i nocnych, pionowych i horyzontalnych, obowiązujących w opisywanej tu epoce, każą przestrzec przed zbyt pochopnym wydawaniem jednoznacznych sądów, wada, której zapewne nigdy nie przezwyciężymy. Tak samo jak obraz chmurnej Junony nie oznacza, że to mityczne uosobienie kobiecości jest równocześnie symbolem kropel wody rozproszonych w powietrzu. Było oczywiste, że ta młoda kobieta szła do łóżka za pieniądze, co pozwalało bez większego ryzyka zaliczyć ją do grona prostytutek. Z drugiej jednak strony robiła to tylko, z kim chciała i kiedy chciała, co z kolei pozwala wykluczyć ją z tej grupy zawodowej. Należy przypuszczać, że jak większość ludzi, miała jakiś zawód, a w wolnym czasie oddawała się przyjemnościom, zaspokajając swoje naturalne potrzeby. Tak więc nie możemy z całą pewnością stwierdzić, że była prostytutką, chociaż nie ulega wątpliwości, że żyła, jak chciała, i czerpała z tego wiele satysfakcji.

Kiedy wychodziła od lekarza, zapadał zmrok. Nie zdjęła jednak okularów, gdyż raziło ją światło lamp i neonów. Weszła do apteki, by wykupić przepisane przez lekarza krople. Nie zareagowała na kąśliwą uwagę sprzedawcy, który rzucił mimochodem, że tylko ludzie o nieczystym sumieniu muszą ukrywać się przed światem za ciemnymi okularami. Nie przejęła się tą złośliwą uwagą. W końcu był to zwykły pomocnik aptekarza, a poza tym uznała, iż to najlepszy dowód, że ciemne okulary czynią ją bardziej intrygującą i przyciągają męskie spojrzenia. Mogła więc przypuszczać, że wyniknie z tego niejedno miłe spotkanie, z którego wyciągnie wiele materialnych, jak również cielesnych korzyści. Mężczyzna, z którym się umówiła, był jej znajomym i na pewno nie rozgniewa się, jeśli mu powie, że nie może zdejmować okularów, co więcej, uważała, że ta nadgorliwość w spełnianiu poleceń lekarza pozwoli jej przeżyć coś nowego, ekscytującego. Po wyjściu z apteki zatrzymała taksówkę, podała nazwę hotelu i wygodnie rozsiadła się na tylnym siedzeniu. Oddała się marzeniom o czekających ją rozlicznych przyjemnościach, począwszy od pierwszego dotyku warg, pierwszej pieszczoty aż do eksplozji rozkoszy, po której zmęczona i szczęśliwa padnie na łóżko, jakby została ukrzyżowana nie na krzyżu, lecz na strzelającym racami magicznym kole. W tym miejscu należy zauważyć, że dziewczyna w ciemnych okularach sowicie i z nawiązką odpłacała w naturze swoim klientom, oczywiście jeśli partner potrafił sprostać jej wymaganiom, zarówno pod względem wiedzy, techniki, jak i synchronizacji w czasie. Rozmyślając o spotkaniu, przypomniała sobie o kosztach wizyty u lekarza i uznała, że nadszedł czas, by podnieść wysokość świadczeń, ten eufemizm wywołał uśmiech na jej twarzy, a oznaczał po prostu opłatę za usługi.

Kazała taksówkarzowi zatrzymać się kilka przecznic wcześniej. Wmieszała się w tłum podążający w tym samym kierunku. Poddała się jego rytmowi, anonimowa i niewinna. Pewnym krokiem weszła do hotelu i udała się do baru. Zwykle precyzyjnie określała godzinę spotkania, więc musiała poczekać, gdyż tym razem przyszła za wcześnie. Zamówiła sok, który sączyła powoli, nie rozglądając się dookoła. Nie chciała, by wzięto ją za kobietę szukającą przygód. Po chwili jak zwykła turystka, która wraca do swego pokoju po męczącym dniu spędzonym w muzeach, skierowała się ku windzie. Należy tu zazna-

Dziewczynę w ciemnych okularach również przyprowadził do domu policjant. Jednak sytuacja, w której ona straciła wzrok, była bardziej pikantna. Naga kobieta krzycząca wniebogłosy w hotelowym pokoju, przerażeni goście, mężczyzna usiłujący zbiec z miejsca zdarzenia, pędzący korytarzem z na wpół wciągniętymi spodniami, wszystko to nadało wydarzeniu szczególnego dramatyzmu. Dziewczyna była czerwona ze wstydu, ponieważ, ku zadowoleniu zakłamanych i cnotliwych obywateli, uczucie to często towarzyszy procederowi sprzedawania się dla rozrywki. Gdy pojęła, że utrata wzroku nie jest przejściowym objawem, zaczęła krzyczeć jak opętana. Dopiero gdy wyciągnięto ją z pokoju ledwo odzianą i popychano korytarzem do wyjścia, umilkła zawstydzona. Policjant odezwał się tonem, który w innych okolicznościach uznać by można za grubiański, teraz jednak brzmiał co najwyżej ironicznie. Spytał ją o adres i czy ma pieniądze na taksówkę, po czym zauważył z sarkazmem, W takiej sytuacji państwo nie opłaca przejazdów. Nie można odmówić tej zasadzie pewnej logiki, gdyż osoby pokroju młodej dziewczyny nie płacą podatków za swoje niemoralne czyny. Ślepa kobieta twierdząco skinęła głową, ale ponieważ otaczała ją biel i nie miała pewności, czy policjant zauważył ten gest, odezwała się cicho, Tak, mam pieniądze, i nie wiedzieć czemu dodała, Wcześniej ich nie miałam. Wydawałoby się, że oświadczenie to nie wiązało się bezpośrednio z sytuacją, lecz gdybyśmy pokusili się o zgłębienie tajników i zawiłości duszy ludzkiej, a ta nigdy nie ma prostych rozwiązań, okazałoby się, że słowa te miały sens i zostały wypowiedziane w dobrej wierze. Dziewczyna chciała w ten sposób dać do zrozumienia, że wie, iż została ukarana za swoje niemoralne postępowanie. Powiedziała matce, że nie wróci na kolację, a tymczasem przyszła wcześniej od ojca.

Zupełnie inaczej potoczyły się losy okulisty, nie tylko dlatego, że w chwili oślepnięcia znajdował się w domu, lecz również dlatego, że jako lekarz nie zamierzał załamywać rąk i poddać się nieszczęściu, jak to czynią ci, którym dopiero ból przypomina o istnieniu ich własnego ciała. Mimo iż znajdował się w tragicznym położeniu, zdruzgotany, mając przed sobą bezsenną noc ponurych rozmyślań, zdołał przypomnieć sobie *Iliadę* Homera, utwór o śmierci i cierpieniu. Tak, ten lekarz wart jest więcej niż kilku zwykłych śmiertelników, przy czym porównanie to ma raczej charakter jakościowy niż ilościowy, co zresztą wkrótce zostanie udowodnione. Starczyło mu odwagi, by nie budzić żony, tylko cicho położyć się obok niej. Kobieta szepnęła coś przez sen i przytuliła się do męża, by poczuć go obok siebie. Przez wiele godzin leżał z otwartymi oczami, kilka razy zdrzemnął się z wyczerpania. Pragnął, by ta noc trwała wiecznie, by nie musiał obwieścić żonie, Jestem ślepy, on, człowiek, który leczył oczy. Jednocześnie nie mógł doczekać się światła dnia, tych właśnie słów użył w myślach, światła dnia, wiedząc, że już nigdy go nie ujrzy. Zdał sobie sprawę, że jako ślepy okulista nikomu nie będzie potrzebny. Jednak czuł się zobowiązany powiadomić Ministerstwo Zdrowia o tym, co niebawem mogło się przekształcić w prawdziwą katastrofę, że ta tajemnicza ślepota może okazać się zaraźliwa, a co więcej, nie poprzedzają jej żadne objawy chorobowe w postaci infekcji, zakażenia, deformacji, o czym świadczył przypadek ślepca, który zgłosił się do niego wieczorem, jak również jego własny. Co prawda on sam miał lekki astygmatyzm, ale tak nieznaczny, że nie używał nawet szkieł. Jego oczom, oczom, które przestały widzieć, oczom ślepca nie można było nic zarzucić, nie miały żadnych wad nabytych ani wrodzonych. Przypomniał sobie szczegóły badania, któremu poddał ślepca, fragmenty oka, które oglądał przez aparat i w których nic nie zauważył, żadnej wady, zniekształcenia, niepokojącej zmiany, co u trzydziestoośmiolatka, a nawet osoby młodszej, było rzeczą wręcz niespotykaną. Ten człowiek po prostu nie miał prawa oślepnąć, pomyślał, zapominając na chwilę o swoim stanie, do tego stopnia można zatracić się w nieszczęściu, co nie jest nowym odkryciem, gdyż mówił już o tym wspomniany Homer, choć jego słowa interpretowano na tysiące różnych sposobów.

Kiedy żona wstała, udawał, że śpi. Poczuł na czole muśnięcie jej warg, pewnie obawiała się wyrwać go z głębokiego snu. Biedaczysko, pomyślała, późno poszedł spać, pół nocy ślęczał nad tym niespotykanym przypadkiem człowieka, który nagle oślepł. Gdy lekarz został sam, poczuł, że zaczyna się dusić, jakby gęsta chmura opadła mu na piersi i powoli wlewała się przez nozdrza, oślepiając go od środka. Wydał z siebie stłumiony okrzyk, a dwie ciężkie łzy niespodziewanie spłynęły mu z oczu strużką i potoczyły się po policzkach. Pewnie są białe, pomyślał. Poczuł strach, teraz zrozumiał, co czuli jego pacjenci, kiedy mówili, Panie doktorze, chyba tracę wzrok. Słyszał, jak żona krząta się po kuchni, za chwilę przyjdzie sprawdzić, czy już się obudził, zbliżała się pora wyjścia do szpitala. Wstał ostrożnie, po omacku odnalazł szlafrok, wszedł do łazienki, załatwił się i odwrócił w stronę, gdzie jak mu się zdawało, wisiało lustro. Tym razem nie westchnął, Nic z tego nie rozumiem, nie powiedział też, że istnieje sto powodów, dla których mózg zamyka się przed światem, tylko wyciągnął przed siebie ręce, aż dotknął powierzchni lustra. Wiedział, że spogląda na niego znajome odbicie, twarz, która go widzi, ale której on już nigdy nie zobaczy. Usłyszał, jak żona wchodzi do pokoju, Już wstałeś, zapytała, a on przytaknął. Wrócił do sypialni, poczuł ciepło jej ciała, Dzień dobry, kochanie, powiedziała. Mimo tylu lat małżeństwa nadal zwracali się do siebie z czułością, Nie wiem, czy to będzie dobry dzień, odparł niczym aktor na scenie recytujący swoją kwestię, coś jest nie w porządku z moimi oczami. Żona zareagowała jedynie na ostatnią część zdania, Pozwól, że zobaczę, i uważnie im się przyjrzała. Nic nie stwierdziła, a zdanie to zabrzmiało tak, jakby nie należało do jej roli, to była przecież jego kwestia, więc powtórzył tylko, Nic nie widzę, po czym dodał, Myślę, że zaraził mnie pacjent, którego wczoraj badałem.

Towarzyszki życia lekarzy z czasem uczą się niektórych tajników medycyny, a żona okulisty była szczególnie blisko związana z mężem i jako pojętna uczennica wiedziała, że ślepota nie jest chorobą zakaźną, którą można się zarazić, patrząc na ślepca, a właściwie na kogoś, kto ślepcem nie jest. Ślepota to sprawa osobista między człowiekiem a oczami, z którymi się urodził. Z drugiej jednak strony lekarz medycyny wie, co mówi, po to kończy wyższe studia, i jeżeli jej mąż twierdzi, że jest ślepy, a co więcej, że został zarażony, trudno podważać jego opinię. Przytłoczona jednoznacznością dowodów, biedaczka zareagowała jak każda inna kobieta, czyli jak dwie poznane wcześniej żony, objęła męża, tym prostym gestem dzieląc z nim rozpacz, Co my teraz zrobimy, pytała zapłakana, Przede wszystkim musimy zawiadomić władze, bo jeśli to rzeczywiście epidemia, trzeba przedsięwziąć środki ostrożności, Po raz pierwszy słyszę o epidemii ślepoty, żona nie dawała za wygraną, próbując znaleźć choćby cień nadziei, Nikt dotąd nie zetknął się również z przypadkiem człowieka, który ślepnie bez przyczyny, a teraz mamy już dwa takie przypadki. Ledwo wypowiedział te słowa, jego twarz stężała i niemal brutalnie odepchnął żonę, Odejdź, nie zbliżaj się, mogę cię zarazić. Uderzył się pięścią w czoło. Co za głupiec ze mnie, idiota, jak mogłem do tego dopuścić, spędziliśmy razem całą noc, powinienem był spać w zamkniętym gabinecie, Proszę, nie mów tak, co ma być, to będzie, chodź, przygotuję ci śniadanie, Zostaw mnie, odejdź, Nie odejdę, krzyknęła żona, co zamierzasz zrobić, będziesz chodził po omacku, wpadając na meble, będziesz bezradnie szukał numerów telefonu, których nie widzisz, a ja tymczasem mam siedzieć w szklanej kuli, odcięta od zarazków, i przyglądać się temu z założonym rękami. Chwyciła go mocno za ramię, Chodźmy na śniadanie.

Było jeszcze wcześnie, kiedy lekarz, możemy sobie wyobrazić, z jaką rozkoszą, pił poranną kawę i jadł tosty, które mimo jego protestów przygotowała żona. Było jednak zbyt wcześnie, by dzwonić do kolegów z pracy, których chciał powiadomić o epidemii. Wiedział, że dla dobra sprawy powinien jak najszybciej skontaktować się z wysoko postawionymi urzędnikami Ministerstwa Zdrowia. Wkrótce jednak zdał sobie sprawę, że to nie będzie takie proste, że jeśli przedstawi się jako zwykły lekarz, który ma ważną sprawę do ministra, może nie zostać dopuszczony nawet do średniego rangą urzędnika. Po wielu próbach i błaganiach sekretarka połączyła go wreszcie z jakimś przedstawicielem niższego szczebla, który chciał uzyskać dokładniejsze informacje, zanim skontaktuje go z przełożonym. Trudno mu było uwierzyć, że odpowiedzialny lekarz może, ot tak, donieść zwykłemu urzędnikowi o pojawieniu się epidemii ślepoty, czy zdaje pan sobie sprawę, jaka panika wybuchnie, mam wierzyć, że jest pan autentycznym lekarzem, a nawet jeśli uwierzę, muszę postępować zgodnie z wytycznymi, więc albo dokładnie mi pan wyjaśni, o co chodzi, albo sprawa utknie w miejscu, To poufne, No cóż, takich spraw nie załatwia się przez telefon, lepiej będzie, jeśli pan przyjdzie osobiście, Nie mogę wyjść z domu, Czy jest pan chory, Tak, jestem chory, odparł po chwili wahania ślepiec, Wobec tego proszę wezwać lekarza, prawdziwego lekarza, zakończył zdecydowanym tonem urzędnik i zadowolony z własnego dowcipu rozłączył się.

Lekarz odczuł słowa urzędnika jak policzek. Dopiero po kilku minutach, gdy się uspokoił, opowiedział żonie, jak grubiańsko go potraktowano. Potem, jakby dopiero teraz zrozumiał to, co powinien był wiedzieć wcześniej, rzekł stłumionym głosem, Wszyscy jesteśmy ulepieni z tej samej gliny, z obojętności i zła, pół na pół. Chciał zapytać, I co teraz, ale zawahał się, zrozumiał, że traci czas. Jedynym sposobem powiadomienia władz o epidemii było skontaktowanie się z ordynatorem oddziału kliniki, w której pracował. Będzie to rozmowa lekarza z lekarzem, poza biurokratyczną machiną, którą lekkomyślnie wprawił w ruch swoim telefonem. Żona wykręciła numer, który znała na pamięć. Lekarz przedstawił się, a kiedy telefonistka spytała go o zdrowie, zniecierpliwionym głosem odparł, Dziękuję, czuję się dobrze, bo tak właśnie odpowiadamy, gdy chcemy ukryć swoje słabości, Dobrze, mówimy, leżąc na łożu śmierci, by, jak to się brzydko mówi, nie wywlekać bebechów na wierzch, to zjawisko niemal fizyczne, obserwujemy je jedynie wśród przedstawicieli rodzaju ludzkiego. Ordynator podszedł do aparatu i spytał, Co się z panem dzieje, Czy jest pan sam, odpowiedział pytaniem na pytanie lekarz, chcąc się upewnić, czy nikt nie podsłuchuje rozmowy. Nie musiał obawiać się telefonistki, której nie w głowie było przysłuchiwanie się specjalistycznym rozmowom okulistów, interesowała ją wyłącznie ginekologia. Lekarz opowiedział zwięźle i dokładnie, co mu się przydarzyło, nie owijając niczego w bawełnę, bez zbędnych słów i bez skrótów, pewnie i precyzyjnie, co zważywszy na zaistniałe okoliczności, nawet zdziwiło ordynatora, Czy pan rzeczywiście nic nie widzi, dopytywał się, Jestem zupełnie ślepy, Może to po prostu zbieg okoliczności, niekoniecznie musiał się pan zarazić, Zgoda, nie możemy tego udowodnić, ale ani ja, ani mój pacjent nie oślepliśmy niezależnie od siebie, najpierw on przyszedł do mnie, a po kilku godzinach ja oślepłem, W jaki sposób możemy skontaktować się z tym człowiekiem, Znam jego nazwisko i adres, Zaraz do pana kogoś przyślę, Lekarza, Tak, oczywiście, któregoś z kolegów, Nie sądzi pan, że trzeba zawiadomić ministerstwo, Myślę, że jest na to za wcześnie, proszę sobie wyobrazić reakcję ludzi na taką wiadomość, a poza tym, jak u diabła, można zarazić się ślepotą, Śmiercią też nikt się nie zaraża, a przecież wszyscy umieramy, No dobrze, niech pan nie wychodzi z domu, a ja zajmę się tą sprawą, potem poślę po pana, muszę to sam zbadać, Proszę nie zapominać, że oślepłem, ponieważ badałem człowieka, który stracił wzrok, Co do tego nie mamy pewności, Mamy, a przynajmniej wszystko na to wskazuje, Myślę, że za wcześnie na wyciąganie pochopnych wniosków, dwa pojedyncze przypadki są dla statystyki niczym, Pod warunkiem że jest nas w tej chwili rzeczywiście tylko dwóch, Rozumiem pańskie przygnębienie, ale nie mamy wystarczających dowodów, proszę nie popadać w skrajny pesymizm, Dobrze, panie ordynatorze, Zadzwonię później, Do widzenia.

Minęło pół godziny, w tym czasie lekarz zdołał się nieporadnie ogolić, korzystając z pomocy żony. Wkrótce zadzwonił telefon. Znów odezwał się głos ordynatora, tym razem jednak zmieniony, Zgłosił się do nas chłopiec, który nagle stracił wzrok, widzi tylko biel, jego matka mówi, że byli wczoraj u pana na konsultacji, Czy to dzieciak, który ma rozbieżnego zeza w lewym oku, Zgadza się, to na pewno on, Zaczynam się naprawdę martwić, sytuacja jest groźna, co z ministerstwem, tak, pamiętam, ale najpierw muszę zawiadomić dyrekcję kliniki. Trzy godziny później, kiedy lekarz i jego żona w milczeniu jedli obiad, a ślepy mężczyzna z trudem próbował nadziać kawałki mięsa na widelec, znów zadzwonił telefon. Żona odeszła od stołu, lecz po chwili wróciła, To do ciebie, ktoś z ministerstwa. Pomogła mu wstać i podprowadziła do stojącego na biurku aparatu. Rozmowa była krótka. Urzędnik chciał poznać personalia pacjentów, którzy poprzedniego dnia odwiedzili lekarza. Okulista odparł, że w każdej karcie znajduje się nazwisko, wiek, stan cywilny, zawód i adres pacjenta. Dodał, że może towarzyszyć osobie lub osobom, które zgłoszą się po karty. Głos w słuchawce zabrzmiał kategorycznie, nie ma potrzeby, po czym do telefonu podszedł ktoś inny. Tym razem głos był uprzejmy, Dzień dobry panu, mówi minister, w imieniu rządu chciałbym podziękować za sumienne wypełnianie obowiązków, dzięki pańskiej natychmiastowej reakcji będziemy mogli opanować sytuację, proszę jednak pozostać w domu. Ostatnie słowa zostały wypowiedziane ze sztywną uprzejmością i było jasne, że to rozkaz. Tak jest, panie ministrze, odparł lekarz, ale łączność została już przerwana.

Po kilku minutach znów odezwał się telefon. Tym razem dzwonił ordynator, Dowiedziałem się, że policja ma informacje o dwóch kolejnych nagłych przypadkach oślepnięcia, obwieścił nerwowym, przerywanym głosem, Czy to policjanci, Nie, kobieta i mężczyzna. Kobietę znaleziono w hotelu, jakaś łóżkowa sprawa, a mężczyzna ni stąd, ni zowąd zaczął krzyczeć na ulicy, Musimy sprawdzić, czy to również moi pacjenci, jak się nazywają, Nie mówili, Dzwonili do mnie z ministerstwa, zaraz przyjadą po karty pacjentów, Sytuacja jest coraz trudniejsza, I komu pan to mówi. Odłożył słuchawkę i ukrył twarz w dłoniach, jakby chciał osłonić ją przed niewidzialnym ciosem. Po chwili odezwał się zdławionym głosem, Jestem zmęczony, Prześpij się, zaprowadzę cię do łóżka, zaproponowała żona, Nie warto, i tak nie mógłbym zasnąć, a poza tym dzień się jeszcze nie skończył, z pewnością coś się jeszcze wydarzy.

O szóstej telefon zadzwonił po raz ostatni. Lekarz siedział obok aparatu. Podniósł słuchawkę, Tak, to ja, potwierdził i słuchał w skupieniu głosu w słuchawce, od czasu do czasu potakując głową, Kto to był, spytała żona, kiedy skończył, Urzędnik z ministerstwa, za pół godziny przyjedzie po mnie karetka, Spodziewałeś się tego, Tak, chyba tak, Dokąd cię zawiozą, Nie wiem, chyba do szpitala, Przygotuję ci kilka najpotrzebniejszych rzeczy, Nie wybieram się w długą podróż, Skąd wiesz. Zaprowadziła go do pokoju i delikatnie posadziła na łóżku, Posiedź chwilę spokojnie, wszystkim się zajmę. Słyszał, jak chodzi po pokoju, otwiera szuflady, zamyka szafę, wyjmuje ubrania i wkłada je do leżącej na podłodze walizki. Nie wiedział jednak, że poza jego rzeczami włożyła tam również kilka spódnic i bluzek, spodnie, sukienkę i parę bez wątpienia damskich butów. Pomyślał tylko, że nie potrzebuje aż tylu rzeczy, ale nie odezwał się, czując, że nie pora teraz na rozmowy o rzeczach banalnych. Usłyszał, jak żona zatrzaskuje walizkę, Gotowe, możemy czekać na karetkę. Zaniosła walizkę pod drzwi, pomimo protestów męża, który chciał jej pomóc, Daj, jeszcze potrafię to zrobić, nie jestem kompletnym inwalidą. Po chwili siedzieli obok siebie na kanapie w pokoju i czekali, trzymając się za ręce, Nie wiem, na jak długo mnie odizolują, Nie martw się.

Czekali prawie godzinę. Kiedy zabrzmiał dzwonek, żona wstała i poszła otworzyć drzwi, ale na klatce schodowej było pusto. Podniosła słuchawkę domofonu, Dobrze, mąż już schodzi. Wróciła do pokoju i powiedziała, Czekają na dole, mają wyraźny rozkaz nie wchodzić do mieszkania, Wygląda na to, że w ministerstwie przestraszyli się nie na żarty, Chodźmy. Zjechali windą, kobieta pomogła mężowi pokonać ostatnie stopnie i wsiąść do karetki. Wróciła po walizkę i wepchnęła ją do samochodu, po czym usiadła obok męża. Siedzący z przodu kierowca zaczął protestować, Mam zabrać tylko tego człowieka, taki był rozkaz. Mnie też musi pan zabrać, właśnie oślepłam, odparła cicho żona lekarza.

Pomysł zrodził się w głowie samego ministra. Trudno o szczęśliwsze, idealne wręcz rozwiązanie, zarówno ze względów czysto sanitarnych, jak i skutków społecznych oraz politycznych, które mogła wywołać zaistniała sytuacja. Co prawda nie udało się zapobiec przyczynom epidemii, czyli używając języka specjalistycznego, zająć się etiologią białej choroby, bo tak nazwał ślepotę któryś z urzędników obdarzonych większą wyobraźnią, i dotąd nie znaleziono żadnego lekarstwa, nie mówiąc o szczepionce, która zapobiegłaby rozprzestrzenianiu się epidemii. Istniało jednak pewne wyjście. Wszystkie dotknięte chorobą osoby oraz tych, którzy się z nimi kontaktowali, należało zebrać i odizolować w jednym miejscu, aby w ten sposób uniknąć kolejnych zakażeń. Inaczej liczba zachorowań mogłaby się powiększyć w tempie zgodnym z przyrostem eksponencjalnym. *Quod erat demonstrandum*, podsumował minister. Używając języka zrozumiałego dla przeciętnych śmiertelników, chodziło o to, aby zorganizować kwarantannę, wystarczyło sięgnąć po historyczne wzorce, kiedy to w podobnej sytuacji chorych na cholerę i żółtą febrę wysyłano w łodziach na morze, by spędzili w odosobnieniu czterdzieści dni aż do wyjaśnienia sytuacji. Tych samych słów, aż do wyjaśnienia sytuacji, użył z pełną powagą minister, nie mogąc znaleźć innego, równie trafnego określenia. Jednak po chwili namysłu dodał, Chciałbym powiedzieć, że może to być zarówno czterdzieści dni, jak i czterdzieści tygodni, a może nawet czterdzieści lat. Rzecz w tym, by nikt stamtąd nie wyszedł, Musimy wybrać dla nich miejsce, odezwał się przewodniczący komisji koordynacyjnej i bezpieczeństwa, powołanej naprędce w celu zorganizowania transportu, izolacji i nadzoru pacjentów, Jakie mamy możliwości, spytał minister, Dysponujemy pustym budynkiem szpitala psychiatrycznego, który od dawna chcieliśmy zagospodarować, są też koszary wojskowe opuszczone z powodu reorganizacji sił zbrojnych, hale wystawowe wykorzystywane tylko podczas targów przemysłowych, chociaż tam prowadzone są prace wykończeniowe, jest jeszcze wielki supermarket, któremu z niewiadomych przyczyn grozi zamknięcie, Jak pan myśli, w którym z tych obiektów można by umieścić chorych, Bez wątpienia najlepiej strzeżonym miejscem są koszary, To oczywiste, Jednak obiekt jest zbyt duży i nie będziemy w stanie kontrolować sytuacji wewnątrz, Rozumiem, Co do supermarketu, mogą się pojawić komplikacje natury prawnej, a tego należy unikać, A hale targowe, Minister przemysłu nie zgodzi się, ponieważ zainwestowano w nie miliony, pozostaje szpital psychiatryczny, Niech będzie szpital, Myślę, że ze wszystkich propozycji to miejsce nadaje się najbardziej, ponieważ otacza je mur, a sam budynek jest dwuskrzydłowy, W jednym skrzydle umieścimy niewidomych, w drugim zaś podejrzanych o kontakt z chorobą, środkowej części budynku przypadnie rola ziemi niczyjej, chorzy tracący wzrok będą tędy przechodzić do skrzydła niewidomych, Jest pewien problem, Jaki, panie ministrze, Musimy zatrudnić personel, który zajmie się kierowaniem chorych do sal, a, jak sądzę, nie ma co liczyć na wolontariuszy, To zbędne, panie ministrze, Nie rozumiem, Jeśli któryś z podejrzanych oślepnie, co prędzej czy później z pewnością nastąpi, to jestem pewien, że pozostali sami wypchną go ze swego skrzydła, by odwlec moment własnego oślepnięcia, Ma pan rację, To samo stanie się ze ślepcem, który pomyli drogę i wejdzie do skrzydła widzących, Nieźle to pan wymyślił, Dziękuję, panie ministrze, czy możemy zacząć wydawać polecenia, Tak, daję panu wolną rękę.

Komisja zadziałała szybko i skutecznie. Przed zmrokiem zebrano wszystkich ślepych, których dane znajdowały się już w ministerstwie. Zatrzymano również grupę osób podejrzanych o kontakt z chorymi. Była to grupa zebrana naprędce przez Ministerstwo Zdrowia i obejmowała głównie rodziny oraz osoby związane z chorymi zawodowo. Jako pierwsi przybyli do opuszczonego szpitala lekarz i jego żona. Wokół budynku stali żołnierze. Wpuszczono ich przez bramę, którą natychmiast zaryglowano. Od bramy do głównego wejścia prowadziła gruba lina, której należało się uchwycić, by nie zabłądzić i dotrzeć do drzwi budynku. Przejdźcie trochę na prawo, tam jest sznur, złapcie się go i idźcie prosto przed siebie, potem będą schody, sześć stopni, usłyszeli instrukcje sierżanta. W holu szpitala lina dzieliła się na dwie, jedna wiodła w prawo, druga w lewo. Z dziedzińca dobiegł głos sierżanta, Uważajcie, macie skręcić w prawo. Trzymając w jednej ręce walizkę, drugą prowadząc męża, kobieta weszła do pierwszej napotkanej sali. Była długa i wąska jak pomieszczenia dla chorych w starych szpitalach. Dwa rzędy łóżek pomalowano kiedyś szarą farbą, która teraz łuszczyła się płatami. Pościel i koce miały ten sam kolor. Kobieta zaprowadziła męża na koniec sali i posadziła go na łóżku, Nie ruszaj się stąd, pójdę się rozejrzeć. Idąc długim, wąskim korytarzem, mijała kolejne sale, pokoje, które należały zapewne do personelu lekarskiego, brudne ubikacje, pomieszczenia kuchenne, gdzie wciąż unosił się odór stęchłego jedzenia. Była też jadalnia, w której stały stoły o metalowych blatach, trzy cele wyłożone u dołu tkaniną, a od wysokości dwóch metrów korkiem. Na tyłach budynku znajdował się otoczony murem opuszczony ogród. Pnie zaniedbanych drzew były odarte z kory, wszędzie leżały śmieci. Żona lekarza wróciła do sali. Z uchylonych drzwi szafy wystawał kaftan bezpieczeństwa. Podeszła do męża. Zgadnij, dokąd nas przywieźli, Nie wiem. Zanim zdążyła wyjaśnić, mąż powiedział, Nie jesteś ślepa, nie możesz tu zostać, Masz rację, nie jestem ślepa, Poproszę, żeby odwieźli cię do domu, powiem, że przyjechałaś ze mną przez pomyłkę, Nie trudź się, stąd i tak nikt cię nie usłyszy, a jeśli nawet usłyszą, nie kiwną palcem, Ale ty widzisz, Na razie, za dzień lub dwa, a może za chwilę też oślepnę, Uciekaj, proszę cię, Nie bądź uparty, żołnierze nie pozwolą mi nawet wystawić nosa za bramę, Wiesz, że nie mogę cię do niczego zmusić, Wiem, kochanie, i dlatego zostanę, żeby ci pomagać, może przydam się też innym, ale nie wolno ci nikomu powiedzieć, że widzę, O kim ty mówisz, Chyba nie przypuszczałeś, że zostawią nas tu samych, To jakiś obłęd, Masz rację, jesteśmy w domu wariatów.

Kolejni ślepcy przyjechali w grupie. Jednych powyciągano z łóżek, innych z samochodów. Najpierw złapano złodzieja, potem ujęto dziewczynę w ciemnych okularach, zezowatego chłopca, chociaż nie, malca znaleziono w szpitalu, dokąd przyprowadziła go matka, której w przeciwieństwie do żony lekarza zabrakło odwagi, by towarzyszyć mu w zesłaniu. Była prostą kobietą, nie potrafiła kłamać, nawet dla dobra sprawy. Chorzy weszli do sali, rozpaczliwie wymachując rękami. Tu nie było już liny, musieli sami znaleźć drogę. Chłopiec zaczął płakać. Dziewczyna w ciemnych okularach próbowała go pocieszyć, Nie płacz, mama zaraz przyjdzie. Z oczami, które zasłaniały okulary, nie wyglądała na ślepą. Inni bezradnie kręcili głowami na wszystkie strony, a ona, spokojna, ze słowami otuchy na ustach sprawiała wrażenie, jakby rzeczywiście zauważyła w progu matkę nieszczęsnego chłopca. Żona lekarza przysunęła się do męża i szepnęła mu do ucha, Jest ich czworo, jedna kobieta, dwóch mężczyzn i chłopiec, Jak wyglądają, spytał cicho lekarz. Opisała ich szczegółowo, a on odparł, Pierwszego nie znam, ale drugi z opisu przypomina mi pacjenta, który zgłosił się do mnie wczoraj, Chłopiec ma zeza, a kobieta nosi ciemne okulary, jest bardzo ładna, Zgadza się, oni też u mnie byli. Ślepcy nie słyszeli tej rozmowy, gdyż robili mnóstwo hałasu, próbując znaleźć dla siebie miejsce. Uważali, że poza nimi w sali nie ma nikogo, a zbyt niedawno stracili wzrok, by słuch im się wyostrzył. W końcu każdy usiadł na łóżku, które akurat stało na jego drodze, dochodząc zapewne do wniosku, że lepiej zadowolić się czymś konkretnym, niż błądzić w jasności. Mężczyźni przez przypadek znaleźli się blisko siebie. Dziewczyna spokojnym i cichym głosem nadal pocieszała chłopca, Nie płacz, zobaczysz, że mama niedługo przyjdzie. Zapadła cisza. Żona lekarza powiedziała głośno, tak by usłyszano ją na drugim końcu sali, Są tu jeszcze dwie osoby, a was ilu jest. Cała czwórka aż podskoczyła na dźwięk tego niespodziewanego pytania. Mężczyźni milczeli. Wreszcie odezwała się dziewczyna, Wydaje mi się, że jest nas czworo, ja, ten chłopiec, A reszta, dlaczego się nie odzywają, przerwała jej żona lekarza, Jestem, burknął niechętnie jeden z przybyłych, jakby mówienie sprawiało mu trudność, Jestem, odezwał się drugi człowiek. Żona lekarza pomyślała, że zachowują się tak, jakby za wszelką cenę chcieli zachować anonimowość. Widziała, jak kurczą się w sobie, siedzą sparaliżowani, wyciągając szyje jak psy obwąchujące otoczenie. Dziwne, że na wszystkich twarzach malowały się strach i wrogość, choć każde z tych uczuć znajdowało własne, indywidualne odbicie. Zaczęła się zastanawiać, co ich łączy.

W tej samej chwili usłyszeli zdecydowany, donośny głos osoby wyraźnie nawykłej do wydawania rozkazów. Dźwięk dobiegał z głośnika wiszącego nad wejściem do sali. Głos trzy razy powtórzył uwaga, uwaga, uwaga, po czym nadano komunikat, Rząd ubolewa, że musiał uciec się do środków ostatecznych, ale uważa za swój obowiązek i prawo użyć ich w sytuacji zagrażającej całemu społeczeństwu, Obecny kryzys nosi wszelkie znamiona epidemii ślepoty, nazwanej prowizorycznie białą zarazą, Liczymy na współpracę i uczciwość wszystkich obywateli, co uniemożliwi dalsze rozprzestrzenianie się choroby, przyjmując, że jest ona zakaźna i że zanotowane przypadki nie są zwykłym zbiegiem okoliczności, Podjęcie decyzji o zgrupowaniu chorych i podejrzanych o kontakt z chorobą obywateli w odosobnionym, lecz znajdującym się blisko miasta budynku nie było łatwe, Rząd zdaje sobie sprawę ze swej odpowiedzialności i wierzy w obywatelską postawę wszystkich osób, do których kierowane są te słowa, Ufamy, że wykażą one solidarność, przedkładając dobro narodu nad własny interes, W związku z tym prosimy o skrupulatne wykonywanie rozkazów, Po pierwsze, nie należy gasić światła w budynku, z tym że manipulowanie przy przyciskach nic nie da, gdyż są one uszkodzone, po drugie, opuszczenie budynku bez zezwolenia grozi zastrzeleniem, powtarzam, zastrzeleniem, po trzecie, w każdej sali znajduje się telefon, którego można używać jedynie do składania zamówień na środki opatrunkowe i środki czystości, po czwarte, internowani mają obowiązek prać ubrania ręcznie, po piąte, radzimy wybrać przewodniczącego sali, Nie jest to rozkaz, lecz sugestia, by internowani zorganizowali się w celu sumiennego przestrzegania podanych wyżej punktów oraz rozkazów, które sukcesywnie będziemy wydawać, po szóste, trzy razy dziennie dostarczane będą kartony z żywnością, które zostaną umieszczone po lewej i po prawej stronie przy wejściu głównym, co odpowiada podziałowi budynku na dwie części, dla podejrzanych o kontakt z chorobą i chorych, po siódme, wszystkie odpadki należy palić, przez odpadki rozumiemy zarówno resztki jedzenia, jak i opakowania oraz talerze i sztućce wykonane z materiałów łatwopalnych, po ósme, palenie odpadków powinno odbywać się na patiach znajdujących się w części centralnej obiektu lub w ogrodzie, po dziewiąte, internowani ponoszą odpowiedzialność za wszelkie nieprzewidziane konsekwencje palenia odpadków, po dziesiąte, zarówno w razie pożaru, jak i umyślnego podpalenia nie należy liczyć na interwencję straży pożarnej, po jedenaste, ani na żadną inną pomoc z zewnątrz w przypadku choroby internowanych, agresji lub problemów wynikających z nieprawidłowej organizacji, po dwunaste, w przypadku śmierci, niezależnie od jej przyczyn, internowani zobowiązani są bez zbędnych formalności zakopać ciało w ogrodzie, po trzynaste, komunikowanie się ślepych z podejrzanymi o zarażenie chorobą ma się odbywać poprzez część centralną budynku, gdzie znajduje się główne wejście, po czternaste, internowani podejrzani o kontakt z chorobą, którzy oślepną, zobowiązani są niezwłocznie przenieść się do skrzydła zamieszkanego przez ślepych, po piętnaste, powyższy komunikat będzie powtarzany codziennie o tej samej porze, by mogli się z nim zapoznać nowo przybyli, Rząd i cały naród oczekują, że internowani spełnią swój obywatelski obowiązek, Dobranoc.

Zapadła cisza, którą przerwał dziecięcy głos chłopca, Chcę do mamusi, lecz jego słowom brakowało uczucia, jakby ktoś przez pomyłkę uruchomił tekst nagrany na automatycznej sekretarce, przerywając długą ciszę. Pierwszy odezwał się lekarz, To, co usłyszeliśmy, nie pozostawia żadnych wątpliwości, jesteśmy całkowicie odcięci od świata i nie wyjdziemy stąd, dopóki nie zostanie wynaleziony lek na naszą chorobę, Pański głos wydaje mi się znajomy, odezwała się dziewczyna w ciemnych okularach, Jestem lekarzem okulistą, No właśnie, byłam wczoraj u pana, Ach tak, co pani dolega, Miałam zapalenie spojówek, pewnie nadal je mam, ale teraz to bez znaczenia, przecież jestem ślepa, A ten malec, który jest z panią, To nie moje dziecko, ja nie mam dzieci, Wczoraj badałem chłopca, który miał zeza, czy to ty, spytał lekarz, Tak, proszę pana, odparł z niechęcią chłopiec, zły, że ktoś głośno mówi o jego przypadłości, i miał rację, ponieważ publiczne wytykanie komuś drobnych ułomności zamienia je w kalectwo. Czy są jeszcze wśród państwa moi pacjenci, zwrócił się lekarz do obecnych na sali, Może jest tu pan, który wczoraj nagle oślepł w samochodzie i zjawił się u mnie w towarzystwie żony, To ja, odezwał się pierwszy ślepiec, Ale jest tu jeszcze jedna osoba, proszę się odezwać, nie wiadomo jak długo przyjdzie nam przebywać razem, powinniśmy się poznać. Złodziej samochodów wycedził przez zęby, Jestem, uważając, że to wszystkich zadowoli, ale lekarz nalegał, Sądząc po głosie, jest pan młody, nie jest pan tym starym człowiekiem z kataraktą, Nie, doktorze, nie jestem, W jaki sposób pan oślepł, Na ulicy, To znaczy, To znaczy na ulicy i tyle. Lekarz chciał jeszcze zapytać, czy człowiek ten również widzi tylko biel, ale uznał, że to nic nie zmieni, nieważne, czy widzą mrok, czy jasność, i tak stąd nie wyjdą. Niepewnie wyciągnął dłoń w stronę żony, a jej ręka czekała już w powietrzu. Pocałowała go w czoło. Tylko ona widziała jego zatroskaną twarz, zaciśnięte usta, martwe szkliste oczy, w których tlił się strach, oczy, które powinny widzieć, a były ślepe, Na mnie też przyjdzie kolej, pomyślała, może zaraz, za chwilę, zanim zdążę dokończyć tę myśl, oślepnę nagle jak ci wszyscy ludzie, a może obudzę się ślepa jutro rano lub stracę wzrok, myśląc, że się tylko zdrzemnęłam.

Popatrzyła na czwórkę niewidomych. Siedzieli na swoich łóżkach, każdy z zapakowanym naprędce bagażem. Chłopiec miał szkolny plecak, inni małe walizki, jakby wybierali się na sobotnio-niedzielny wypoczynek. Dziewczyna w ciemnych okularach rozmawiała cicho z dzieckiem, po drugiej stronie, oddzieleni pustym łóżkiem, siedzieli naprzeciw siebie całkiem nieświadomi swej obecności złodziej samochodów i pierwszy ślepiec. Wszyscy słyszeliśmy komunikat, odezwał się lekarz, I wiemy, że cokolwiek się wydarzy, nie możemy liczyć na żadną pomoc, dlatego musimy się zorganizować, niedługo ta sala i cały budynek się zapełnią, Skąd pan wie, że są jeszcze inne sale, spytała dziewczyna, Zanim zdecydowaliśmy się zostać tutaj, przeszliśmy się korytarzem do końca, wyjaśniła żona lekarza, ściskając męża za ramię, by się nie odzywał, Najlepiej będzie, jeśli wybierzemy na przewodniczącego pana doktora, ponieważ zna się pan na medycynie, Co za pożytek ze ślepego lekarza, Ale wszyscy będą się z panem liczyć. Żona okulisty się uśmiechnęła. Powinieneś się zgodzić, jeśli oczywiście wszyscy są tego samego zdania, Nie uważam, żeby to był dobry pomysł, Dlaczego, Jest nas dopiero sześcioro, jutro pojawią się inni, codziennie będą przybywać nowi ludzie, nie można liczyć, że wszyscy oni zechcą się podporządkować osobie, której sami nie wybrali, nie wspomnę już o okazywaniu jej szacunku, oczywiście zakładając, że przyjmą reguły gry przedstawione przez władze, Wobec tego trudno będzie tu żyć, Trudno to za mało powiedziane. Przepraszam, chciałam dobrze, westchnęła dziewczyna w ciemnych okularach, Ale pewnie i tak każdy będzie robił swoje.

Czy to ze złości w obliczu okrutnej prawdy, czy z nadmiaru emocji, jeden z mężczyzn poderwał się z łóżka i wskazując palcem w stronę, gdzie jego zdaniem siedział sąsiad, wykrzyknął, To wszystko przez tego człowieka, gdyby nie on, nadal bym widział, zabiję go własnymi rękami. Niewiele się pomylił, choć jego dramatyczny gest wyglądał komicznie, gdyż wysunięty oskarżycielsko palec wskazywał Bogu ducha winną szafkę obok łóżka. Niech się pan uspokoi, powiedział lekarz, Podczas epidemii nie ma winnych, wszyscy jesteśmy ofiarami, Gdybym nie okazał mu serca i nie odprowadził go do domu, nadal bym widział, Kim pan jest, spytał lekarz, ale człowiek nie odpowiedział, jakby nagle pojął swoją lekkomyślność. Drugi mężczyzna odezwał się spokojnie, Owszem, odwiózł mnie do domu, ale potem wykorzystał sytuację i ukradł mi samochód, Nieprawda, to nie ja, Ależ pan, Nie, ktoś inny rąbnął ten przeklęty samochód, a ja zostałem ukarany za swój dobry uczynek i oślepłem, poza tym nie ma pan świadków, Ta rozmowa niczego nie rozwiąże, przerwała żona lekarza, Samochód został w mieście, a my jesteśmy tutaj, więc lepiej się pogodzić, Nie musimy być razem, róbcie, co chcecie, ale ja przenoszę się do innej sali, nie mogę spać obok drania, który okradł ślepego człowieka, ma pretensje, że przeze mnie stracił wzrok, ale jak widać, istnieje jeszcze na tym świecie sprawiedliwość. Pierwszy mężczyzna chwycił walizkę i szurając nogami, żeby się nie przewrócić, z wyciągniętą ręką ruszył przejściem dzielącym dwa rzędy obskurnych łóżek. Gdzie są inne sale, spytał, ale nie dosłyszał odpowiedzi, gdyż nagle poczuł na sobie ciężar czyjegoś ciała. Złodziej samochodów postanowił spełnić groźbę i ukarać sprawcę swego nieszczęścia. Splecione ciała upadły i toczyły się po podłodze, uderzając o metalowe nogi łóżek. Zezowaty chłopiec wystraszył się i znów wybuchnął płaczem, wzywając matkę. Żona lekarza chwyciła swego towarzysza za ramię. Wiedziała, że sama nie zdoła rozdzielić walczących mężczyzn, więc poprowadziła męża między łóżkami do miejsca, gdzie ciężko dysząc, mocowali się rozwścieczeni przeciwnicy. Nakierowała ręce lekarza na znajdującego się najbliżej mężczyznę, sama chwyciła drugiego i wspólnymi siłami zdołali ich rozdzielić, Nie można tak się zachowywać, wybuchnął lekarz, Jeśli zamierzacie uczynić z tego zesłania piekło, to jesteście na dobrej drodze, ale pamiętajcie, że możemy liczyć tylko na własne siły, słyszeliście, nikt nam nie pomoże, Ale on ukradł mój samochód, jęknął z wysiłkiem pierwszy ślepiec, który bardziej ucierpiał w tej walce, To nie ma znaczenia, wtrąciła żona lekarza, I tak nie może pan prowadzić, Prawda, ale to był mój samochód, a ten złodziej go ukradł i nawet nie wiem, gdzie teraz jest, Prawdopodobnie stoi tam, gdzie go zostawił, kiedy oślepł, zauważył lekarz, Ale z pana mądrala, mruknął z przekąsem złodziej. Pierwszy ślepiec chciał się wyrwać z uścisku i ponownie rzucić na przeciwnika, ale nagle opuściły go siły, jakby zrozumiał, że mimo usprawiedliwionego gniewu nie zdoła odzyskać ani samochodu, ani wzroku. Złodziej zaczął mu wygrażać, Jeśli sądzisz, że jesteś tu bezpieczny, to się grubo mylisz, tak, ukradłem ci samochód, ale ty mi skradłeś wzrok, więc kto z nas jest gorszym złodziejem, Dajcie wreszcie spokój, zdenerwował się lekarz, my też jesteśmy ślepi, a nie uskarżamy się i nie obwiniamy innych, Co mnie obchodzą inni, burknął pogardliwie złodziej, ale lekarz zwrócił się do pierwszego ślepca, Jeśli chce pan przenieść się do innej sali, żona pana zaprowadzi, orientuje się lepiej ode mnie, Rozmyśliłem się, zostanę tutaj. Złodziej zrobił się purpurowy, Boi się biedaczek zostać sam, żeby mu się ktoś nie przyśnił, Dosyć, krzyknął lekarz, tracąc cierpliwość. No, no, doktorku, nie zapominaj, że wszyscy jesteśmy równi, nie będziesz mi tu rozkazywał, Nie rozkazuję, tylko proszę, żeby dał mu pan wreszcie spokój, Dobra, dobra, ale miejcie się na baczności, ze mną żartów nie ma, jeśli kogoś polubię, to do grobowej deski, ale jeśli ktoś mi zajdzie za skórę, to nie popuszczę. Gwałtownie ruszył na swoje miejsce, usiadł, wsunął walizkę pod łóżko i oświadczył, A teraz idę spać, tak jakby chciał wszystkich ostrzec, że będzie się rozbierał. Dziewczyna w ciemnych okularach zwróciła się do zezowatego chłopca, Ty też się połóż, tutaj, obok mnie, jeśli będziesz czegoś potrzebował, zawołaj mnie, Chce mi się siusiu, powiedział chłopiec, a wszyscy nagle poczuli parcie w pęcherzu i pomyśleli, Co my teraz zrobimy. Pierwszy ślepiec sięgnął pod łóżko, chcąc sprawdzić, czy jest tam nocnik, w skrytości ducha liczył jednak, że go tam nie znajdzie, gdyż nie potrafiłby się załatwić w obecności innych. Nikt by go wprawdzie nie widział, ale odgłos oddawania moczu jest krępujący i jednoznaczny, choć w tym względzie i tak mężczyźni są uprzywilejowani. Złodziej usiadł na łóżku, Cholera, gdzie tu się można wyszczać, Niech pan nie będzie wulgarny, tu jest dziecko, oburzyła się dziewczyna w ciemnych okularach, Dobra, złotko, ale powiedz, gdzie tu się można odlać, bo inaczej twoja dziecinka zerżnie się w gacie, Chyba zapamiętałam, gdzie jest ubikacja, Na korytarzu poczułam intensywny zapach moczu, pójdę sprawdzić, odezwała się żona lekarza, Idę z panią, powiedziała dziewczyna, biorąc chłopca za rękę, Najlepiej będzie, jeśli pójdziemy wszyscy razem, w ten sposób zapamiętamy drogę, Rozumiem, doktorku, pomyślał złodziej samochodów, nie życzysz sobie, żeby twoja pani latała ze mną do łazienki za każdym razem, kiedy powiem, że chce mi się szczać. W tej samej chwili ze zdziwieniem poczuł, że ma erekcję, jakby fakt utraty wzroku wiązał się z zanikiem popędu płciowego. Dobra nasza, pomyślał, nie wszystko stracone, nigdy nie jest tak źle, żeby nie mogło być gorzej, i nie słuchając rozmów, puścił wodze fantazji. Nie na długo jednak, gdyż po chwili usłyszał głos lekarza, Ustawmy się gęsiego, moja żona pójdzie pierwsza, każdy położy rękę na ramieniu osoby przed sobą, w ten sposób się nie zgubimy. Ja z nim nie idę, odezwał się pierwszy ślepiec, mając na myśli złodzieja.

Z trudem udało im się ustawić w wąskim przejściu między łóżkami, dlatego że podświadomie unikali kontaktu ze sobą, a może dlatego że żona lekarza musiała udawać ślepą. W końcu, potykając się, jeden za drugim ślepcy ruszyli środkiem sali kierowani przez zdrową kobietę. Za nią szła dziewczyna w ciemnych okularach, trzymając za rękę zezowatego chłopca, potem złodziej w slipach i podkoszulku, lekarz, a na końcu bezpieczna na razie pierwsza ofiara choroby. Szli bardzo powoli, jakby nie ufając swej przewodniczce, z wolną ręką uniesioną w powietrzu w poszukiwaniu oparcia, ściany, futryny drzwi. Złodziej podążający za dziewczyną w ciemnych okularach poczuł zapach jej perfum i mając wciąż w pamięci niedawne podniecenie, postanowił zrobić użytek ze swych rąk. Jedną położył na karku dziewczyny, odgarniając długie włosy, drugą bez wahania chwycił jej pierś. Młoda kobieta próbowała wyzwolić się z uścisku, ale na próżno. Nagle dał się słyszeć krzyk, to dziewczyna kopnęła złodzieja ostrym obcasem w obnażone udo, Co się stało, spytała żona lekarza, odwracając głowę, Potknęłam się, odparła dziewczyna w ciemnych okularach, i chyba niechcący uderzyłam pana idącego za mną. Żona lekarza spojrzała na złodzieja. Spomiędzy palców ściskających udo trysnęła lepka ciecz. Przeklinając i jęcząc z bólu, złodziej próbował zatamować krew, Jestem ranny, ta dziwka nie umie chodzić, A pan nie wie, co zrobić z rękami, rzuciła sucho dziewczyna. Żona lekarza domyśliła się, co zaszło. Najpierw uśmiechnęła się, lecz kiedy zobaczyła krew lejącą się z rany nieszczęśnika, natychmiast przerażona uświadomiła sobie, że nie ma wody utlenionej, gencjany, merkurochromu, żadnych środków opatrunkowych, płynów odkażających, niczego. Ślepcy rozpierzchli się we wszystkie strony. Gdzie pan jest ranny, spytał lekarz, Tutaj, tutaj, Gdzie, Nie widzi pan, ta dziwka uderzyła mnie obcasem w nogę, To nie moja wina, potknęłam się, usprawiedliwiała się dziewczyna, po czym nie wytrzymała i wybuchnęła, Ten drań zaczął mnie obmacywać, co on sobie myśli, Trzeba przemyć i opatrzyć ranę, przerwała żona lekarza, Gdzie jest woda, spytał złodziej samochodów, W kuchni, ale nie musimy iść wszyscy, Ja i mąż zaprowadzimy pana, a reszta tu zostanie, to nie potrwa długo, Ale mnie się chce siusiu, poskarżył się chłopiec, Poczekaj chwilę, zaraz wrócimy. Żona lekarza pamiętała, że musi raz skręcić w prawo, raz w lewo, potem powinna pójść długim korytarzem załamującym się pod kątem prostym, na którego końcu znajdowała się kuchnia. Po paru minutach stwierdziła, że zabłądzili. Stanęła, zawróciła, po czym zawołała, Już wiem. Po chwili byli na miejscu. Liczyła się każda minuta, gdyż rana krwawiła coraz bardziej. Po odkręceniu kranu przez chwilę leciała brudna woda, trzeba było długo czekać na czysty strumień. Mętna, ciepła i cuchnąca ciecz pochodziła widocznie ze starego zardzewiałego zbiornika, ale mimo to złodziej odetchnął z ulgą. Rana jednak wyglądała coraz gorzej, Czym ją opatrzymy, spytała żona lekarza. Pod stołem leżało kilka brudnych szmat od podłogi, nie nadających się na opatrunek, Nic innego tu nie widzę, westchnęła kobieta, udając, że chodzi i po omacku czegoś szuka, Ale ja dłużej nie wytrzymam, panie doktorze, ciągle krwawię, proszę mi pomóc, przepraszam, wiem, że byłem nieuprzejmy, tłumaczył się żałosnym tonem złodziej samochodów, Przecież staramy się panu pomóc, powiedział lekarz, Nie ma innego wyjścia, niech pan zdejmie podkoszulek. Złodziej zaczął narzekać, że zmarznie, ale wykonał polecenie. Żona lekarza szybko wykonała z niego opaskę, mocno obwiązała udo rannego, robiąc duży węzeł. Trudno było uwierzyć, że ślepy człowiek może tak wprawnie i zręcznie wykonać opatrunek, ale zależało jej na czasie, poza tym i tak wszyscy dali się nabrać, kiedy udawała, że się zgubili. Złodziej mógł się zdziwić i nabrać podejrzeń, że to nie lekarz, nawet jeśli jest okulistą, opatruje mu ranę, ale ulga, jaką przyniosło mu obandażowanie nogi, przynajmniej na jakiś czas zagłuszyła jego wątpliwości. Utykając, wrócił z lekarzem i jego żoną do reszty chorych. Zdrowa kobieta zauważyła, że zezowaty chłopiec nie wytrzymał i zsiusiał się w spodnie. Dziewczyna w ciemnych okularach i pierwszy ślepiec niczego się nie domyślali. Kałuża u stóp chłopca powiększała się, z nogawek wyciekały strużki moczu. Jak gdyby nigdy nic żona lekarza powiedziała, Chodźmy do ubikacji. Ślepcy wyciągnęli ręce, każdy szukając ramienia poprzednika. Dziewczyna w ciemnych okularach zaprotestowała, mówiąc, że za żadne skarby nie pójdzie przed tym bezwstydnikiem. W końcu udało im się ustawić, pierwszy ślepiec zamienił się na miejsce ze złodziejem, a między nimi stanął lekarz. Złodziej kulał i powłóczył nogą, ponieważ uciskał go opatrunek, a rana pulsowała, jakby serce zmieniło miejsce i zagnieździło się w rozdartym udzie. Dziewczyna próbowała chwycić chłopca za rękę, ale dziecko wciąż jej uciekało, w obawie, że jego opiekunka i reszta dorosłych odkryją jego wstydliwy sekret. Jednak już po chwili lekarz pociągnął nosem i zauważył, Czuję tu mocz, a jego żona musiała to potwierdzić. Nie mogła przecież skłamać, że zapach dochodził z ubikacji, ponieważ znajdowali się od niej zbyt daleko. Usiłowała jednak zachowywać się jak ślepa, choć wiedziała, że zapach wydobywa się z mokrych spodni chłopca.

Kiedy dotarli do łazienki, zarówno kobiety, jak i mężczyźni zgodzili się, że pierwszy powinien wejść chłopiec. Potem jednak wszyscy mężczyźni weszli razem, nie zwracając uwagi na wiek i tytuły, bo zarówno toalety publiczne, jak i ludzki pęcherz są czymś powszechnym, pierwsze występują wszędzie, drugie u każdego. Kobiety czekały przy wejściu, ponieważ uznano, że są bardziej wytrzymałe. Wszystko ma jednak swoje granice, dlatego żona lekarza w końcu postanowiła, że trzeba poszukać innej ubikacji. Dziewczyna w okularach powiedziała, że może zaczekać, Ja też, przyznała żona lekarza. Po krótkiej chwili zaczęły rozmawiać, Jak pani oślepła, Jak wszyscy, nagle przestałam widzieć, Była pani w domu, Nie, Pewnie wychodziła pani z gabinetu mego męża, Mniej więcej, To znaczy, Nie oślepłam od razu, Czy to bolało, Nie, po prostu, kiedy otworzyłam oczy, byłam ślepa, A ja nie, Co nie, Nie miałam zamkniętych oczu, oślepłam, kiedy mój mąż wchodził do karetki, Niektórzy to mają szczęście, Kto, Pani mąż na przykład, jesteście teraz razem, Czyli ja też mam szczęście, Rzeczywiście, A pani jest zamężna, Nie, myślę, że teraz nikt się już ze mną nie ożeni, Przecież ta choroba jest tak niezwykła, niepodobna do niczego, co znała dotąd nauka, że nie może trwać wiecznie, A jeśli zostaniemy ślepi do końca życia, To byłoby straszne, świat pełen ślepców, Trudno to sobie wyobrazić.

Pierwszy z łazienki wyszedł zezowaty chłopiec, choć już wcześniej załatwił swoją potrzebę. Był bez skarpetek i miał podwinięte do kolan nogawki, Już jestem, oznajmił. Dziewczyna w ciemnych okularach wyciągnęła rękę w stronę, skąd dobiegał głos, lecz dopiero za trzecim razem jej niepewna dłoń natrafiła na rękę chłopca. Po chwili wyszedł lekarz, a po nim pierwszy ślepiec. Jeden z nich zapytał, Gdzie jesteście, ale żona lekarza już trzymała męża za ramię, to samo zrobiła dziewczyna w ciemnych okularach. Pierwszy ślepiec przez chwilę stał bezradnie, szukając oparcia, lecz po chwili ktoś położył mu dłoń na ramieniu. Czy wszyscy już są, spytała żona lekarza, Ten ranny człowiek jeszcze się załatwia, odparł jej mąż, Może jest gdzieś druga ubikacja, odezwała się dziewczyna w ciemnych okularach, Przepraszam, ale dłużej nie wytrzymam, Chodźmy, powiedziała żona lekarza. Podały sobie ręce i ruszyły w głąb korytarza. Wróciły po dziesięciu minutach. Znalazły gabinet lekarski, w którym znajdowała się również toaleta. Złodziej samochodów wyszedł z ubikacji, ale zaczął się skarżyć na dreszcze i ból w nodze. Wszyscy ustawili się w takiej kolejności, w jakiej przyszli do łazienki, i bez przeszkód, sprawnie wrócili do sali. Dyskretnie, by się nie zdradzić, żona lekarza pomogła każdemu dotrzeć do swego łóżka. Jeszcze przed wejściem do sali przypomniała wszystkim, że najlepiej odszukać własne miejsce, licząc kolejno łóżka, począwszy od wejścia. Nasze są ostatnie po prawej stronie, dziewiętnaste i dwudzieste. Ze zrozumiałych względów pierwszy ruszył do łóżka nagi, zbolały, trzęsący się z zimna złodziej. Z wyciągniętymi rękami posuwał się od łóżka do łóżka, dotykając każdego, a kiedy dotarł na swoje miejsce, usiadł i sprawdził, czy ma walizkę, Jest, westchnął z ulgą i dodał, Czternaście, Po której stronie, spytała żona lekarza, Po lewej, odparł nieco zdziwiony złodziej, jakby to było oczywiste. Potem ruszył pierwszy ślepiec. Wiedział, że jego łóżko znajduje się dwa miejsca dalej, po tej samej stronie. Nie bał się już spać blisko złodzieja samochodów, gdyż słysząc jęki rannego, domyślił się, że stan jego jest bardzo ciężki, ledwo się ruszał. Gdy dotarł na miejsce, powiedział, Szesnaście, po lewej stronie, i położył się na łóżku. Dziewczyna w ciemnych okularach szepnęła, Pomóżcie nam znaleźć miejsce obok was, tam, po drugiej stronie, będziemy czuć się bezpieczniej. Cała czwórka ruszyła przed siebie i wkrótce każdy siedział na własnym łóżku. Jestem głodny, odezwał się po chwili zezowaty chłopiec, a dziewczyna w ciemnych okularach uciszyła go szeptem, Jutro, jutro coś zjemy, teraz śpij. Potem schyliła się po walizkę i wyjęła z niej krople, które kupiła poprzedniego dnia w aptece. Zdjęła okulary i odchyliła w tył głowę, pomagając sobie drugą ręką, zbliżyła fiolkę do szeroko otwartych oczu i zakropliła lekarstwo. Choć część spłynęła po policzkach, dziewczyna była przekonana, że zapalenie spojówek wkrótce minie.

brała dla niego najbezpieczniejsze miejsce, choć nasze czyny i tak niewiele zmienią w obliczu wroga, jakiego wroga, przecież nikt tu nam nie zagraża, nawet gdybyśmy przedtem kradli i mordowali, nikt nas nie aresztuje, taki złodziej samochodów, na przykład, na wolności nigdy nie był równie bezpieczny, skutecznie odcięto nas od świata i wkrótce zapomnimy, kim jesteśmy i jak się nazywamy, po co nam imiona, czy psy rozpoznają się po imionach nadawanych im przez właścicieli, nie, poznają się po zapachu, po szczekaniu, a czy my nie jesteśmy teraz podobni do psów, rozpoznajemy się po głosie, a reszta, rysy twarzy, kolor oczu, włosów, skóry, wszystko to nie ma znaczenia, nie istnieje, ja jeszcze widzę, ale jak długo. Nagle w sali pociemniało, jakby wróciła noc, pewnie niebo zasnuło się chmurami, opóźniając nadejście poranka. Z łóżka złodzieja samochodów dobiegły jęki. Jeśli wdało się zakażenie, nic już nie poradzimy, pomyślała żona lekarza. W tych okolicznościach zwykłe skaleczenie może skończyć się tragicznie, być może na to liczą władze, chcą, żebyśmy wykończyli się nawzajem, by w ten sposób zdusić zarazę w zarodku. Kobieta wstała i pochyliła się nad mężem. Chciała go obudzić, ale nie miała sumienia wyrywać go ze snu, by przypomniał sobie, że jest ślepy. Boso, na palcach podeszła do łóżka złodzieja. Miał oczy otwarte, wbite w jeden punkt. Odwrócił się w stronę, skąd dobiegał szmer, i szepnął, Niedobrze, noga coraz bardziej mnie boli. W ostatniej chwili powstrzymała się, by nie spytać, Czy mogę zobaczyć. Co za nieostrożność, pomyślała, ale ranny, jakby sam zapomniał, że w sali są tylko ślepcy, jakby cofnął się w czasie i wydawało mu się, że siedzi przed lekarzem, odsunął kołdrę. Mimo ciemności bez trudu dało się zauważyć na materacu mokrą plamę krwi i okalające czarną dziurę opuchnięte brzegi rany, w końcu na coś przydały się jej oczy. Opaska zsunęła się z nogi. Żona lekarza delikatnie przykryła chorego kołdrą, po czym szybkim i zdecydowanym ruchem położyła mu rękę na czole. Skórę miał suchą i gorącą. W sali nagle pojaśniało, wiatr rozwiał chmury. Żona lekarza wróciła do swego łóżka, ale nie położyła się. Spojrzała na szepczącego przez sen męża, na ciała śpiących ślepców przykryte szarymi kocami, na brudne ściany, puste łóżka czekające na przyjęcie gości i nagle zapragnęła oślepnąć, przeniknąć widzialną powłokę rzeczy i znaleźć się w ich wnętrzu, zamknąć w świetlistej bieli nieuniknionej choroby.

Nagle z zewnątrz, prawdopodobnie z głównego holu dzielącego oba skrzydła budynku, dobiegły krzyki, Szybko, szybko, Wysiadać, Ruszać się, Nie możecie tu stać, Macie wypełniać rozkazy. Zgiełk ucichł, ktoś z trzaskiem zamknął bramę, dało się słyszeć czyjeś szlochanie, ktoś upadł. W sali nikt już nie spał, wszyscy odwrócili głowy w stronę wejścia, nie trzeba było widzieć, by się zorientować, że jest to nowy transport ślepców. Żona lekarza wstała, chciała pomóc nieszczęśnikom, wesprzeć ich dobrym słowem, wskazać drogę, zaprowadzić do łóżek, wyjaśnić, To jest łóżko numer siedem, po lewej stronie, to jest czwarte po prawej, proszę się nie mylić, tak, jest nas tu już sześcioro, przyjechaliśmy wczoraj jako pierwsi, nazwiska, a po co wam nazwiska, jeden to złodziej samochodów, drugi, jego ofiara, jest też tajemnicza dziewczyna w ciemnych okularach, mój mąż jest okulistą, leczył ją z zapalenia spojówek, tak, tak, on też tu jest, to prawda, choroba nie wybiera, jest także zezowaty chłopiec. Jednak nie ruszyła się z miejsca i tylko szepnęła do męża, Już są. Pomogła mu wstać i włożyć spodnie, choć przecież i tak nikt go nie mógł zobaczyć.

W tej samej chwili pojawili się ślepcy. Było ich pięcioro, trzej mężczyźni i dwie kobiety. Lekarz powiedział głośno, Proszę o spokój, nie przepychajcie się, w sali jest sześć osób, więc starczy miejsca dla każdego. Nowo przybyli nie potrafili powiedzieć, ilu ich jest, choć pewnie kiedy wepchnięto ich do budynku, nieraz wpadli na siebie. Nikt nie miał bagażu. Spośród wyrwanych ze snu, zaskoczonych ślepców jedni bez słowa wychodzili z domu, inni załamywali ręce i lamentowali. Nikt nie miał czasu pożegnać się z rodziną i przyjaciółmi. Najlepiej będzie, jeśli odliczając po kolei, każdy się przedstawi, zaproponowała żona lekarza. Zaskoczeni ślepcy milczeli, ktoś jednak musiał zacząć. Dwaj mężczyźni odezwali się jednocześnie i zmieszani umilkli, wreszcie odezwał się trzeci męski głos, Jeden, i po chwili wahania, zamiast się przedstawić, dodał, Jestem policjantem. Nie podaje nazwiska, bo wie, że to już nie ma znaczenia, pomyślała żona lekarza, Dwa, odezwał się drugi mężczyzna, i idąc za przykładem poprzednika, dodał, Jestem taksówkarzem. Trzy, jestem pomocnikiem aptekarza, odezwał się trzeci człowiek. Potem usłyszeli głos kobiecy, Cztery, jestem pokojówką z hotelu, Pięć, powiedziała ostatnia osoba, Pracuję w biurze. To moja żona, moja żona, zawołał pierwszy ślepiec, Gdzie jesteś, powiedz, gdzie jesteś, Tutaj, rozszlochała się i cała drżąc, ruszyła środkiem sali z szeroko otwartymi oczami, wymachując rękami w beznadziejnej walce z dzielącym ich morzem mleka. Mężczyzna poruszał się pewniej, Gdzie jesteś, gdzie jesteś, powtarzał, jakby wymawiał zaklęcie. Wyciągnięte dłonie spotkały się w powietrzu w pół drogi, dwa ciała objęły się i zlały w jedno, pocałunki szukały pocałunków, błądząc w jasności, nie mogąc odnaleźć twarzy, oczu, ust. Żona lekarza uczepiła się kurczowo męża, tłumiąc płacz, tak jakby ona również odnalazła go po długiej rozłące. Zdołała tylko wykrztusić, Co za nieszczęście, co za nieszczęście. Nagle odezwał się zezowaty chłopiec, Czy jest tu moja mama. Siedząca obok dziewczyna w ciemnych okularach zaczęła go pocieszać, Na pewno przyjdzie, nie martw się.

Od tej pory domem każdego miało stać się jego łóżko, nic więc dziwnego, że nowo przybyli zapobiegliwie zaczęli wybierać sobie miejsce, tak jak w innych salach robili to ludzie, którzy jeszcze widzieli. Żona pierwszego ślepca bez wahania zajęła miejsce obok męża, łóżko numer siedemnaście. Kolejny numer był wolny, dalej siedziała dziewczyna w ciemnych okularach. Podświadomie próbowali jak najbardziej zbliżyć się do siebie, gdyż wielu z nich łączyła niewidzialna zależność. Jedni poznali się wcześniej, inni dopiero po pewnym czasie odkryli, że coś ich łączy. Na przykład pomocnik aptekarza sprzedał krople dziewczynie w ciemnych okularach, taksówkarz odwiózł pierwszego ślepca do okulisty. Człowiek, który przedstawił się jako policjant, odprowadził do domu złodzieja samochodów szlochającego jak zagubione dziecko, pokojówka z hotelu jako pierwsza zobaczyła rozpaczającą dziewczynę w ciemnych okularach. Nie wszystkie zależności ujawniły się, często z braku okazji lub dlatego, że ktoś nie wpadł na ich trop, albo po prostu przemilczano je z obawy, by kogoś nie urazić. Pokojówce nie przyszło nawet do głowy, że jest tu naga kobieta z hotelu, pomocnik aptekarza obsłużył tego dnia kilka osób w ciemnych okularach, które kupowały krople do oczu. Nikt z obecnych nie kwapił się, by powiadomić policjanta, że jest tu złodziej, który ukradł samochód, a taksówkarz przysiągłby, że w ostatnich dniach nie wiózł żadnego ślepca. Oczywiście, pierwszy ślepiec od razu szepnął żonie, że jednym z internowanych jest drań, który ukradł im auto, Wyobraź sobie, co za zbieg okoliczności, powiedział, jednak słysząc jęki zwijającego się z bólu rannego, dodał łagodniejszym tonem, Ale dostał już za swoje. Jego żona, pogrążona w smutku z powodu utraty wzroku, a jednocześnie uradowana spotkaniem z mężem, gdyż radość i rozpacz często chodzą w parze, nie tak jak woda i ogień, nie pamiętała już nawet, że zaledwie dwa dni temu odgrażała się, iż oddałaby wszystko, byle tylko ten złodziej stracił wzrok. Gdy usłyszała jęczącego z bólu rannego, zniknęły resztki błąkających się po głowie nienawistnych myśli, Panie doktorze, proszę mi pomóc, panie doktorze, jęczał rozpaczliwie złodziej. Lekarz, podtrzymywany przez żonę, zbliżył się do chorego i ostrożnie dotknął brzegu rany. Nie mógł nic zrobić, nawet nie miał czym jej przemyć. Zakażenie mogło się wdać z dwóch powodów, silnego uderzenia brudnym obcasem lub bakterii występujących w ciepłej wodzie pompowanej przez stare, zardzewiałe rury. Słysząc jęki złodzieja, dziewczyna w okularach wstała i licząc po cichu łóżka, podeszła do chorego. Pochyliła się i wyciągnęła rękę, dotknąwszy przez pomyłkę twarzy żony lekarza. Po chwili udało jej się odszukać rozpaloną rękę złodzieja, Proszę mi wybaczyć, wyszeptała zdławionym głosem, To moja wina, nie powinnam była tak się zachować, Nie ma o czym mówić, szepnął złodziej, W życiu różnie bywa, ja też nie byłem w porządku.

Niemal jednocześnie z głośnika dały się słyszeć słowa, Uwaga, uwaga, przed wejściem stoją kartony z żywnością i środkami czystości, najpierw mają wyjść ślepi, reszta zostanie powiadomiona w swoim czasie, uwaga, uwaga, przed wejściem stoją kartony z żywnością, najpierw wychodzą ślepi. Trawiony wysoką gorączką złodziej nie zrozumiał treści komunikatu. Myślał, że każą mu wyjść, bo skończyła się kwarantanna. Poderwał się z łóżka, ale żona lekarza powstrzymała go i kazała się położyć, Dokąd pan idzie, Nie słyszała pani, mamy wyjść, Tak, ale tylko po jedzenie. Ranny opadł na łóżko zrezygnowany, poczuł przeszywający ból w nodze, Zostańcie, ja pójdę, powiedział lekarz, Idę z tobą, odezwała się jego żona. Kiedy wyszli, jeden z nowo przybyłych zapytał, A to kto, Okulista, wyręczył lekarza pierwszy ślepiec, No, tego jeszcze nie było, zadrwił taksówkarz, Lekarz, który do niczego się nie przyda, I kierowca, który nigdzie nie pojedzie, odparowała z ironią dziewczyna w ciemnych okularach.

Kartony z żywnością stały w głównym holu. Zaprowadź mnie do wyjścia, poprosił lekarz, Po co, spytała jego żona, Chcę im powiedzieć, że mamy rannego z ciężkim zakażeniem, a nie dostarczono nam leków, Zapomniałeś o komunikacie, Nie, ale może nam pomogą, jeśli dowiedzą się o tym konkretnym przypadku, Wątpię, Ja też, ale to nasz obowiązek. Kiedy wyszli na schody, żona lekarza zmrużyła oczy, mimo iż słońce nie świeciło, a na niebie znów pojawiły się ciemne, deszczowe chmury. Jakże szybko odzwyczaiłam się od światła, pomyślała i w tejże chwili usłyszeli głos wartownika pilnującego bramy, Stać, wracajcie do środka, mam rozkaz strzelać, przygotował broń do strzału i tym samym tonem zawołał, Sierżancie, jacyś ludzie chcą wyjść, Nie chcemy wyjść, zaprotestował lekarz, Nie radziłbym, powiedział sierżant, zbliżając się do ogrodzenia. Stanął przy płocie i spytał, O co chodzi, Mamy rannego, wdało się zakażenie, potrzebujemy antybiotyków i innych leków, Otrzymałem wyraźny rozkaz, że nikt nie może stąd wyjść, dostarczamy tylko jedzenie, Nieleczone zakażenie może okazać się śmiertelne, To nie moja sprawa, Proszę skontaktować mnie z przełożonym,

Posłuchaj no, ślepaku, kontaktować możesz się tylko ze mną, Powiedziałem wyraźnie, macie wrócić tam, skąd przyszliście, albo zacznę strzelać, Chodźmy, szepnęła żona lekarza, To nie ich wina, boją się, wykonują tylko rozkazy, Ja chyba śnię, to niemożliwe, Lepiej, żebyś się obudził, nigdy wcześniej prawda nie była tak oczywista, Jeszcze tam jesteście, ryknął sierżant, Liczę do trzech, jeśli za chwilę nie znikniecie, słowo daję, że nie zdążycie nawet wejść do środka, Raaaz, dwaaa, trzyyyy, no, już lepiej, powiedział z namaszczeniem, jakby udzielał błogosławieństwa, po czym zwrócił się do żołnierzy, Nic bym mu nie dał, nawet gdyby to był mój własny brat, nie wyjaśnił jednak, kogo miał na myśli, proszącego czy rannego. Kiedy lekarz z żoną wrócili do sali, złodziej spytał, czy zezwolono na sprowadzenie leków. Skąd pan wie, że poszedłem prosić o lekarstwa, Domyśliłem się, jest pan przecież lekarzem, Przykro mi, ale nie dostaniemy lekarstw, Trudno.

Jedzenia starczyło zaledwie dla pięciu osób. W kartonie były butelki z mlekiem i herbatniki, lecz zapomniano o kubkach, talerzach i sztućcach. Być może zostaną dostarczone wraz z obiadem. Żona lekarza dała pić rannemu, ale ten zwymiotował. Taksówkarz wyrzekał, że nie lubi mleka, i domagał się kawy. Po śniadaniu niektórzy wrócili do łóżek. Pierwszy ślepiec postanowił oprowadzić żonę po budynku, reszta pozostała w sali. Pomocnik aptekarza chciał porozmawiać z lekarzem, dowiedzieć się, czy pan doktor wyrobił sobie własny pogląd na temat choroby, Nie wiem, czy można to nazwać chorobą, zaczął lekarz i w wielkim skrócie streścił to, co wyczytał w książkach, zanim oślepł. Kilka łóżek dalej taksówkarz z uwagą słuchał wykładu, a gdy okulista skończył, włączył się do rozmowy, A ja myślę, że zatkały nam się te kanały, które łączą głowę z oczami, Co za głupiec, oburzył się pomocnik aptekarza, Ma rację, uśmiechnął się mimo woli lekarz, Nasze oczy są czymś w rodzaju soczewek, obiektywów, a tak naprawdę na świat patrzy nasz mózg, obraz pojawia się w nim jak naświetlona błona fotograficzna i jeśli, używając pańskiego określenia, kanały się zatkają, to sytuacja jest podobna do tego, co dzieje się z gaźnikiem, kiedy paliwo nie dochodzi do silnika i samochód nie może ruszyć, widzi pan, jakie to proste, powiedział lekarz do pomocnika aptekarza, Jak pan myśli, doktorze, ile czasu spędzimy w szpitalu, spytała pokojówka z hotelu, Co najmniej tyle, ile trzeba, by odzyskać wzrok, To znaczy, szczerze mówiąc, tego nikt nie wie, Ale czy ta choroba minie, czy pozostaniemy ślepi do końca życia, Sam chciałbym to wiedzieć. Pokojówka z hotelu westchnęła i po chwili dodała, Ciekawe, co stało się tej dziewczynie, która wczoraj tak krzyczała, Jakiej dziewczynie, spytał pomocnik aptekarza, Tej z hotelu, nigdy tego nie zapomnę, stała na środku pokoju golusieńka, jak ją Pan Bóg stworzył, miała na sobie tylko przeciwsłoneczne okulary, krzyczała, że oślepła, to od niej musiałam się zarazić. Żona lekarza zauważyła, że młoda dziewczyna bezszelestnie zdejmuje okulary i wkłada je pod poduszkę, zwracając się równocześnie do zezowatego chłopca, Chcesz jeszcze herbatnika. Po raz pierwszy od przybycia do szpitala żona lekarza poczuła się, jakby patrzyła przez mikroskop, obserwując życie niepodejrzewających niczego organizmów, i nagle wydało jej się to przykre, wręcz upokarzające. Nie mam prawa przyglądać się ludziom, którzy nie mogą mnie zobaczyć, pomyślała. Dziewczyna drżącą ręką próbowała zakroplić lekarstwo. Mogła w ten sposób udawać, że spływające po policzkach łzy to krople z fiolki.

Kiedy po kilku godzinach z głośnika dotarła do nich informacja, że trzeba odebrać obiad, pierwszy ślepiec i taksówkarz zgłosili się na ochotnika, do tej misji wzrok był niepotrzebny, wystarczyło mieć czucie w rękach. Kartony stały w głębi holu i żeby do nich dojść, musieli czołgać się na czworakach z jedną ręką wyciągniętą do przodu, a drugą opierając o ziemię. Na szczęście nie musieli robić tego w drodze powrotnej, gdyż żona lekarza wpadła na pomysł, by podrzeć koc i zrobić z niego coś w rodzaju sznura. Wytłumaczyła pospiesznie, że wpadła na to po własnych, złych doświadczeniach. Jeden koniec tej prowizorycznej liny został przywiązany do zewnętrznej klamki drzwi od sali, drugim zaś osoba wychodząca po jedzenie obwiązywała sobie kostkę, by nie zgubić się w drodze powrotnej. Tym razem dwaj mężczyźni przynieśli talerze i sztućce, ale znów było tylko pięć porcji. Być może sierżant dowodzący wartą nie wiedział, że w środku znajduje się jeszcze sześciu internowanych. Nawet usilnie wpatrując się przez drzwi w mroczny korytarz, z rzadka dało się zauważyć pojedyncze osoby snujące się w tę i z powrotem. Taksówkarz zaofiarował się, że pójdzie do strażników i poprosi o brakujące porcje, Jest nas jedenaścioro, a nie pięcioro, krzyknął w stronę żołnierzy, Spokojna głowa, odezwał się ten sam sierżant, który wcześniej rozmawiał z lekarzem, Będzie was jeszcze więcej. Powiedział to takim tonem, że taksówkarz poczuł się upokorzony. Kiedy wrócił do sali, szepnął przygnębiony, Oni sobie z nas kpią. Podzielono jedzenie, pięć porcji na dziesięć osób, gdyż ranny nadal nie chciał jeść i prosił tylko o wodę, by zwilżyć usta. Miał rozpalone czoło. Nie mogąc znieść ciężaru koca na ranie, co pewien czas odkrywał nogę, lecz zimno panujące w sali zmuszało go do ponownego przykrycia się, i tak bez końca. Co chwila w regularnych odstępach czasu słychać było ochrypły, zduszony jęk, jakby ostry ból narastał do granic wytrzymałości, za każdym razem zaskakując rannego.

W południe zjawiło się troje niewidomych, których wyrzucono z lewego skrzydła. Żona lekarza od razu rozpoznała pielęgniarkę z gabinetu okulistycznego męża. Bezlitosnym zrządzeniem losu drugim człowiekiem okazał się mężczyzna, który spotkał się w hotelu z dziewczyną w ciemnych okularach, a trzecim grubiański policjant, który odwiózł ją do domu. Z trudem, po omacku zdołali dotrzeć do swych łóżek, zrozpaczona pielęgniarka płakała, dwaj mężczyźni w milczeniu siedzieli na łóżkach, jakby wciąż nie mogli uwierzyć w to, co się stało. Nagle z zewnątrz dobiegł hałas, krzyki pomieszane z głośnymi rozkazami, gwałtowne protesty. Wszyscy ślepcy w napięciu zwrócili twarze w stronę drzwi, co prawda nie widzieli, ale czuli, co zdarzy się za chwilę. Żona lekarza siedziała obok męża. Pochyliła się i szepnęła mu do ucha, Stało się, zaczyna się piekło, którego tak się obawialiśmy. Ścisnął jej dłoń i ostrzegł ją ściszonym głosem, Nie odchodź, teraz już nic nie możesz zrobić. Krzyki ucichły, z korytarza dobiegał szelest poruszających się ciał. To nowo przybyli ślepcy, niczym stado owiec, wpadając na siebie i przepychając się, próbowali wszyscy naraz przecisnąć się przez drzwi. Kilka osób straciło orientację i skierowało się do drugiego skrzydła, ale większość, potykając się i popychając, trafiła do pierwszej sali, jakby spadali z ruchomej taśmy, jedni zbici w małe grupki jak kiście winogron, inni pojedynczo, wymachując bezradnie rękami, jakby ktoś na siłę wpychał ich do pomieszczenia. Ktoś upadł, kogoś skopano. Stłoczeni ostrożnie posuwali się środkiem sali, siadając na pierwszym wolnym łóżku, jak zmęczeni sztormem pasażerowie statku, który wreszcie zawinął do portu. Rzucali się ciężko na prycze, jakby zajmowali swe rodowe twierdze, odganiając innych i krzycząc, Tu nie ma miejsca, zajęte. Lekarz powiedział głośno, Z tyłu są wolne łóżka, ale garstka nieszczęśników stojących na środku bała się zgubić w wyimaginowanym labiryncie sal, korytarzy, zakamarków, pozamykanych drzwi i wyrastających jak spod ziemi schodów. Jednak w końcu zrozumieli, że nie mogą tak bezczynnie stać. Wrócili po omacku do drzwi i ruszyli w nieznane. Pozostałych pięciu ślepców przezornie zajęło wolne miejsca blisko pierwszej grupy internowanych w nadziei, że w ten sposób będą bezpieczni. Jedynie ranny złodziej samochodów leżał opuszczony na łóżku numer czternaście, po lewej stronie.

Po piętnastu minutach znów dobiegły z korytarza skargi, płacz, nawoływanie o zachowanie spokoju i porządku, słowa stanowcze, lecz pełne rezygnacji. Wszystkie łóżka w sali już pozajmowano. Zapadał zmierzch, a przydymione światło lamp przybrało na sile. Z głośnika odezwał się suchy głos, który powtórzył komunikat z pierwszego dnia o organizacji sal i obowiązkach internowanych. Rząd ubolewa, że musiał uciec się do środków ostatecznych, ale w sytuacji zagrażającej całemu społeczeństwu uważa to za swój obowiązek, i tak dalej, i tak dalej. Po krótkiej ciszy podniosły się głosy oburzenia, Jesteśmy uwięzieni, Wszyscy zginiemy, Nie mieli prawa tego zrobić, Gdzie są ci lekarze, którzy mieli nas leczyć. To było coś nowego, widocznie władze zwodziły chorych perspektywą wyleczenia ślepoty. Lekarz nie przyznał się do swej profesji, wiedział, że od tej chwili musi pozostać anonimowy, bo kto potrafi uzdrawiać gołymi rękami, bez lekarstw, tabletek, środków chemicznych, mikstur, a nawet bez nikłej nadziei, że je kiedyś otrzyma. Poza tym, co może ślepy lekarz, nie zauważy przecież bladości pacjenta lub niezdrowych rumieńców świadczących o wysokim ciśnieniu. Ileż to razy te zewnętrzne objawy umożliwiały postawienie diagnozy bez szczegółowego badania. Nie widział też białek oczu, przebarwień na skórze, niczego, co pozwalałoby stwierdzić chorobę. Najbliższe łóżka były zajęte i żona lekarza nie mogła już swobodnie opowiadać mu, co się dzieje na sali, ale bez trudu wyczuwało się ogólne przygnębienie i napięcie wzrastające od chwili przybycia ostatniej grupy ślepców, wystarczyła iskra, by wybuchł konflikt. W gęstniejącym powietrzu nawet lekki podmuch wyzwalał mdły zapach stęchlizny, Ciekawe, jak tu będzie za tydzień, pomyślał lekarz i ogarnął go lęk. Nadal pozostaniemy zamknięci i nawet jeśli żywność dostarczana będzie regularnie, w co wątpię, gdyż strażnicy na pewno nie znają aktualnej liczby zatrzymanych, nie wiem, jak rozwiążemy problem higieny, mycia, żaden człowiek, który niedawno stracił wzrok, nie potrafi umyć się bez czyjejś pomocy, a zresztą, kto wie, jak długo jeszcze będą czynne prysznice, kiedy zatkają się ubikacje, wystarczy jedna zapchana muszla klozetowa, a cały szpital zamieni się w cuchnącą kloakę. Zafrasowany potarł twarz i poczuł na policzkach trzydniowy zarost. Trudno, lepiej, żeby nie przysyłali nam żyletek ani nożyczek. Miał wszystkie przybory w walizce, ale wiedział, że nie należy ich wyjmować. Zresztą gdzie, gdzie miałbym się golić, mógłbym wprawdzie poprosić żonę, żeby mnie ogoliła przy wszystkich, ale od razu się zorientują, że ślepy nie jest w stanie wykonać samodzielnie takiej czynności. Co będzie z kąpielą, z prysznicami, gdybyśmy choć trochę widzieli, choćby tylko cienie i kontury. Boże, jakże brakuje nam oczu, gdybyśmy przynajmniej mogli spojrzeć w lustro i powiedzieć, Ta ciemna plama otoczona jasnym światłem to moja twarz.

Głosy niezadowolenia wkrótce ucichły. Z sąsiedniej sali przyszedł ktoś w poszukiwaniu czegoś do jedzenia, Nie mamy nawet kromki chleba, zapewniał taksówkarz. Chcąc udowodnić swą dobrą wolę, pomocnik aptekarza próbował złagodzić przykrą wiadomość, pocieszając, Może wieczorem dostaniemy kolację. Nie dostali. Zapadła noc. Z dworu nie dochodziły żadne dźwięki, żywności nie przywieziono. Nagle z sali obok dobiegł krzyk, po czym nagle wszystko ucichło, być może ktoś płakał, lecz ściany tłumiły odgłosy szlochania. Żona lekarza podeszła do rannego, To ja, powiedziała i podniosła koc. Przestraszyła się na widok spuchniętej nogi. Rana wyglądała jak czarna czeluść otoczona purpurowym, krwawiącym pierścieniem. Powiększyła się, jakby ze środka jakaś siła wypychała na wierzch żywe mięso, rozsiewając mdły zapach zgnilizny. Jak się pan czuje, spytała żona lekarza, Dobrze, jakoś leci, Niech pan powie prawdę, Źle, Boli, Tak i nie, Może pan to dokładniej określić, Boli, ale tak, jakby to nie była moja noga, jakby ktoś mi ją odciął, nie umiem inaczej tego określić, to dziwne uczucie, jakbym patrzył na nią z wysoka, Ma pan gorączkę, Może, Proszę spróbować zasnąć. Żona lekarza położyła rękę na czole rannego i powiedziawszy mu dobranoc, chciała odejść, ale chory złapał ją za ramię i przyciągnął do siebie, zmuszając, by pochyliła się nad jego rozpaloną twarzą, Wiem, że pani widzi, powiedział bardzo cicho. Żonę lekarza przeszył dreszcz lęku, szepnęła, Pan się myli, co za pomysł, widzę tyle co inni, Mnie pani nie oszuka, wiem, że pani widzi, ale proszę się nie bać, nikomu nie powiem, Niech pan zaśnie, Pani mi nie ufa, Ufam, Nie należy wierzyć takiemu łajdakowi, co, Powiedziałam, że panu wierzę, Więc dlaczego nie chce mi pani powiedzieć prawdy, Porozmawiamy jutro, a teraz proszę zasnąć, Jutro, jeśli dożyję do jutra, Nie można tak mówić, Ja mogę, ale pani pewnie woli myśleć, że majaczę. Żona lekarza wróciła do męża i szepnęła, Rana wygląda paskudnie, nie sądzisz, że to gangrena, W tak krótkim czasie to niemożliwe, Wygląda bardzo źle, Jesteśmy nie tylko ślepi, ale związano nam ręce, zauważył głośno lekarz. Z łóżka numer czternaście dobiegł głos chorego, Mnie już nikt nie musi wiązać, panie doktorze.

Mijały godziny, ślepcy po kolei zasypiali. Niektórzy pozakrywali głowy kocem w nadziei, że prawdziwa, czarna jak smoła ciemność zaleje pulsujące światłem słońca, w które zamieniły się ich oczy. Trzy lampy wiszące wysoko pod sufitem rzucały na śpiących brudne, żółtawe, nie dające cienia światło. W sali spało lub rozpaczliwie próbowało zasnąć czterdzieści osób. Niektórzy szeptali przez sen, może we śnie widzieli to, czego nie mogli dojrzeć na jawie, może jakiś wewnętrzny głos szeptał im do ucha, Jeśli to sen, śnijmy bez końca. Większość zapomniała nakręcić zegarki albo uznała, że są im już niepotrzebne. Tylko żona lekarza nakręciła najpierw swój zegarek, a potem zegarek męża. Minęła trzecia nad ranem. Złodziej samochodów, opierając się na łokciach, ostrożnie uniósł głowę. Nie czuł nogi, jedynie ból, cała reszta działa się jakby poza nim. Nie mógł zgiąć kolana. Przewrócił się na bok i spuścił z łóżka zdrową nogę, potem obiema rękami próbował podciągnąć chorą kończynę. Niczym sfora wypędzonych z nory wilków, straszliwy ból znów przeszył jego ciało, by po chwili skryć się w pulsującej ranie i żywić jej sokami. Opierając się na rękach, złodziej powoli przesunął ciało na skraj łóżka. Kiedy wreszcie usiadł przy poręczy, musiał odpocząć, dyszał ciężko jak astmatyk, głowa bezwładnie opadała mu na ramiona. Po kilku minutach znów zaczął miarowo oddychać. Wstał, opierając się na zdrowej nodze, drugą, bezużyteczną, wlókł za sobą jak kłodę. Poczuł zawrót głowy, jego ciało przeszył nagły dreszcz, wstrząsające nim na zmianę fale zimna i ciepła sprawiły, że zaczął szczękać zębami. Chwytał się poręczy łóżek i powoli przesuwał w stronę drzwi, mijając śpiących ślepców i ciągnąc chorą nogę niczym ciężki worek. Nikt go nie zatrzymał, nikt nie spytał, Dokąd się pan wybiera o tej porze, choć miał gotową odpowiedź, Idę się wysikać. Modlił się w duchu, by nie obudzić żony lekarza, która na pewno by mu nie uwierzyła, jej musiałby powiedzieć o swoim planie. Nie mogę dalej gnić w łóżku, wiem, że pani mąż zrobił, co było w jego mocy, ale kiedy kradłem samochody, nikt mnie nie wyręczał, teraz też sam muszę do nich pójść, może gdy zobaczą mój stan, zrozumieją, że potrzebuję pomocy, wsadzą mnie do karetki i zawiozą do szpitala, na pewno są jakieś szpitale dla ślepych, co za różnica, jeden mniej, jeden więcej, opatrzą mi ranę, wyleczą, słyszałem, że nawet skazanych na śmierć zabierają do szpitala, jeśli mają zapalenie wyrostka, i operują, żeby umierali całkiem zdrowi, więc jeśli zechcą, mogą mnie tam odesłać. Zrobił kilka kroków naprzód, zaciskając zęby, by nie jęczeć z bólu, usiłując powstrzymać krzyk, dobrnął do ostatniego łóżka i na moment stracił równowagę. Pomylił się, myśląc, że jest jeszcze jedna poręcz, i trafił w pustkę. Upadł na ziemię, leżał tak nieruchomo, dopóki nie upewnił się, że nikogo nie obudził. Po chwili uznał, że w tej pozycji najłatwiej poruszać się ślepcowi i że czołgając się, szybciej znajdzie drogę. Minął w ten sposób korytarz i dotarł do głównego wejścia. Zatrzymał się na chwilę, obmyślając dalszy plan działania. Czy lepiej stanąć w drzwiach i zawołać straże, czy może trzymając się używanej przez wszystkich liny, doczołgać się do bramy. Wiedział, że jeśli z daleka poprosi o pomoc, od razu każą mu zawrócić do budynku. Kiedy jednak pomyślał o cierpieniach czekających go w drodze powrotnej, o wiotkiej, kołyszącej się linie, o wątpliwym oparciu, jakie stanowiły poręcze łóżek, uznał, że to nie ma sensu. Po kilku minutach podjął decyzję, Będę się czołgał pod liną, sprawdzając ręką, czy posuwam się w dobrym kierunku, zawsze znajdzie się jakieś wyjście, tak jak z włamywaniem się do samochodów. W tej samej chwili poczuł wyrzuty sumienia, że ukradł auto ślepemu człowiekowi, ale natychmiast zaczął się usprawiedliwiać, Nie oślepłem dlatego, że zabrałem mu samochód, ale dlatego, że odprowadziłem go do domu, to był mój błąd. Jednak trudno oszukać sumienie, sprawa była prosta, ślepy człowiek jest nietykalny, nie wolno go okradać, Ależ ja go przecież nie okradłem, nie wyjąłem mu kluczyków z kieszeni, nie przystawiłem do głowy pistoletu, złodziej bronił się niczym oskarżony przed sądem, Przestań się wykręcać, usłyszał karcący głos sumienia, Idź tam, dokąd masz iść.

Poczuł na twarzy chłodny powiew poranka. Wreszcie można odetchnąć, pomyślał. Wydawało mu się, że noga boli go coraz mniej, nie zdziwił się, wcześniej wiele razy miał podobne odczucie. Był już na dworze, za chwilę zsunie się po schodach. Trudno schodzić głową w dół, pomyślał. Podniósł rękę, by sprawdzić, czy ma nad sobą linę, i ruszył w kierunku bramy. Tak jak przypuszczał, nie było to łatwe, głównie z powodu chorej nogi, która tylko mu zawadzała. Przekonał się o tym wkrótce, gdy nagle ręka ześlizgnęła mu się ze schodów. Całym ciałem runął na bok przygnieciony ciężarem przeklętej, martwej nogi. Poczuł ból jak borowanie wiertarki, cięcie piły i uderzenie młotem zarazem, i z trudem powstrzymał jęk agonii. Przez długi czas leżał płasko z twarzą przyciśniętą do ziemi. Nagły podmuch wiatru wstrząsnął jego ciałem. Miał na sobie tylko slipy i podkoszulek, a krwawiąca rana przywierała do ziemi. Teraz na pewno wda się zakażenie, pomyślał, zapominając, że wlókł ją w ten sposób od momentu opuszczenia sali. Nieważne, pocieszał się, zabiorą mnie do szpitala i wyleczą. Położył się na wznak, żeby mocniej chwycić linę, lecz zapomniał, że leży prostopadle do niej i że sznur zwisa nad schodami. Dopiero po chwili rozsądek nakazał mu usiąść i zsunąć się po schodach. Wreszcie z uczuciem triumfu trafił ręką na szorstką linę. Z radością odkrył, że może się poruszać, nie dotykając raną ziemi. Odwrócił się tyłem do bramy i w pozycji siedzącej, opierając się na rękach jak kaleka o kulach, powoli posuwał się w wyznaczonym kierunku. Poruszał się tyłem, gdyż łatwiej mu było ciągnąć chorą nogę, niż ją popychać. W ten sposób nie odczuwał straszliwego bólu i przesuwał się po łagodnie opadającym terenie. Równocześnie nie musiał się obawiać, że zgubi linę, gdyż dotykał jej czubkiem głowy. Zastanawiał się, ile metrów dzieli go jeszcze od bramy, szło mu znacznie wolniej, niż gdyby poruszał się na własnych nogach, najlepiej dwóch. Wówczas doszedłby szybko, nie zbaczając z trasy. Zapomniawszy, że jest ślepy, odwrócił się, by sprawdzić, ile drogi mu jeszcze zostało, i napotkał przed sobą rozlaną, przepaścistą biel. Nawet nie wiem, czy to dzień, czy noc, ale gdyby było jasno, już by mnie zauważyli, a poza tym od śniadania minęło wiele godzin. Jego myśli zaczęły łączyć się w logiczny ciąg, poczuł zadziwiającą jasność umysłu, nastąpiła w nim jakaś zmiana i gdyby nie martwa, nieszczęsna noga, przysiągłby, że w całym swoim życiu nie czuł się lepiej. Nagle uderzył plecami w żelazną bramę. Był na miejscu. Żołnierz, który schował się przed zimnem w budce strażniczej, usłyszał dziwny szmer, ale uznał, że nie dochodzi on zza ogrodzenia, że to pewnie szum drzew albo targana wiatrem gałąź ociera się o płot. Po chwili jednak znów usłyszał jakiś dźwięk, tym razem nieco inny, jakby ktoś uderzał w bramę, z pewnością nie był to wiatr. Zaniepokojony wyszedł z budki, nerwowo rozejrzał się wokół i trzymając w pogotowiu broń, zbliżył się do bramy. Nic nie zauważył, lecz dźwięk się powtórzył, tym razem silniejszy, jakby ktoś drapał w metalową powierzchnię. To pewnie drzwiczki zasłaniające zakratowane okienko w bramie, pomyślał strażnik. Skierował się w stronę namiotu, gdzie spał sierżant, ale po chwili zawrócił. Bał się, że jeśli alarm okaże się fałszywy, sierżant wpadnie w złość. Przełożeni nie lubią, kiedy ich się budzi, nawet jeśli są po temu ważkie powody. Między dwoma metalowymi prętami ogrodzenia niczym zjawa pojawiła się biała twarz ślepca. Przerażony żołnierz zastygł w bezruchu, po czym pchnięty siłą strachu wycelował automat prosto w trupio bladą twarz i oddał serię.

Huk wystrzałów postawił na nogi cały oddział pilnujący szpitala dla obłąkanych. Na wpół ubrani żołnierze powybiegali z namiotów. Sierżant krzyknął, Co u diabła się dzieje, Ślepy człowiek, ślepy człowiek, bełkotał żołnierz, Gdzie, Tam, powiedział chłopak, wskazując lufą karabinu na ogrodzenie, Nic nie widzę, Był tam, naprawdę. Żołnierze stali już w pełnej gotowości, z bronią przygotowaną do strzału. Włączyć reflektor, rozkazał sierżant. Jeden z żołnierzy wdrapał się na platformę ciężarówki i po kilku sekundach jaskrawy strumień światła padł na główną bramę. Nikogo nie ma, idioto, warknął sierżant, ale po chwili rzucił kilka żołnierskich przekleństw W świetle reflektora widać było ciemną kałużę krwi. A jednak dopadłeś kanalię, mruknął sierżant i nagle przypomniał sobie rozkaz, jaki otrzymał od przełożonych, Cofnąć się, krzyknął, To zaraza. Przerażeni żołnierze zaczęli się wycofywać, nie spuszczając oczu z powiększającej się kałuży krwi, która powoli rozlewała się na bruku. Na pewno jest martwy, spytał sierżant, A jakżeby inaczej, dałem mu serię prosto w twarz, odparł żołnierz dumny ze swych umiejętności strzeleckich. W tej samej chwili usłyszeli nerwowy okrzyk innego żołnierza, Sierżancie, sierżancie, tam. Na schodach, przed głównym wejściem, w białym, zimnym kręgu światła stała grupa kilkunastu ślepców. Nie ruszać się, wrzasnął sierżant, Jeden krok i pozabijam jak psy. W oknach pobliskich domów pojawiły się wystraszone twarze obudzonych strzałami ludzi. Sierżant krzyknął, Czterech internowanych, podejść i zabrać ciało. Sześciu ślepców przez pomyłkę ruszyło jednocześnie przed siebie. Powiedziałem czterech, wrzasnął histerycznie sierżant. Ślepcy zaczęli się nawzajem dotykać, wreszcie dwóch cofnęło się, a reszta ruszyła naprzód, trzymając się liny.

Dobry pomysł, spróbujmy, podchwycił lekarz, a wszyscy ich poparli. Jedynie dziewczynie w ciemnych okularach obojętne było, czy użyją łopaty, czy motyki, wciąż płakała, powtarzając przez łzy, To moja wina. I miała rację, trudno zaprzeczyć. Chociaż z drugiej strony nie można wymagać, byśmy byli w stanie przewidzieć wszystkie następstwa naszych czynów, wyobrażając sobie najpierw bezpośrednie, potem pośrednie i wreszcie wyimaginowane skutki życiowych decyzji. Nikt wówczas nie miałby odwagi ruszyć się z miejsca, do którego przykułyby go wątpliwości. Złe i dobre uczynki oraz słowa rozsiewają się jak ziarna, mniej lub bardziej równomiernie, padając na grunt przyszłych dni, również tych, których my sami nie doczekamy, by potwierdzić nasze przypuszczenia, pogratulować sobie wnikliwości lub prosić kogoś o wybaczenie. Niektórzy mówią, że w tym kryje się istota nieśmiertelności. Może to i prawda, ale na razie trzeba było pogrzebać człowieka. Całą akcją kierowali lekarz i jego żona. Dziewczyna w ciemnych okularach nadal rozpaczała, lecz wyrzuty sumienia kazały jej dołączyć do reszty. Gdy tylko żołnierz zauważył wychodzących ślepców, krzyknął, Stać, i w obawie, że ten złowrogi okrzyk nie wystarczy, na wszelki wypadek wystrzelił w powietrze. Przerażeni cofnęli się, ukrywając za grubymi, drewnianymi drzwiami. Po chwili żona lekarza ponowiła próbę, stanęła w cieniu tak, by móc obserwować ruchy żołnierza i w razie potrzeby wycofać się w porę, Nie mamy czym pogrzebać ciała, potrzebujemy łopaty, zawołała. Za bramą pojawił się inny żołnierz. Był to nowy sierżant, Czego chcecie, krzyknął, Potrzebujemy łopaty albo motyki, musimy zakopać ciało, Po co zakopywać, niech zgnije, Jeśli je tak zostawimy, zakazi otoczenie, To wam tylko dobrze zrobi, Powietrza nie ogrodzicie murem, przedostanie się i na waszą stronę. Siła argumentu zmusiła sierżanta do namysłu. Zastępował kolegę, który oślepł i natychmiast został przewieziony do szpitala, gdzie kierowano niewidomych żołnierzy wojsk lądowych armii. Marynarka i lotnictwo również miały swoje ośrodki, lecz w obecnej sytuacji ze zrozumiałych względów formacje te nie odgrywały znaczącej roli. Ta kobieta ma rację, pomyślał sierżant, lepiej dmuchać na zimne. Natychmiast kazał dwóm ludziom założyć maski gazowe i wylać na kałużę krwi dwie butelki amoniaku. Opary płynu unosiły się w powietrzu, drażniąc oczy i nozdrza żołnierzy. W końcu sierżant oświadczył, Zobaczę, co da się zrobić, A jedzenie, przypomniała żona lekarza, wykorzystując sprzyjającą okazję, Jeszcze nie przysłali, W naszym skrzydle jest już pięćdziesiąt osób, jesteśmy głodni, dostajemy za mało żywności, To nie nasza sprawa, Trzeba coś zrobić, rząd obiecał nas żywić, Wracaj do siebie, nie chcę tu nikogo widzieć, Łopata, krzyknęła kobieta, ale sierżanta już nie było. Zbliżało się południe, gdy z głośników odezwał się głos sierżanta, Uwaga, uwaga. Internowani ożywili się, myśląc, że przywieziono żywność, ale tym razem chodziło o motykę, Jedna osoba ma ją odebrać, żadnych grup, powtarzam, jedna osoba, Ja pójdę, ofiarowała się żona lekarza, ja z nim to załatwiałam. Kiedy wyszła na zewnątrz, zobaczyła leżącą blisko bramy motykę. Ktoś przerzucił ją przez ogrodzenie. Muszę udawać ślepą, nakazała sobie w duchu, Gdzie ona jest, spytała, Zejdź po schodach, będę tobą kierował, odparł sierżant, Dobrze, Teraz idź prosto, dalej prosto, stój, skręć lekko w prawo, nie, w lewo, mówiłem lekko, teraz znów prosto i zaraz wejdziesz na motykę, ciepło, ciepło, gorąco, cholera, miałaś iść prosto, zimno, zimno, cieplej, gorąco, ukrop, no, nareszcie, a teraz odwróć się i rób, co ci każę, przestań wreszcie kręcić się w kółko jak pies za własnym ogonem, zawracaj i zmywaj się stąd, Gadaj zdrów, pomyślała żona lekarza, nawet jeśli zorientowałeś się, że nie jestem ślepa, nic mnie to nie obchodzi i tak po mnie tu nie przyjdziesz. Przerzuciła motykę przez ramię jak grabarz udający się do pracy i ruszyła prosto przed siebie, nie robiąc ani jednego błędnego kroku. Sierżancie, niech no pan spojrzy, zawołał jeden z żołnierzy, idzie, jakby widziała, Ślepi szybko uczą się samodzielności, wyjaśnił autorytatywnie sierżant.

Ziemia była twarda, ubita, poprzerastana korzeniami pod powierzchnią. Z trudem udało im się wykopać grób. Pracowali na zmianę, taksówkarz, dwaj policjanci i pierwszy ślepiec. W obliczu śmierci każdy puszcza w niepamięć nienawiść i złość, choć stare rany nie zabliźniają się łatwo, czego liczne przykłady mamy zarówno w literaturze, jak i w życiu, lecz tu w głębi serc zgromadzonych ślepców nie było śladu zapiekłej nienawiści, cóż bowiem znaczy ukradziony samochód wobec martwego, sponiewieranego ciała złodzieja samochodów. Nie trzeba oczu, by domyślić się, że jego twarz nie ma nosa ani warg. Zdołali wykopać płytki grób na pół metra. Grubemu trupowi brzuch wystawałby ponad powierzchnię. Na szczęście złodziej samochodów był chudy jak wiór, tak chudy, że niemal widać mu było wnętrzności, jakby pościł przed śmiercią. Starczyłoby miejsca dla jeszcze jednego. Nie zmówili modlitwy, tylko dziewczyna w ciemnych okularach, targana wciąż wyrzutami sumienia, zaproponowała nieśmiało, by postawić krzyż, ale nikt nie słyszał, aby zmarły wspominał o Bogu. Lepiej więc o tym zapomnieć i mieć nadzieję, że czyn ten zostanie im wybaczony. Poza tym trudno byłoby niewidomym zrobić krzyż, pewnie też od razu wpadłby nań któryś z nieszczęsnych pacjentów szpitala. Mogli już wrócić do sali, w zamkniętej przestrzeni czuli się o wiele pewniej niż w rozległym ogrodzie, tu przynajmniej nikt nie mógł się zgubić. Z wyciągniętymi rękami, poruszając palcami jak owady badające przestrzeń czułkami, szli niemal bezbłędnie. Być może niedługo u bardziej wrażliwych ślepców rozwinie się to, co nazywamy intuicją przestrzenną. Weźmy na przykład żonę lekarza, która swobodnie poruszała się w labiryncie sal, zakamarków i korytarzy, wiedząc dokładnie, kiedy skręcić, a kiedy stanąć przed drzwiami i otworzyć je bez wahania, nie musiała nawet liczyć łóżek, żeby odszukać swoje miejsce. Teraz usiadła na łóżku obok męża i jak zwykle rozmawiali szeptem. Od razu widać, że to ludzie wykształceni, bo zawsze mieli sobie coś do powiedzenia, nie tak jak inne małżeństwa, choćby pierwszy ślepiec i jego żona, którzy po pełnym czułości i łez powitaniu przestali się do siebie odzywać, jakby wszechobecny smutek przyćmił miłość, stając się ich dniem powszednim. Zezowaty chłopiec skarżył się, że jest głodny, choć dziewczyna w ciemnych okularach odejmowała sobie od ust, żeby nakarmić malca. Od kilku godzin chłopiec nie pytał o matkę, ale gdy zaspokoił pierwszy głód, a jego ciało uwolniło się od prozaicznych, egoistycznych potrzeb wynikających z głęboko zakodowanej woli przetrwania, nagle poczuł jej brak. Być może z powodu nocnej strzelaniny lub z przyczyn niezależnych od wojska śniadania nie dostarczono. Zbliżała się pora obiadu, żona lekarza spojrzała ukradkiem na zegarek. Dochodziła pierwsza po południu, nic dziwnego, że wygłodniali ślepcy zebrali się przy głównym wejściu. Jedni chcieli jakoś zapełnić czas, inni wychodzili z założenia, że kto pierwszy, ten lepszy. Zgromadzeni pilnie wsłuchiwali się w dźwięki dobiegające z zewnątrz, czekając na odgłosy kroków żołnierzy, którzy przyniosą upragnione jedzenie. Internowani z lewego skrzydła nie wychodzili w obawie przed nagłym oślepnięciem, które mogłoby nastąpić w wyniku bezpośredniego kontaktu ze ślepymi, tylko przez uchylone drzwi od czasu do czasu wyjrzało na korytarz kilka wygłodniałych twarzy zarażonych. Czas mijał. Niektórzy ślepcy zmęczeni oczekiwaniem usiedli na podłodze korytarza, inni wrócili do swoich sal. Wreszcie dał się słyszeć znajomy szczęk otwieranych drzwi. Podnieceni ludzie wstali i potykając się oraz popychając nawzajem, ruszyli w kierunku, skąd, jak im się wydawało, dochodziły znajome odgłosy. Po chwili stanęli zdezorientowani, nie mogąc dokładnie zlokalizować źródła dźwięku, zaraz jednak ruszyli, upewniwszy się, że są to bez wątpienia kroki żołnierzy, którym towarzyszyła uzbrojona eskorta.

Będąc wciąż pod wrażeniem tragicznych nocnych wydarzeń, żołnierze postanowili, że tym razem nie postawią kartonów z żywnością przed wejściem do pierwszego i drugiego skrzydła, lecz w głównym holu, I cześć, powiedzieli, dalej niech sobie radzą sami. Przyzwyczajeni do dziennego światła, gdy otworzyli drzwi, nie od razu zauważyli czekających w ciemnościach ślepców. Dopiero po chwili, widząc ich wylęknione twarze, przerażeni rzucili kartony na ziemię i z krzykiem zaczęli uciekać. Dwaj żołnierze z eskorty czekający dotąd na schodach, Bóg jeden wie dlaczego, ze strachu czy też może wypełniając rozkaz, stanęli w otwartych drzwiach i oddali serię z karabinów maszynowych. Ślepcy bezwładnie zaczęli osuwać się jedni na drugich, a choć byli już martwi, ich ciała wciąż przeszywał grad pocisków. Wszystko to odbywało się jakby w zwolnionym tempie, jedno ciało, drugie ciało, jak w kinie albo w telewizji. Strzały padały na oślep, ale żołnierze przysięgali później na sztandar, że działali zgodnie z rozkazami, a co więcej, w obronie własnej oraz nieuzbrojonych towarzyszy niosących pomoc niewidomym, i że nagle zostali zaatakowani przez bandę ślepców. W popłochu zaczęli wycofywać się w stronę bramy osłaniani przez uzbrojonych kolegów, którzy trzęsącymi się rękami trzymali wycelowane w budynek karabiny, jakby pozostali przy życiu ślepcy szykowali się do krwawego odwetu. Jeden z żołnierzy, sparaliżowany strachem, powtarzał, Ja tam już nie wrócę, nawet gdyby mieli mnie zabić, nie wrócę. I rzeczywiście, nie wrócił, tego samego bowiem dnia, po południu, podczas zmiany warty, żołnierz ten dołączył do grona ludzi dotkniętych białą chorobą. Miał szczęście, że nosił mundur, gdyż inaczej wepchnięto by go do budynku, gdzie przebywali współtowarzysze zabitych przez niego ślepców, i strach pomyśleć, jak by się to mogło dla niego skończyć. Sierżant powiedział, Najlepiej, żeby zdechli z głodu, skończyłaby się cała ta epidemia. Jak wiemy, nie on pierwszy myślał w ten sposób, ale na szczęście ruszyło go sumienie i dodał, Od tej pory stawiamy kartony z żywnością w połowie drogi od bramy do budynku, będą musieli je sami stamtąd odbierać, ale uważajcie, jeden podejrzany ruch i macie strzelać. Wrócił do swej kwatery, włączył mikrofon i uważnie dobierając słowa oraz przypominając sobie, co zwykle mówi się w podobnych momentach, ogłosił komunikat, Z żalem stwierdzamy, że z powodu zorganizowanego buntu sytuacja stała się krytyczna, w związku z czym wojsko zostało zmuszone do użycia siły i nie ponosi winy za całe to wydarzenie, jak też za bezpośrednie lub pośrednie konsekwencje z niego wynikające. Od dziś żywność stawiana będzie na drodze prowadzącej do głównej bramy i stamtąd internowani mają obowiązek ją odbierać, Ostrzegam, że najmniejsza próba pogwałcenia rozkazów, jak ta, do której doszło przed chwilą i minionej nocy, zostanie srodze ukarana. Po krótkiej przerwie, nie wiedząc, jak zakończyć komunikat, powtórzył, Wojsko nie ponosi winy za całe wydarzenie, nie ponosimy żadnej winy.

Huk wystrzałów odbił się echem o ściany ciasnego holu, wywołując panikę. W pierwszej chwili internowani myśleli, że żołnierze wpadną do sal i zaczną strzelać na oślep, realizując w ten sposób zadanie ostatecznej likwidacji wszystkich ślepców. Niektórzy chowali się pod łóżka, inni sparaliżowani strachem nie ruszali się z miejsc, paru osobom być może przyszło do głowy, że wolą umrzeć, niż żyć tak dalej, i że śmierć powinna nadejść jak najszybciej. Pierwsi doszli do siebie internowani z lewego skrzydła. Gdy rozległy się strzały, początkowo zaczęli uciekać w popłochu, później jednak cisza zwabiła ich z powrotem do drzwi prowadzących do holu. Ujrzeli stos ciał w kałuży krwi, rozlewającej się niczym żywy stwór po kamiennej posadzce, oraz kartony z żywnością. Głód wygnał ich na korytarz, upragnione jedzenie stało tuż-tuż, co prawda przeznaczone było dla ślepych, a posiłek dla nich zgodnie z regulaminem miał być dostarczony w drugiej kolejności, ale kogo teraz obchodził regulamin, nikt ich przecież nie zobaczy, a jak słusznie mawiali nasi przodkowie, którzy znali się na rzeczy, nic tak nie kusi jak owoc zakazany. Kilka wygłodniałych osób zrobiło parę kroków do przodu, ale zlękli się, że być może zastawiono na nich pułapkę, i przypomnieli sobie o zarazkach czyhających na nieostrożnych pośród martwych ciał, a przede wszystkim w kałuży krwi. Kto wie, jakie toksyny wydziela ta lepka ciecz, jaką trucicielską ma moc. Może z rozkładających się ciał ślepców ulatnia się jakaś śmiertelna substancja. Przecież oni nie żyją, nic nam nie grozi, powiedział jeden z internowanych, próbując uspokoić towarzyszy, ale efekt tych słów był odwrotny. Cóż z tego, że byli martwi, nieruchomi i nie oddychali, może biała ślepota była chorobą duszy, a jeśli tak, to przecież właśnie teraz dusze owych nieszczęśników wyzwolone z ciała mogły wreszcie dopełnić aktu zemsty, bo jak świat światem nie ma nic łatwiejszego, niż rozsiewać zło. Jednak kartony z żywnością mimo woli przyciągały spojrzenia, a żołądki wbrew wszelkim racjonalnym przesłankom, wbrew rozsądkowi domagały się jedzenia. Z jednego kartonu wylał się biały płyn, który zmieszał się z czerwoną plamą krwi. Sądząc po charakterystycznym kolorze, było to mleko. Dwóch odważnych, a może bardziej zdesperowanych ludzi, jakże trudno to czasem odróżnić, zbliżyło się do kartonów. Już wyciągali po nie ręce, gdy nagle w drzwiach prowadzących do prawego skrzydła pojawiło się kilku ślepców. Niedoszli złodzieje ostrożnie się wycofali. Mieli jednak nadzieję, że w obliczu śmierci, powodowani szacunkiem i litością, ślepcy zajmą się zabitymi współtowarzyszami i może przez nieuwagę zostawią kilka kartonów z jedzeniem. Nawet parę porcji z pewnością zaspokoiłoby potrzeby garstki zarażonych z lewego skrzydła. Kilku z nich chciało nawet podejść do ślepców i poprosić, Miejcie nad nami litość, zostawcie choć jeden karton, może to dziś ostatnia dostawa żywności. Jednak w końcu zrezygnowali z tego pomysłu. Tymczasem ślepcy, jak to ślepcy, poruszali się po omacku, potykając się, szurając nogami, lecz mimo panującego chaosu zdołali podzielić się zadaniami. Jedni, brodząc w lepkiej krwi zmieszanej z mlekiem, zaczęli przenosić ciała do ogrodu, inni zajęli się żywnością i roznosili kartony do poszczególnych sal. Wśród nich prym wodziła kobieta, sprawiająca wrażenie wszechobecnej, pomagała nosić kartony, zachowywała się tak, jakby wskazywała drogę, co biorąc pod uwagę jej ślepotę, było przecież absurdem. Przez przypadek zwróciła twarz w stronę, gdzie stali zarażeni, jakby ich zauważyła lub wyczuła czyjąś obecność. Wkrótce korytarz opustoszał, została tylko wielka kałuża krwi, nieco mniejsza plama rozlanego mleka i czerwone, mokre ślady butów. Wygłodniali ludzie z rezygnacją zamknęli drzwi i wrócili do siebie. Byli tak przygnębieni i rozczarowani, że jeden z nich nie wytrzymał i powiedział, Prędzej czy później i tak wszyscy oślepniemy, trzeba było do nich podejść, przynajmniej dostalibyśmy coś do jedzenia, Może żołnierze przyniosą nam obiad, odezwał się inny, Był pan w wojsku, spytał pierwszy, Nie, Tak myślałem.

Mieszkańcy dwóch pierwszych sal, z których pochodzili zabici, zgromadzili się w celu ustalenia, czy najpierw pogrzebią ofiary, czy rozdzielą żywność. Nikt nie zapytał, kto zginął. Pięciu zabitych mieszkało w drugiej sali, nie wiadomo więc, czy znali ich od początku, czy też zawarli znajomość później, wymieniając na korytarzu uwagi na temat swego smutnego położenia. Żona lekarza nie pamiętała, kiedy przybyli. Znała natomiast czterech pozostałych zabitych, spali z nią, jeśli można tak się wyrazić, pod jednym dachem, chociaż o jednym z nich niewiele mogłaby powiedzieć, trudno bowiem oczekiwać, by zupełnie obcy człowiek zdradził jej historię swego życia. Co innego dziewczyna w ciemnych okularach, jeśli przyjmiemy, że pokojówka miała rację, ów mężczyzna kochał się z nią w hotelu. Biedaczka, nigdy nie dowie się, że znajdowała się tak blisko człowieka, który otoczył ją morzem bieli. Kolejnymi ofiarami byli taksówkarz i dwaj policjanci. Trzej rośli mężczyźni, którzy z racji swojego zawodu umieli nie tylko sami się bronić, ale musieli występować również w obronie innych. Teraz leżeli pokonani, czekając, aż dopełni się ich los. Musieli czekać nie dlatego, że przegrali z egoizmem żywych, lecz z powodów bardziej prozaicznych. Zakopanie dziewięciu ciał w twardej ziemi przy użyciu jednej motyki wymagało co najmniej kilku godzin pracy. Było więc zrozumiałe, że wolontariusze, ogólnie rzecz biorąc ludzie dobrego serca, musieli wpierw napełnić żołądki, by móc zająć się zmarłymi. Porcjowane jedzenie łatwo dawało się podzielić, To dla ciebie, to dla mnie, to dla ciebie, to dla mnie, aż do opróżnienia kartonów. Jednak niecierpliwość i głód paru mniej rozgarniętych ludzi, którzy pomni wydarzeń sprzed kilku godzin, przerazili się, że nie starczy dla nich jedzenia, skomplikowały tę prostą czynność, choć na ich usprawiedliwienie należy dodać, że w zaistniałych okolicznościach trudno było zachować rozsądek. Łatwo sobie wyobrazić, jak ciężko jest policzyć ludzi i rozdać żywność, jeśli się ich nie widzi. W dodatku niektórzy mieszkańcy drugiej sali, gwałcąc wszelkie zasady uczciwości, próbowali wmówić reszcie, że jest ich więcej niż w rzeczywistości. Żona lekarza szybko wykryła oszustwo, lecz uznała, że lepiej to przemilczeć. Strach pomyśleć, co by się stało, gdyby wyszło na jaw, że nie jest ślepa, w najlepszym razie stałaby się służącą wszystkich, w najgorszym niewolnicą kilku. Propozycja wyboru przewodniczącego sali, wysunięta na początku przez dziewczynę w ciemnych okularach, być może pomogłaby rozwiązać kilka mniej lub bardziej ważkich problemów, jednak tylko pod warunkiem, że nikt nie podważyłby autorytetu wybranej osoby, który w istniejących okolicznościach i tak był kruchy i wciąż kwestionowany. Miałoby to sens, jedynie gdyby wszyscy podporządkowali się jego decyzjom, kierując się wspólnym dobrem. Jeśli nie uda nam się zachować spokoju, pomyślała żona lekarza, wkrótce się pozabijamy. Przyrzekła sobie porozmawiać z mężem o tych trudnych sprawach i dalej rozdawała jedzenie.

Czy to z lenistwa, czy z powodu delikatnych żołądków, nikt nie kwapił się do podjęcia niewdzięcznej pracy grabarza. Z racji swojej profesji lekarz czuł się zobowiązany przypomnieć o czekającym ich zadaniu, Chodźmy zakopać ciała, powiedział bez przekonania, ale nikt się nie ruszył. Wyciągnięci na swych łóżkach ludzie potrzebowali chwili spokoju, by strawić obiad, niektórzy, posiliwszy się, od razu zasnęli. Nic dziwnego, po tylu przeżyciach i stresach, mimo że nie udało im się całkowicie zaspokoić głodu, ciało poddało się lenistwu, co jest naturalną reakcją na procesy chemiczne zachodzące w żołądku. Późnym popołudniem, gdy zaczął zapadać zmierzch, a światło lamp nadal było tak słabe, że aż trudno uwierzyć, by kiedykolwiek mogło do czegoś służyć, lekarz i jego żona zdołali namówić dwóch mężczyzn, by pomogli im pogrzebać zwłoki w ogrodzie. Ociągali się wprawdzie, ale bez ich pomocy nie dałoby się porozdzielać sztywnych ciał. Dotknięci białą chorobą ludzie mieli nad autentycznymi ślepcami przewagę, którą można by określić jako iluzję światła. Dzień czy noc, świt czy zmierzch, cichy poranek czy gwarne południe, wciąż otaczała ich świetlista biel zamglonego słońca. Nie byli to zwykli niewidomi pogrążeni w ciemnościach, lecz ludzie zatopieni w blasku światła. Kiedy lekarz wspomniał, że trzeba będzie rozdzielić ciała, jeden ze ślepych, którzy zgodzili się mu pomóc, zapytał, jak rozpoznają tożsamość zabitych, pytanie całkiem logiczne dla osoby niewidomej. Lekarz zmieszał się, a jego żona nie przyszła mu z pomocą, w obawie że zdradzi swój sekret. Lekarz jednak szybko odzyskał pewność siebie, Słuchajcie, powiedział, uśmiechając się na dźwięk swego stanowczego głosu, ludzie przyzwyczajają się do używania oczu i nawet gdy już przestali widzieć, przetwarzają wszystko na obrazy, Wiemy przecież, że leży tu czterech naszych ludzi, taksówkarz, dwaj policjanci i jeszcze jeden człowiek, który z nami mieszkał, tak więc weźmiemy pierwsze z brzegu ciała, zakopiemy je jak trzeba i w ten sposób spełnimy nasz obowiązek. Obaj pomocnicy zgodzili się z lekarzem i na zmianę zaczęli kopać groby. Jednak żaden z tych ślepych pomocników nie domyślił się, że zakopują dokładnie te ciała, które należało pogrzebać. Nie trzeba wyjaśniać, czyja ręka, niby przypadkiem, kierowała dłonią lekarza, chwytała nogę lub ramię trupa, a on tylko mówił, Ten, tamten. Kiedy zakopali dwóch zabitych, z budynku wyszło trzech następnych mężczyzn gotowych do pomocy. Gdyby ktoś powiedział im, że jest już ciemna noc, pewnie żaden by się tu nie pojawił. Wiadomo bowiem, że z psychologicznego punktu widzenia, nawet dla ślepca istnieje różnica pomiędzy grzebaniem zmarłych za dnia i wtedy gdy słońce dawno znikło za horyzontem. Kiedy spoceni i zabrudzeni ślepcy wrócili do sali, wciąż czuli w nozdrzach zapach rozkładających się ciał. Tuż po ich powrocie do sali odezwał się głos z głośnika, powtarzając znane wszystkim instrukcje. Nie było żadnej wzmianki o wydarzeniach minionego dnia, o strzałach i stosie trupów, padały tylko ostrzeżenia w stylu, Opuszczenie budynku bez zezwolenia grozi natychmiastowym rozstrzelaniem albo internowani mają obowiązek grzebać ciała zmarłych bez zbędnych formalności. Jednak tym razem z racji nabytych doświadczeń, a wiadomo, że doświadczenie stoi u podstaw wszelkich nauk, słowa te nabrały szczególnej wymowy. Jedynie informacja o dostarczaniu trzech posiłków dziennie zabrzmiała groteskowo, jako że podszyta była trudną do przełknięcia ironią. Kiedy głos zamilkł, lekarz, który zdążył już poznać rozkład budynku, udał się sam do drugiej sali i poinformował, Nasi są już pochowani, W takim razie możecie pochować i resztę, odezwał się męski głos, Ustaliliśmy, że mieszkańcy każdej sali grzebią swoich, zabraliśmy cztery ciała, Dobra, dobra, jutro zajmiemy się naszymi, odezwał się inny mężczyzna, po czym zmienionym głosem zapytał, Przynieśli już jedzenie, Nie, odparł lekarz, Ale przecież przed chwilą zakomunikowali, że będą przywozić trzy posiłki dziennie, Wątpię, żeby dotrzymali słowa, Musimy więc dzielić tę żywność, która przychodzi, wtrącił kobiecy głos, Dobrze, porozmawiamy o tym jutro, odparł lekarz, Niech i tak będzie, zgodziła się kobieta. Wychodząc z sali, lekarz usłyszał głos pierwszego mężczyzny, Nareszcie wiemy, kto tu rządzi. Zatrzymał się, czekając na reakcję pozostałych. Odezwała się ta sama kobieta, Jeśli się nie zorganizujemy, zaczną nami rządzić strach i głód, i tak już powinniśmy się wstydzić, że nie pomogliśmy im pochować zabitych, Jak pani taka mądra, to niech pani sama tam idzie, Sama nie dam rady, ale chętnie pomogę, Nie warto się kłócić, wtrącił drugi mężczyzna, Zrobimy to jutro rano. Lekarz westchnął, zdając sobie sprawę, że za chwilę wspólne życie stanie się coraz trudniejsze. Wyszedł na korytarz i poczuł nagłą potrzebę wypróżnienia. Wiedział, że w pobliżu nie ma żadnej łazienki, zaryzykował jednak i poszedł dalej. Miał nadzieję, że ktoś pamiętał, by zanieść do ubikacji papier toaletowy, który dostarczano wraz z żywnością i środkami czystości. Dwa razy pomylił drogę, ogarniało go coraz większe zdenerwowanie, gdyż czuł, że dłużej nie wytrzyma, w ostatniej chwili wszedł do prymitywnej ubikacji z dziurą w podłodze i w pośpiechu zaczął rozpinać spodnie. Smród był tu nie do wytrzymania. Poczuł, że wdepnął w coś miękkiego, odchody kogoś, kto nie trafił w otwór lub przestał przejmować się zasadami higieny. Zastanawiał się, jak naprawdę wygląda to miejsce, otaczała go przecież lśniąca biel, jak wyglądają ściany, podłoga, której nie widzi, i nagle doszedł do absurdalnego wniosku, że świetlista biel w ubikacji śmierdzi. Co za koszmar, wkrótce wszyscy zwariujemy z tego nieszczęścia, pomyślał. Chciał się podetrzeć, ale nie znalazł papieru. Obmacał ścianę za sobą, Gdzieś tu powinien znajdować się uchwyt do papieru lub przynajmniej jakiś haczyk, na którym ktoś może zostawił strzępy podartej gazety. Niczego nie znalazł. Stojąc tak z rozstawionymi nogami i opuszczonymi spodniami dotykającymi brudnej podłogi, poczuł się nieszczęśliwy i upokorzony do granic wytrzymałości, Ślepy, ślepy, ślepy, powtarzał z rozpaczą i nie mogąc się opanować, zaczął bezgłośnie szlochać. Zrobił kilka kroków do przodu i uderzył w ścianę. Wyciągnął przed siebie jedną rękę, potem drugą i w końcu znalazł wyjście. Usłyszał jakieś szuranie, ktoś inny też szukał ubikacji i potykając się, przeklinał pod nosem, Cholera, gdzie te łazienki, ale jego głos brzmiał obojętnie, jakby tak naprawdę było mu w istocie wszystko jedno. Przeszedł tuż obok lekarza, nieświadom bliskości drugiej osoby, ale czy miało to teraz jakieś znaczenie. Sytuacja była krępująca, a właściwie byłaby krępująca w innych okolicznościach, mimo to na wpół rozebrany lekarz w ostatniej chwili zdołał podciągnąć spodnie. Potem, gdy miał już pewność, że znów jest sam, opuścił je z powrotem, ale za późno, poczuł, że zabrudził się jak nigdy w życiu. Tyle jest sposobów, by zmienić się w zwierzę, pomyślał, To dopiero pierwszy krok. Wiedział jednak, że nie ma prawa narzekać, bo jest jeszcze ktoś, kto bez obrzydzenia go umyje.

tylko ludzie dobrze wychowani, ale i prymitywni, którzy nie zważając na innych, po przebudzeniu pluli i puszczali gazy, co zresztą robili również w ciągu dnia. Panował tu straszliwy zaduch, ale nie dało się temu zapobiec, gdyż okna znajdowały się zbyt wysoko, by je otworzyć, a na korytarzu śmierdziało jeszcze bardziej.

Lekarz i jego żona leżeli przytuleni do siebie nie tylko z uwagi na wąskie łóżko, ale z wewnętrznej potrzeby, i jedynie siłą woli powstrzymali się, by nie zrobić tego, co w środku nocy uczynili ich sąsiedzi, kobieta i mężczyzna, nazwani przez kogoś świntuchami. Żona lekarza spojrzała na zegarek. Dwadzieścia trzy minuty po drugiej. Spojrzała jeszcze raz, sekundnik stał w miejscu. Zapomniała nakręcić ten przeklęty zegarek, nie potrafiła dopilnować nawet najprostszych czynności, i to zaledwie po trzech dniach odosobnienia. Z jej ust wyrwał się stłumiony szloch, jakby przytrafiło jej się najgorsze nieszczęście. Lekarz pomyślał, że jego żona oślepła, że nastąpiło to, czego tak bardzo się obawiali. Już chciał zapytać, czy widzi tylko biel, ale w tej samej chwili usłyszał, Nie, nie, to nie to, a po chwili szept tłumiony przez kołdrę zakrywającą ich twarze, Ale ze mnie idiotka, nie nakręciłam zegarka, i niepocieszona rozpłakała się jak dziecko. Jej szlochanie obudziło dziewczynę w ciemnych okularach, która wstała i z wyciągniętymi rękami zbliżyła się do miejsca, skąd dochodził płacz, Co się stało, czy mogę pani pomóc, spytała dotykając przykrytych kołdrą ciał. W tym momencie wrodzone poczucie taktu nakazało jej szybko odejść, ale nie cofnęła rąk, uniosła je tylko lekko, tak że zaledwie dotykały chropowatej i wilgotnej powierzchni grubego koca, Czy mogę pani pomóc, powtórzyła pytanie i dopiero wtedy cofnęła ręce, gubiąc je w sterylnej bieli. Żona lekarza, wciąż łkając, wstała z łóżka i przytuliła się do dziewczyny, Nie, nic się nie stało, nagle zrobiło mi się smutno, Jeśli taka silna osoba jak pani traci nadzieję, to znaczy, że nie ma dla nas ratunku, zasmuciła się dziewczyna. Żona lekarza uspokoiła się nieco i z bliska przyjrzała dziewczynie. Zapalenie spojówek prawie zniknęło, szkoda że nie mogła jej tego powiedzieć, na pewno by się ucieszyła, chociaż w tej sytuacji było to niedorzeczne, nie dlatego że dziewczyna oślepła, lecz dlatego że wszyscy wokół byli ślepi, bo po co komu takie przejrzyste, piękne oczy, jeśli nie ma kogoś, kto mógłby w nie spojrzeć. Każdy ma chwilę słabości, powiedziała żona lekarza, Ważne, że jeszcze potrafimy płakać, łzy są czasem prawdziwym zbawieniem, umarlibyśmy, gdybyśmy od czasu do czasu nie mogli sobie popłakać, Dla nas nie ma zbawienia, szepnęła dziewczyna, Kto wie, ta choroba nie przypomina zwykłej ślepoty, może zniknąć równie nagle, jak się pojawiła, Za późno dla tych, którzy już umarli, Wszyscy kiedyś umrzemy, Ale nie musimy ginąć, a ja zabiłam człowieka, Proszę się nie obwiniać, to był fatalny splot okoliczności, wszyscy jesteśmy w równym stopniu winni i niewinni, nieczyste sumienie powinni mieć tylko żołnierze, którzy nas pilnują, ale i oni mogą usprawiedliwić się strachem, Cóż z tego, że ten biedak mnie obmacywał, nadal by żył, a mnie nie ubyłoby ciała, Niech pani przestanie o tym myśleć, proszę odpocząć, zasnąć. Odprowadziła ją do łóżka, Proszę się położyć, Pani jest taka dobra, powiedziała dziewczyna i dodała ściszonym głosem, Nie wiem, co robić, będę miała okres, a nie zabrałam podpasek, Proszę się nie martwić, ja coś znajdę. Dziewczyna w ciemnych okularach wyciągnęła ręce, bezradnie szukając kobiety, a żona lekarza delikatnie ujęła jej dłonie błądzące w powietrzu, Proszę odpocząć, powtórzyła. Dziewczyna zamknęła oczy i pewnie by zasnęła, gdyby nie nagły hałas. Ktoś wracając z łazienki, pomylił łóżka i położył się na pryczy sąsiada, który również wyszedł za potrzebą, ale żaden z nich nie wszczął awantury, nie krzyknął, Następnym razem niech pan uważa. Żona lekarza stała i przyglądała się rozmawiającym mężczyznom. Zauważyła, że prawie nie gestykulują, a ich ciała są nieruchome. Zrozumieli, że zdani są jedynie na swój głos i słuch. Na pewno brakowało im rąk, których mogliby użyć podczas kłótni lub walki, ale zrozumieli, że nie warto kłócić się o łóżko, tak jak nie warto sprzeczać się o wiele innych rzeczy, wystarczyło po prostu się dogadać. Łóżko numer dwa jest moje, trzecie należy do pana, jasne, Gdybyśmy nie byli ślepi, nic by się nie stało, Właśnie, sęk w tym, że jesteśmy ślepi. Żona lekarza szepnęła do męża, Mamy tu cały świat jak na dłoni.

Niestety, niecały. Jedzenie wciąż się spóźniało. Ludzie powychodzili z sal, zebrali się w holu, nasłuchując, czy z głośnika nie padnie rozkaz, odebrać jedzenie. Niecierpliwie przestępowali z nogi na nogę. Wiedzieli, że będą musieli wyjść na dziedziniec, by odebrać żywność, którą zgodnie z wcześniejszym komunikatem żołnierze mieli zostawić na chodniku między bramą a głównym wejściem. Bali się, że to jakieś oszustwo, zasadzka. Kto wie, czy, tak jak to było ostatnio, nie zaczną do nas strzelać, Oni są zdolni do wszystkiego, Nie można im ufać, Ja tam nie wyjdę, Ja też, Ktoś musi, jeśli chcemy jeść, Kto wie, może lepiej zginąć od jednego strzału, niż powoli zdychać z głodu, Ja idę, Ja też, Nie możemy wyjść wszyscy, żołnierzom to się nie spodoba, Jeszcze się przestraszą, pomyślą, że zamierzamy uciec, dlatego zabili tamtego rannego, Musimy się zdecydować, Trzeba być bardzo ostrożnym, pamiętacie, co się stało wczoraj, dziewięciu zabitych, nie do wiary, Boją się nas, Ja też się ich boję, Ciekawe, czy oni też ślepną, Kto, Żołnierze, Uważam, że powinni oślepnąć pierwsi. Wszyscy się z tym zgodzili, a ktoś nawet dodał to, o czym każdy po cichu myślał, Przynajmniej nie mogliby do nas strzelać. Czas mijał, a z głośnika nie wydobył się żaden dźwięk. Aby skrócić oczekiwanie, ślepy z pierwszej sali zapytał, Pogrzebaliście już swoich, Jeszcze nie, Zaczynają śmierdzieć, niedługo wszystkich zarażą, Mogą sobie cuchnąć i zarażać, ale jeśli o mnie chodzi, nie ruszę palcem, póki czegoś nie zjem, przecież wczoraj mówiliśmy, najpierw żarcie, potem robota, Nieprawda, najpierw chowa się zmarłych, a potem idzie na stypę, Ze mną jest odwrotnie. Po krótkiej ciszy znów ktoś się odezwał, Zastanawiam się, Nad czym, Jak podzielimy jedzenie, Tak jak przedtem, przecież wiemy, ilu nas jest, rozdamy porcje, każdy dostanie swoją część, tak jest najprościej, Ale ten sposób się nie sprawdził, byli tacy, co oszukiwali i wzięli podwójne porcje, To znaczy, że źle dzielono jedzenie, I tak będzie nadal, jeśli nie wprowadzimy dyscypliny, och, gdyby był wśród nas ktoś, kto chociaż trochę widzi, Natychmiast wymyśliłby jakiś fortel, by zagrabić jak najwięcej dla siebie. Ktoś powiedział, że w krainie ślepców nawet jednooki jest królem, Dajcie spokój, To nie to samo, Tu nawet jednooki by sobie nie poradził, Najlepiej podzielić jedzenie na równe części i zanieść do swojej sali, potem każdy rozda według potrzeb to, co przyniósł, Kto to powiedział, Ja, Kto ja, Ja, Z której jest pan sali, Z drugiej, Od razu się domyśliłem, znalazł się cwaniak, u was jest mniej ludzi, a żądacie więcej żarcia niż ci, co mają pełne sale, Myślałem, że tak będzie prościej, Już gdzieś to słyszałem, że kto rządzi, ten dzieli, a jeśli nie umie dzielić, to albo jest głupi, albo nie zna się na dzieleniu, Do diabła, przestańcie wreszcie, dość mam tych ludowych mądrości. Powinniśmy zanieść kartony do jadalni, każda sala wybierze do podziału żywności trzech ludzi, co trzy głowy to nie jedna, dopilnują porządku i sprawiedliwego podziału. A jak sprawdzić, że w sali jest tyle osób, ile deklarują przedstawiciele, Mamy chyba do czynienia z uczciwymi ludźmi, Czy to znowu ten cwaniaczek z dwójki, Nie, to ja, Znalazł się rycerz, prawda jest taka, że wszystkim kiszki grają marsza.

Jakby w odpowiedzi na magiczne hasło, sezamie otwórz się, z głośników padła komenda, Uwaga, uwaga, internowanym zezwala się wyjść i odebrać żywność, Jeśli ktoś zbliży się do bramy, otrzyma słowne ostrzeżenie, a gdy to nie poskutkuje, zostanie zastrzelony. Ślepcy powoli zaczęli przesuwać się w stronę wyjścia, niektórzy skręcili w prawo przekonani, że tam są drzwi, inni, nie ufając ograniczonemu zmysłowi orientacji, dreptali wzdłuż ściany, by wykluczyć możliwość pomyłki. Należało iść do końca korytarza, gdzie ściana załamywała się pod kątem prostym, i dalej w stronę wyjścia. Zniecierpliwiony głos powtórzył komendę. Nagła zmiana tonu wystraszyła nawet najbardziej ufnych ślepców. Ktoś powiedział, Ja stąd nie wyjdę, chcą nas wywabić i potem wszystkich pozabijać. Ja też nie idę, Ani ja, odezwał się stanowczo trzeci głos. Stanęli, nie wiedząc, co robić. Parę osób było gotowych wyjść na zewnątrz, ale wkrótce ich także sparaliżował strach. Znów usłyszeli głos z megafonu, Jeśli w ciągu trzech minut nikt nie wyjdzie, zabieramy jedzenie. Groźba zepchnęła strach w najdalsze zakamarki świadomości. Uczucie to było jak zwierzę, które zmuszone do odwrotu czai się, czekając na dogodną chwilę, by znów zaatakować. Przerażeni ślepcy wyszli na dziedziniec, chowając się jeden za drugim. Nie wiedzieli, że wbrew ich oczekiwaniom żołnierze nie postawili kartonów w pobliżu schodów, ponieważ obawiali się zarazić od liny, której chwytali się ślepcy. Kartony ułożone jedne na drugich stały tam, gdzie wcześniej żona lekarza znalazła motykę, Naprzód, naprzód, rozkazał sierżant. Bezradni ślepcy próbowali ustawić się wzdłuż liny, ale sierżant krzyknął, Zostawcie sznur, puśćcie sznur, jedzenie jest po prawej stronie, po waszej prawej, idioci, nie trzeba mieć oczu, żeby wiedzieć, gdzie jest prawa ręka. Sprostowanie przyszło w samą porę, gdyż co bardziej zdyscyplinowani chorzy byli przekonani, że jeśli sierżant mówi w prawo, to znaczy, że jest to jego prawa strona, dlatego przeszli pod sznurem i próbowali szukać kartonów Bóg wie gdzie. W innych okolicznościach ta groteskowa scena rozśmieszyłaby żołnierzy do łez. Niektórzy ślepcy szli na czworakach, z twarzą przy ziemi niczym świnie, wymachując bezradnie wyciągniętą przed siebie ręką, inni, obawiając się, że w otwartej przestrzeni pochłonie ich świetlista biel, stali, kurczowo trzymając się liny, czekając na okrzyk radości towarzyszy, którzy natkną się na stertę kartonów. Żołnierze z trudem powstrzymywali się, by nie wypalić z wycelowanej w ślepców broni, precyzyjnie, na zimno wykończyć tych półgłówków, którzy pełzali jak oślizgłe kraby, próbując odnaleźć zaplątane kończyny. Słyszeli, jak komendant obozu mówił rano, że jedynym rozwiązaniem byłaby likwidacja wszystkich internowanych, ślepych i tych, którzy mają oślepnąć, bez fałszywej czułostkowości, to jego własne słowa. Mówił, że tak samo amputuje się nogę zżartą przez gangrenę, by w ten sposób ocalić ciało. Wściekłego psa też należy odstrzelić, powiedział, używając obrazowego porównania. Mniej wyczuleni na piękno figur stylistycznych żołnierze zachodzili w głowę, co ma wścieklizna do ślepoty, lecz słowa dowódcy, pozwólmy sobie na kolejne porównanie, są jak słowa wyroczni, jakże inaczej mógłby on zajść tak wysoko w hierarchii wojskowej, gdyby nie był przekonany o słuszności tego, co myśli, robi i mówi. W końcu któryś ze ślepców potknął się o kartony z jedzeniem, objął je i zaczął krzyczeć z radości, Tutaj, są tutaj. Jeśli kiedyś człowiek ten odzyska wzrok, w ten sam sposób obwieści światu dobrą nowinę. W kilka sekund dołączyli do niego pozostali, potykając się o piramidę kartonów, przepychając i gubiąc w plątaninie rąk i nóg, przekrzykując nawzajem, Kto weźmie pierwszą paczkę, Ja, Nie, ja, Zostaw. Ślepcy, którzy odważyli się puścić sznur, teraz przestraszyli się, że ukarze się ich za opieszałość oraz tchórzostwo i zostaną pominięci przy podziale jedzenia. A, to wy, powiedzą, Nie chcieliście czołgać się z wypiętym tyłkiem, narażając się na strzały, to nie będziecie jedli, kto nie ryzykuje, ten przegrywa. Przerażony tą perspektywą jeden z wahających się ślepców puścił linę i z podniesionymi do góry rękami ruszył w stronę, skąd dobiegały krzyki. Nie dam się tak łatwo oszukać, pomyślał. Jednak głosy nagle umilkły, słychać było tylko szmer przesuwających się ciał, zdławione okrzyki, kakofonię niezidentyfikowanych dźwięków dobiegających jednocześnie ze wszystkich stron i znikąd. Ślepiec stanął niezdecydowany, chciał zawrócić i chwycić się liny, ale stracił orientację, gdyż nie widać gwiazd na białym niebie. Wtem usłyszał głos sierżanta nakazujący, by ludzie, którzy znaleźli kartony, cofnęli się do schodów. Tamci to co innego, dla nich instrukcje sierżanta były jasne, mieli jakiś punkt odniesienia, on nie wiedział nawet, gdzie jest. Nikt już nie trzymał się liny, ale oni przynajmniej mogli zawrócić, idąc tą samą drogą, tyle że w odwrotnym kierunku. I rzeczywiście, jako pierwsi znaleźli się przy wejściu i tam czekali na pozostałych. Zagubiony ślepiec stał w miejscu, bojąc się ruszyć. Zrozpaczony zawołał, Proszę, niech mi ktoś pomoże. Nie wiedział, że żołnierze wycelowali w niego broń w oczekiwaniu, aż przekroczy niewidzialną linię między życiem a śmiercią. Długo jeszcze będziesz tam stał, ślepaku, krzyknął sierżant. W jego głosie wyczuwało się narastające napięcie, gdyż tak naprawdę nie podzielał opinii komendanta. Kto wie, może jutro i mnie dopadnie ta zaraza, myślał, Zwykli żołnierze to co innego, na rozkaz zabijają, na rozkaz giną, Strzelać tylko wtedy, kiedy dam znak, przypomniał podwładnym. Dopiero teraz ślepiec zdał sobie sprawę, w jakim znalazł się niebezpieczeństwie. Z płaczem rzucił się na kolana, Błagam, pomóżcie mi, powiedzcie, jak mam iść, Podejdź bliżej, ślepoto, no, podejdź, odezwał się nazbyt przyjacielsko jeden z żołnierzy. Ślepiec podniósł się, zrobił trzy kroki do przodu, ale po chwili zatrzymał się, gdyż nagle słowa strażnika wydały mu się podejrzane. Podejść to nie to samo, co iść, podejść znaczy zbliżyć się do mówiącego, iść w jego kierunku, tam, skąd go wołają, na spotkanie kuli, która jasność zamieni w ciemność. Jednak sierżant szybko zareagował na podłą prowokację żołnierza, Stać, w tył zwrot, krzyknął, po czym kilkoma surowymi słowami przywołał podwładnego do porządku. Jak widać, nie każdemu można dać broń do ręki. Zachęceni przychylną postawą sierżanta ślepcy stojący przy wejściu zaczęli krzyczeć z całych sił, jakby ich krzyki mogły przyciągnąć zagubionego towarzysza niczym pole magnetyczne. Ruszył pewnie w stronę, skąd dobiegały głosy, Głośniej, nie przerywajcie, głośniej, wołał, podczas gdy ślepcy krzyczeli jak opętani, jakby kibicowali wyczerpanemu zawodnikowi, który zbliża się do mety. Wreszcie padł im w ramiona, nic dziwnego, prawdziwych przyjaciół poznaje się w biedzie nie tylko, gdy puka ona do drzwi, ale również gdy pojawi się na horyzoncie.

Jednak serdeczna atmosfera nie trwała długo. Korzystając z zamieszania, kilku internowanych chwyciło kartony, które udało im się przydźwigać, i pędem pobiegli do swych sal, wykazując nielojalność wobec pozostałych, być może w obawie przed niesprawiedliwym podziałem żywności. Bardziej naiwni, a tacy zawsze znajdą się w grupie, oburzeni zaczęli protestować. Tak nie można, jeśli przestaniemy sobie ufać, to co się z nami stanie, pytali, nie oczekując odpowiedzi. Inni, trzeźwo patrzący na życie, wyrażali się o wiele dosadniej, Te sukinsyny aż się proszą o cięgi. Oczywiście, nikt się nie napraszał, lecz wszyscy wiedzieli, o co chodzi. I tak było to określenie o wiele łagodniejsze od tych, które nasuwały się na myśl wszystkim obecnym. Po krótkiej naradzie w korytarzu ślepcy uznali, że najlepszym wyjściem z tej niezręcznej sytuacji będzie rozdzielenie pozostałych kartonów między przedstawicieli sal. Na szczęście została parzysta liczba paczek. Postanowiono wyłonić komisję, dla przeprowadzenia śledztwa w sprawie brakujących, a właściwie skradzionych kartonów. Jak zwykle dyskusja zaczęła się przeciągać. Nie wiadomo było, czy najpierw należy odzyskać paczki, czy zabrać się do jedzenia tego, co zostało. Przeważyły jednak głosy tych, którzy twierdzili, że biorąc pod uwagę długi post, do którego zostali zmuszeni, lepiej będzie najpierw napełnić żołądki, a potem prowadzić śledztwo. Pamiętajcie, że musicie jeszcze pochować swoich ludzi, powiedział człowiek z pierwszej sali, Jeszcze nie zabiliśmy tych skurczybyków, a już mamy ich pochować, zażartował ktoś z drugiej sali. Wszyscy wybuchnęli śmiechem. Wkrótce jednak okazało się, że złodzieje zniknęli. W drzwiach obu sal stały grupki wygłodniałych ludzi, którzy donieśli, że przed chwilą słyszeli czyjeś kroki w korytarzu, jakby ktoś niósł bardzo ciężkie rzeczy, lecz na pewno nikt nie wszedł do sali, bo nie było tam żadnego jedzenia. Padła propozycja, by zidentyfikować złodziei według numerów łóżek, które zajmowali. Te łóżka, które są wolne, z pewnością należą do poszukiwanych, trzeba więc poczekać, aż wyjdą ze swej kryjówki, oblizując się po posiłku, i zaatakować ich z zaskoczenia, by raz na zawsze zapamiętali, że wspólna własność jest święta. Choć był to dość szczególny sposób wymierzania sprawiedliwości, wszyscy z chęcią nań przystali. Powstał jednak pewien problem, ponieważ oznaczało to, że znów przesunie się czas upragnionego posiłku, a śniadanie i tak było już zimne. Najpierw zjedzmy, zaproponował jeden ze ślepców, a wszyscy chórem go poparli, choć tak niewiele zostało do podziału po niechlubnym postępku kilku współtowarzyszy. W tym czasie, gdzieś poza murami zniszczonego i zaniedbanego budynku, złodzieje wpychali pewnie w siebie po kilka porcji naraz. Uczciwi obywatele tymczasem musieli zadowolić się jedną trzecią tego, co im przysługiwało. Tym razem posiłek był nieco lepszy, składał się z kawy z mlekiem, herbatników i chleba z margaryną. Kiedy w melancholijnym nastroju skubali swą przysłowiową suchą kromkę chleba, z głośników odezwał się głos wzywający zarażonych internowanych, by odebrali swoje racje żywności. Mając na uwadze nadużycie, którego dopuścili się ślepi współmieszkańcy, jeden z pokrzywdzonych pod wpływem emocji zaproponował, by zaczekać w holu i we właściwej chwili odebrać jedzenie widzącym. Przekonacie się, że gdy tylko nas zobaczą, uciekną w popłochu i zostawią kilka paczek. Jednak lekarz potępił ten pomysł, To niesprawiedliwe karać niewinnych.

Kiedy wszyscy skończyli jeść, żona lekarza i dziewczyna w ciemnych okularach wyniosły do ogrodu puste kartony, pojemniki po mleku i kawie, plastikowe kubki oraz to wszystko, czego nie dało się zjeść. Musimy spalić śmieci, zauważyła żona lekarza, Tyle tu much, trzeba z tym skończyć.

Tymczasem inni usadowili się na swoich łóżkach i czekali na powrót czarnych owiec. Barany, odezwał się czyjś szorstki głos, jakby w odpowiedzi na to łagodne określenie, którym posłużyliśmy się, nie mogąc znaleźć bardziej odpowiednich słów. Ale złodzieje nie pojawili się, może przeczuwali, że niejeden miałby ochotę spuścić im tęgie lanie. Czas mijał, ktoś zasnął, inni wyciągnęli się na łóżkach. Tak, panowie, papu i spać. Mimo wszystko nie jest tak źle, chyba że brakuje żarcia, bez tego człowiek nie wyżyje. Właściwie to mamy tu jak w hotelu. Co innego jakiś zagubiony ślepiec tam w mieście, to dopiero katorga, prawdziwe nieszczęście. Błądzić po omacku po ulicach, wszyscy uciekają, rodzina przerażona, każdy boi się podejść, kochająca matka, ukochane dziecko, aż strach pomyśleć. Pewnie zrobiliby to samo co tu, zamknęliby nieszczęśnika na klucz i stawiali jedzenie pod drzwiami. Tak między Bogiem a prawdą, bez rozczulania się nad sobą, trzeba przyznać, że rząd podjął słuszną decyzję, izolując wszystkich ślepców. Równi z równymi to najlepszy sposób, postąpiono jak z trędowatymi. Nie ma wątpliwości, że ten lekarz z głębi sali ma rację, Musimy się zorganizować, bo w gruncie rzeczy o to właśnie chodzi, to znaczy, najpierw żarcie, potem organizacja, jedno i drugie jest niezbędne do życia, wystarczy wybrać kilku zdyscyplinowanych ludzi umiejących pilnować porządku, ustalić zasady współżycia, podstawowe obowiązki, zamiatanie, sprzątanie, mycie, nie ma co narzekać, przysłali nam nawet mydło i detergenty, trzeba tylko dbać o łóżko, a najważniejsze to nie stracić szacunku do samego siebie, nie wchodzić w drogę żołnierzom, którzy tylko wykonują rozkazy i muszą nas pilnować, nie potrzebujemy więcej zabitych, wieczorem można poprosić kogoś, by opowiedział jakąś ciekawą historię, kilka anegdot, wszystko jedno co, choć najlepiej, żeby ktoś znał na pamięć Biblię, powtórzylibyśmy sobie wszystko od wygnania Adama i Ewy z raju, bo najważniejsze to słuchać i mówić, szkoda, że nie ma radia, jak wiadomo, muzyka łagodzi obyczaje, słuchalibyśmy sobie wiadomości, kto wie, może wynajdą lekarstwo na naszą chorobę, alež byłaby radość.

Wkrótce stało się to, czego wszyscy się obawiali. Z dworu dobiegły strzały. Ktoś krzyknął, Idą nas zabić, Spokojnie, przerwał lekarz, To niemożliwe, gdyby chcieli nas zamordować, weszliby do środka, a nie strzelali na dziedzińcu. Miał rację, strzałów nie oddał żołnierz, który nagle oślepł i przez pomyłkę nacisnął na spust. To sierżant kazał strzelić w powietrze, gdyż był to jedyny sposób, aby zapanować nad gromadą ślepców, którzy potykając się, wychodzili z autokarów. Ministerstwo Zdrowia zawiadomiło wojsko, Przysyłamy cztery autokary z nowymi chorymi, Ilu ludzi, Około dwustu, Gdzie ich umieścimy, o ile nam wiadomo, ślepi zajmują jedynie trzy sale w prawym skrzydle szpitala, gdzie jest tylko sto dwadzieścia łóżek, a już mieszka tam sześćdziesiąt, siedemdziesiąt osób, nie licząc tych kilkunastu, których musieliśmy zastrzelić, Jedyna rada to zająć pozostałe sale, Ale w ten sposób zarażeni będą mieli bezpośredni kontakt ze ślepymi, Prędzej czy później oni też oślepną, a poza tym, prawdę mówiąc, wszyscy jesteśmy już zarażeni, każdy przynajmniej raz miał kontakt wzrokowy ze ślepcem, Ale przecież ślepi nie widzą, jak więc można się od nich zarazić, Nic prostszego, panie generale, po prostu niewidzące oko przekazuje chorobę zdrowemu oku, Mamy tu pułkownika, który twierdzi, że najprościej byłoby likwidować kolejne transporty ślepych, Martwi czy żywi, to nie ma znaczenia, Ale żywy ślepiec to nie to samo co martwy ślepiec, Owszem, ale za to wszyscy martwi są ślepi, Dobrze, czyli będzie dwustu ludzi, Tak, Co z kierowcami autokarów, Ich też zamknijcie. Tego samego dnia po południu Ministerstwo Obrony Narodowej ponownie skontaktowało się z Ministerstwem Zdrowia, Panie ministrze, mam wiadomość, ten pułkownik, o którym mówiłem, właśnie oślepł, Ciekawe, czy zmienił zdanie, Owszem, strzelił sobie w łeb, Szlachetna postawa, Wojsko zawsze służy przykładem, panie ministrze.

Brama została otwarta na oścież. Nawykły do porządku sierżant próbował ustawić ludzi w pięciu szeregach, ale ślepcy nie potrafili się policzyć, raz było ich za dużo, raz za mało. W końcu, przepychając się wszyscy naraz, ruszyli do wejścia, jak to cywile, bez składu i ładu, nawet nie pamiętali, by przodem puścić kobiety i dzieci, co czynią rozbitkowie. Należy dodać, że nie wszystkie strzały oddano w powietrze. Jeden z kierowców nie chciał dołączyć do ślepców, twierdził, że wszystko widzi, toteż wkrótce, zaledwie po trzech sekundach, posłużył jako przykład do słów ministra zdrowia, gdyż jako martwy był ślepy. Sierżant wydał znane nam już polecenie, Idźcie przed siebie, dojdziecie do schodów, uwaga, jest sześć stopni, wchodźcie powoli, lepiej nie myśleć, co się stanie, jeśli któryś się potknie. Nie wspomniał o linie, gdyż wiedział, że wówczas wchodziliby do wieczora. Uwaga, uwaga, odezwał się znów sierżant, tym razem spokojnym tonem, gdyż wszyscy znajdowali się już na terenie szpitala, Trzy sale są po prawej stronie i trzy po lewej, w każdej znajduje się czterdzieści łóżek, rodziny powinny trzymać się razem, nie gubić się, policzyć wszystkich przed wejściem, poproście ludzi, którzy tam już mieszkają, żeby wam pomogli, wszystko będzie dobrze, uspokójcie się, bez paniki, żywność dostarczymy później.

Ludzie tłoczyli się przy wejściu, lecz mimo równie smutnych okoliczności nie przypominali idących na rzeź łeb w łeb owiec, które tłoczą się i dyszą, ocierając się o siebie jak przez całe swe bezmyślne życie. Tu każdy reagował inaczej, jedni płakali, inni krzyczeli ze strachu lub wściekłości, jeszcze inni przeklinali, jakiś człowiek zaczął straszliwie wygrażać nie wiadomo komu, Jeśli was kiedyś dopadnę, chodziło mu zapewne o żołnierzy, wydrapię wam oczy. Pierwsi ślepcy dobrnęli do schodów i zatrzymali się na chwilę, by dokładnie wyczuć wysokość i szerokość stopnia. Jednak fala napierających ludzi zwaliła ich z nóg. Na szczęście skończyło się na kilku siniakach. Uwaga sierżanta okazała się zbawienna. Część chorych znajdowała się już w głównym holu, lecz trudno było dwustu osobom naraz odszukać salę i łóżko tak sprawnie, jak to było w przypadku pierwszych internowanych. Dla ślepych, bezradnych ludzi, którzy nagle znaleźli się w starym, niefunkcjonalnym budynku, prosta informacja spełniającego swą powinność sierżanta, że są trzy sale w prawym i trzy sale w lewym skrzydle, okazała się bezużyteczna. Drzwi były wąskie jak otwór butelki, korytarze wiły się szalonym labiryntem, jakby dostosowując do stanu umysłu poprzednich lokatorów. Nie wiadomo, gdzie się zaczynały, gdzie kończyły, dlaczego biegły tak a nie inaczej. Pierwsza grupa nowych ślepców instynktownie podzieliła się na dwa rzędy i sunęła wzdłuż przeciwległych ścian, szukając drzwi do sal. Był to bez wątpienia najlepszy sposób, by się nie zgubić, pod warunkiem że na drodze nie stoją jakieś meble. Należało tylko mieć nadzieję, że prędzej czy później, dzięki cierpliwości i staraniom, nowi mieszkańcy szpitala znajdą wreszcie swoje miejsce. Mogło to jednak nastąpić pod warunkiem, że rozwiąże się konflikt powstały między czołem kolumny a zarażonymi internowanymi, którzy uważali, że mają prawo wymagać, by przestrzegano ustalonego przez Ministerstwo Zdrowia regulaminu, który gwarantował widzącym oddzielne skrzydło w szpitalu. Mimo że prędzej czy później wszyscy tracili wzrok, to zgodnie z logiką nie można było uznać za ślepych tych, którzy jeszcze widzieli. Czuli się tak jak człowiek, który siedzi sobie spokojnie w domu, przekonany, że mimo niepokojących przykładów z życia jemu nic nie grozi, i nagle, jak w najgorszym śnie, dostrzega bandę łobuzów forsującą drzwi jego mieszkania. Najpierw zarażeni myśleli, że to kolejny, liczniejszy transport zarażonych, ale widok idących po omacku ludzi szybko wyprowadził ich z błędu. Nie macie prawa tu wchodzić, to nasze skrzydło, musicie iść w drugą stronę, zaczęli krzyczeć dwaj zarażeni broniący wejścia do swojego skrzydła, ślepcy idący na czele chcieli zawrócić i poszukać innej sali, lecz napierająca fala napływających wciąż ludzi wpychała ich do środka. Zarażeni internowani próbowali rękami i nogami zablokować drzwi, podczas gdy z drugiej strony popychani i miażdżeni ślepcy starali się złamać ich opór. Hol nie był w stanie pomieścić dwustu osób, toteż tłum próbował wydostać się przez szerokie drzwi do ogrodu. Wkrótce jednak nie dało się ruszyć ani w przód, ani w tył, jakby ktoś wybudował niewidzialny mur. Ludzie w samym środku tłumu, ściskani i tratowani, próbowali się bronić wszelkimi sposobami, byle tylko nie dać się udusić. Rozdawali kuksańce na prawo i lewo, z całych sił rozpychali się łokciami. Zewsząd rozlegały się krzyki, płacz ślepych dzieci, ślepe kobiety mdlały, a czekający na dworze ludzie próbowali wepchnąć się do środka ponaglani krzykiem żołnierzy nierozumiejących, co się dzieje, dlaczego ci idioci ciągle stoją przed budynkiem. Wkrótce nastąpiła straszliwa chwila, gdy ludzie próbujący uciec przed tratującym ich tłumem wybiegli na zewnątrz. Zaskoczeni żołnierze, ujrzawszy wypadających na podwórze ślepców, którzy już dawno powinni byli wejść, pomyśleli o najgorszym, że chorzy chcą wrócić do bramy, a wiadomo, że groziło to kolejną rzezią. Na szczęście sierżant po raz kolejny stanął na wysokości zadania i aby uciszyć tłum, wystrzelił w powietrze, po czym krzyknął przez megafon, Spokój, wycofać się na schody, nie pchać się, nie przepychać, pomóżcie słabszym. Było to jednak niemożliwe, gdyż w tym czasie w środku trwała walka na śmierć i życie, ale po chwili w holu zrobiło się luźniej, gdyż większość ludzi weszła wreszcie do prawego skrzydła. Tam czekali na nich ślepcy, którzy nie musieli już obawiać się choroby i chętnie zaprowadzili ich do trzeciej, wolnej sali. Resztę ulokowano na wolnych łóżkach w drugiej sali. Tymczasem w głównym holu nadal toczyła się walka. Początkowo wydawało się, że zarażeni zdobywają przewagę, nie dlatego że byli silniejsi i widzieli, ale ponieważ część ślepców zorientowała się, iż w prawym skrzydle nikt nie zagradza im drzwi, i ruszyła w tamtą stronę. Jak by powiedział sierżant wykładający podstawy strategii i taktyki, nastąpiło zerwanie bezpośredniego kontaktu z nieprzyjacielem. Jednak radość obrońców nie trwała długo. Z głębi korytarza ktoś krzyknął, że po drugiej stronie nie ma już miejsc. Znów pojawił się tłum ślepców, i to akurat w chwili, gdy po przejściu pierwszej nawałnicy wypchnięci na zewnątrz ludzie zaczęli ponownie wchodzić do środka. Wielu ślepców, którzy nie znaleźli dla siebie schronienia w budynku, a nie mieli siły walczyć, postanowiło zostać na podwórzu, nie zwracając uwagi na wrzaski żołnierzy. W wyniku tych dwóch równoczesnych migracji przed wejściem do lewego skrzydła ponownie doszło do przepychanek, wrzasków, a co gorsza, grupka ślepców, która w panice wyważyła drzwi do ogrodu i wybiegła w popłochu, natknęła się na stos martwych ciał. Łatwo sobie wyobrazić, jaki strach padł na nowo przybyłych. Tu są zabici, tu są zabici, krzyczeli przerażeni, jakby za chwilę sami mieli zginąć od niewidzialnej kuli. Hol po raz kolejny zapełnił się tłumem rozhisteryzowanych ludzi, po czym nagle bezwolna ciżba przesunęła się w stronę lewego skrzydła, unosząc ze sobą wszystko, co napotkała po drodze, i łamiąc opór zarażonych internowanych, z których część natychmiast oślepła. Reszta uciekała w popłochu przed białą zarazą, lecz na próżno, tracili wzrok jeden po drugim, jakby ich oczy zalała niespodziewana, wielka fala białego przypływu, zagarniając korytarze, sale, wszystko, co napotykała na swej drodze. Przy głównym wejściu i w ogrodzie zgromadziły się grupki rannych i pobitych ślepców. Byli to głównie ludzie starzy, kobiety, dzieci, słowem ci, którzy nie potrafili się bronić. Aż dziw, że nie dołączyli do swych martwych poprzedników. Na ziemi leżały zgubione w tłoku buty, torby, walizki, kosze, zapakowane naprędce i na zawsze utracone bogactwa. Na pewno zaraz znajdzie się paru chętnych, którzy z ochotą zaopiekują się zgubą.

Z ogrodu do budynku wszedł stary człowiek z czarną opaską na oku. Nie miał bagażu, może go stracił, a może po prostu nie wziął. On pierwszy natknął się na martwe ciała, ale nie krzyknął. Usiadł obok nich, czekając, aż wszystko ucichnie. Czekał godzinę, po czym uznał, że najwyższy czas poszukać schronienia. Powoli, z wyciągniętymi rękami wstał i zaczął szukać drogi. Kiedy dotarł do pierwszych drzwi w prawym skrzydle, usłyszał czyjeś głosy, więc zapytał, Czy znajdzie się dla mnie wolne łóżko.

którzy nie znaleźli wolnych łóżek i musieli spać na ziemi. Trudno więc porównać sytuację, kiedy trzeba było wykarmić trzydzieści osób, z obecną, kiedy należy wyżywić prawie dziesięć razy więcej, mając, co gorsza, do dyspozycji dwieście czterdzieści porcji na dwustu sześćdziesięciu ludzi. Choć różnica wydawać by się mogła niewielka, problem ten boleśnie zaciążył na świadomości władz. Nie bez podstaw obawiano się, że brak żywności wywoła kolejne bunty. Wpłynęło to na zmianę taktyki władz. Zaczęto dostarczać żywność na czas i uzupełniono dostawy o brakujące porcje. Oczywiście po ze wszech miar godnej potępienia akcji, której byliśmy świadkami, trudno było uniknąć drobnych konfliktów wybuchających w trakcie rozmieszczania w budynku tylu nowo przybyłych ślepców. Wystarczy wspomnieć o nieszczęsnych internowanych z lewego skrzydła, z których większość już oślepła, o rozdzielonych małżonkach, zagubionych dzieciach, o cierpieniach stratowanych i zmiażdżonych, często wielokrotnie zranionych ślepców, o ludziach bezskutecznie poszukujących swych porzuconych dóbr. Trzeba mieć serca z kamienia, by pozostać nieczułym na ten ogrom ludzkiego nieszczęścia i udawać, że nic się nie stało. Dlatego trudno się dziwić, że z ulgą i radością przyjęto komunikat o dostawie żywności. Choć przeniesienie wszystkich paczek i rozdzielenie porcji między wygłodniałych ludzi, bez odpowiedniej organizacji i władzy zwierzchniej mogącej narzucić dyscyplinę, mogło się stać zarzewiem kolejnego konfliktu, trzeba przyznać, że wśród internowanych zapanowała przyjazna atmosfera. Niebawem w całym szpitalu rozlegało się mlaskanie i przeżuwanie dwustu sześćdziesięciu osób. Nikt się jeszcze nie zastanawiał, kto to wszystko posprząta, choć z głośników po raz kolejny nadano komunikat o zasadach wzorowego współżycia, których należy przestrzegać w imię ogólnego dobra. Niebawem miało się okazać, w jakim stopniu owe przestrogi wpłynęły na postawę nowo przybyłych. Mieszkańcy drugiej sali zdecydowali się wreszcie pochować swych zabitych i uwolnić wszystkich od fetoru rozkładających się zwłok. Łatwiej przyzwyczaić się do najgorszego smrodu żywych niż umarłych.

W pierwszej sali panował wzorowy porządek. Być może dlatego, że przebywający w niej ślepcy zdążyli już przyzwyczaić się do ślepoty, w kwadrans po posiłku na podłodze nie było ani jednego papierka, brudnego talerza, pustej butelki, wszystko zostało uprzątnięte, mniejsze opakowania włożono do większych, brudniejsze do mniej zabrudzonych, zgodnie ze zracjonalizowanymi zasadami higieny, których podstawą była możliwie jak największa efektywność w zbieraniu resztek przy jak najmniejszym nakładzie sił. Z pewnością postawa ta nie zrodziła się z potrzeby chwili ani z improwizacji. W opisywanym przypadku był to wynik działalności pedagogicznej ślepej kobiety z głębi sali, żony okulisty, która nieustannie powtarzała, Skoro nie możemy żyć jak ludzie, postarajmy się przynajmniej nie żyć jak zwierzęta, a powtarzała to tyle razy, że reszta mieszkańców pierwszej sali w końcu uznała tę wypowiedź za hasło, przysłowie, niemal doktrynę, elementarną zasadę życiową, choć przecież słowa te brzmiały prosto, wręcz banalnie. Być może ów stan ducha pogodzonego z okolicznościami i płynącymi z nich ograniczeniami przyczynił się do życzliwego przyjęcia starego człowieka z czarną opaską na oku, który stanął w drzwiach i zapytał, Czy znajdzie się dla mnie jakieś wolne łóżko. Szczęśliwym zbiegiem okoliczności zapowiadającym równie pomyślny rozwój wydarzeń, znalazło się miejsce, jedyne wolne łóżko, które cudem ocalało po, użyjmy tego określenia, prawdziwej inwazji ślepców. To na tym łóżku złodziej samochodów cierpiał niewysłowione męki i fatalna aura, która doń przylgnęła, odstraszała ludzi. Takie są koleje rzeczy, niezbadane ścieżki losu, o czym mogliśmy się przekonać już niejednokrotnie. Wystarczy zauważyć, że w jednej sali zebrali się wszyscy pacjenci z gabinetu okulistycznego, gdzie pojawiła się pierwsza ofiara epidemii, w którą nikt nie wierzył. Żona lekarza, jak zwykle cicho i dyskretnie, szepnęła mężowi do ucha, To chyba twój pacjent, łysiejący stary człowiek z czarną opaską na oku, pamiętam, że mi o nim wspominałeś, Które oko ma zasłonięte, Lewe, Zgadza się, to on. Lekarz wstał, wyszedł na środek sali i głośno powiedział, Chciałbym dotknąć osoby, która przed chwilą weszła do naszej sali, proszę iść w moją stronę, ja wyjdę naprzeciwko. Wpadli na siebie w połowie drogi, jak dwie mrówki rozpoznające się po ruchomych czułkach. Lekarz przeprosił starego człowieka i dotknął jego twarzy, natychmiast natknął się na opaskę. To niesamowite, wykrzyknął, to mój ostatni pacjent, którego brakowało nam do kompletu, człowiek z czarną opaską, Co to wszystko znaczy, o co panu chodzi, spytał stary człowiek, To ja, okulista, pamięta pan, ustalaliśmy datę usunięcia zaćmy, Jak mnie pan poznał, Głos pański wydał mi się znajomy, a głos dla ślepca jest tym, czym wzrok dla widzącego, Rzeczywiście, ja też teraz pana poznaję, kto by przypuszczał, panie doktorze, że nie będzie musiał mnie pan operować, Cóż, jeśli istnieje jakieś lekarstwo na tę chorobę, to teraz obaj go potrzebujemy, Pamiętam, jak mi pan doktor powiedział, że po operacji świat wyda mi się całkiem inny, jak widać, miał pan rację, Kiedy pan oślepł, Wczoraj wieczorem, I od razu tu pana przywieziono, Tak, w mieście wybuchła panika, niedługo zaczną zabijać każdego, kto oślepnie, U nas zastrzelono już dziesięciu ludzi, odezwał się męski głos, Wiem, natknąłem się na ich zwłoki, powiedział niemal obojętnie stary człowiek, To mieszkańcy z drugiej sali, myśmy od razu pogrzebali swoich, wyjaśnił inny głos, jakby kończąc sprawozdanie. Dziewczyna w ciemnych okularach podeszła do starego człowieka i spytała, Czy pan mnie sobie przypomina, nosiłam okulary przeciwsłoneczne, A tak, pamiętam, mimo zaćmy zauważyłem, że jest pani bardzo piękna. Dziewczyna uśmiechnęła się, Dziękuję, powiedziała, po czym wróciła na swoje miejsce i dodała, Jest też z nami chłopiec z poczekalni, Chcę do mamusi, odezwał się znużony, cichy głos dziecka, które nie miało już siły płakać, A ja jestem tym pierwszym, który oślepł, powiedział pierwszy ślepiec, Ja zaś pielęgniarką z gabinetu doktora, odezwała się pielęgniarka, Brakuje tylko mnie do kompletu, jestem żoną okulisty, przedstawiła się żona lekarza. Stary człowiek z opaską na oku, chcąc wykorzystać dobry nastrój, oznajmił, Mam radio, Radio, wykrzyknęła dziewczyna w ciemnych okularach, klaszcząc w ręce, Muzyka, jak to cudownie, Tak, ale proszę pamiętać, że to małe przenośne radio na baterie, a te nie są wieczne, ostrzegł właściciel, Nie sądzi pan chyba, że zostaniemy tu na zawsze, żachnął się pierwszy ślepiec, Na zawsze nie, na zawsze to zawsze zbyt długo, Będziemy mogli słuchać wiadomości, zauważył lekarz, I muzyki, dodała z nadzieją w głosie dziewczyna w ciemnych okularach, Każdy lubi inny rodzaj muzyki, więc lepiej posłuchać wiadomości, trzeba oszczędzać baterie, Zgadza się, powiedział stary człowiek z czarną opaską na oku. Wyjął z kieszeni marynarki radyjko i włączył je. Zaczął szukać stacji, lecz jego drżąca dłoń wciąż nie mogła natrafić na odpowiednią częstotliwość fali. Najpierw dały się słyszeć tylko trzaski, szum, fragmenty muzyki i słów, wreszcie staremu człowiekowi udało się ustawić stację i z głośnika popłynęła muzyka. Proszę to zostawić, błagała dziewczyna w ciemnych okularach, a jej słowa brzmiały dźwięcznie i wyraźnie. To nie są wiadomości, powiedziała żona lekarza, a po chwili, jakby wpadła na jakiś pomysł, dodała, Która godzina, ale od razu zrozumiała, że to absurdalne pytanie. Z małego pudełka znów zaczęły wydobywać się niewyraźne dźwięki i po chwili usłyszeli melodię oraz banalne słowa jakiejś piosenki. Ślepcy powoli zbliżyli się do radia, tym razem nie potrącając się i nie poszturchując. Nagle się zatrzymali, jakby poczuli czyjąś obecność, jakby coś stanęło im na drodze, słuchali z szeroko otwartymi oczami, zwróceni twarzami w stronę, skąd dobiegała muzyka. Niektórzy zaczęli płakać, tak jak płaczą ślepi, łzy płynęły z nieruchomych oczu jak z czystego źródła. Piosenka skończyła się, zabrzmiał głos spikera, Uwaga, trzeci sygnał oznacza godzinę czwartą. Jedna z kobiet zaczęła się śmiać przez łzy, Rano czy po południu. Żona lekarza ostrożnie nastawiła zegarek, była czwarta po południu. Zdała sobie sprawę, że właściwie nie potrzebuje już zegarka, ważne, by wiedzieć, która to połowa dnia, a reszta to już przyzwyczajenie, Co to za dziwny szmer, spytała dziewczyna w ciemnych okularach, To ja, usłyszałam, że podają godzinę, i machinalnie nakręciłam zegarek, wyjaśniła pospiesznie żona lekarza. Potem pomyślała, że niepotrzebnie ryzykowała, wystarczyło spojrzeć na zegarek któregoś z nowo przybyłych ślepców, jakiś na pewno wskazywał dokładną godzinę. W tej samej chwili zauważyła, że nawet stary człowiek z czarną opaską na oku ma zegarek, Proszę nam opowiedzieć, jak wygląda sytuacja w mieście, zwrócił się do nowo przybyłego lekarz. Stary człowiek z czarną opaską na oku odparł, Zgoda, ale najpierw muszę gdzieś usiąść, nie mam już siły stać. Wszyscy usadowili się wygodnie wokół niego, po trzy, cztery osoby na łóżku. Zapadła cisza i stary człowiek zaczął opowiadać o tym, co widział na własne oczy, kiedy mu jeszcze służyły, i czego dowiedział się przez tych kilka dni od wybuchu epidemii do chwili, gdy sam stracił wzrok.

Stary człowiek rozpoczął swoją relację. Jeśli wierzyć doniesieniom, w ciągu pierwszych dwudziestu czterech godzin zanotowano setki podobnych przypadków; taki sam sposób nagłego oślepnięcia bez widocznej przyczyny, nagła, olśniewająca biel, żadnego bólu ani przedtem, ani potem. Podobno drugiego dnia spadła liczba zachorowań, zamiast kilkuset oślepło zaledwie kilkadziesiąt osób, co skłoniło rząd do pospiesznego ogłoszenia komunikatu stwierdzającego, że sytuacja jest nadal pod kontrolą. Stary człowiek ciągnął swoją opowieść, lecz słuchacze przestali pilnie śledzić jego relację, tylko od czasu do czasu wtrącali jakąś uwagę. Jest bowiem rzeczą naturalną, że umysł ludzki z łatwością odsiewa rzeczy istotne od nieważnych, przetwarzając za pomocą najprostszych słów setki informacji w użyteczny zapis. Dlatego gdy narrator użył słów „pod kontrolą", zabrzmiały one jak zgrzyt i wzbudziły wątpliwości wśród zebranych ślepców. Czy można w pełni ufać relacji starego człowieka, skądinąd bardzo istotnej, gdyż zawierała informacje o wydarzeniach w mieście, ale przecież subiektywnej, czy jego opowieść mogła stanowić rzetelne dopełnienie niesamowitej historii, której byli świadkami, wiadomo przecież, że podstawowym warunkiem wiernego opisu wydarzeń jest trafne i precyzyjne użycie słów, a określenie „pod kontrolą" zabrzmiało dziwnie fałszywie. Wracając do tematu, rząd porzucił wcześniejszą interpretację wydarzeń, zgodnie z którą kraj po raz pierwszy znalazł się w obliczu tak groźnej epidemii spowodowanej przez nieznany, działający natychmiast i niedający wcześniejszych objawów wirus. Zgodnie z najnowszą teorią naukowców oraz aktualnymi danymi, jakimi dysponowały władze, chodziło o niespotykany, tragiczny w skutkach splot wypadków, którego nie zdołano jeszcze wyjaśnić. Rząd z całą mocą podkreślał, że co prawda zanotowane przypadki wskazywały na podłoże epidemiologiczne, jednak liczba zachorowań zaczęła spadać, co uznano za niezbity dowód, iż nastąpił początek schyłkowego etapu zarazy. Przytaczając oświadczenie władz, spiker telewizyjny niespodziewanie ujawnił talent oratorski, gdyż porównał epidemię, chorobę, zarazę, cokolwiek to było, do strzały, która szybując wysoko, zawisa na ułamek sekundy w powietrzu, po czym z impetem, nieuchronnie spada na ziemię. Miejmy nadzieję, ciągnął komentator, wróciwszy do ziemskich spraw i szalejącej epidemii, że choroba szybko wygaśnie i wreszcie uwolnimy się od koszmaru, jaki przeżywamy. Dodał parę powtarzanych w kółko frazesów, obiecując nieszczęsnym ślepcom, że wkrótce odzyskają wzrok, przypominając, że solidaryzuje się z nimi całe społeczeństwo, zarówno instytucje, jak i zwykli obywatele. W dawnych czasach podobne metafory i określenia zastępowało tchnące optymizmem ludowe porzekadło, powtarzane przez ludzi dotkniętych wielkim nieszczęściem, Na każdą chorobę znajdzie się lekarstwo, co w wersji literackiej brzmi, Nic nie trwa wiecznie, zarówno dobre, jak i złe rzeczy mają swój kres. Obie wersje tej życiowej prawdy nieobce są tym, którzy zdążyli doświadczyć zmienności losu, lecz w świecie ślepców maksymę ową należy przetłumaczyć w następujący sposób, Wczoraj widzieliśmy, dziś nie widzimy, jutro widzieć będziemy, ze znakiem zapytania w ostatniej części zdania, jakby rozsądek rozdarty między tak i nie dla przyzwoitości dodał szczyptę niepewności tym nazbyt optymistycznym życzeniom.

Niestety wkrótce przekonano się, jak płonne były to nadzieje. Zarówno deklaracje rządu, jak i prognozy środowisk naukowych okazały się bezpodstawne. Co prawda epidemia nie rozprzestrzeniała się jak niszczycielska fala, która zalewa wszystko, co napotka na swej drodze, lecz wnikała w ląd tysiącem wijących się strużek wody, które najpierw zraszają ziemię, by później w mgnieniu oka ją zatopić. W obliczu groźby paniki rząd zainicjował serię sympozjów lekarskich, przede wszystkim dla okulistów i neurologów. Niestety z braku czasu nie udało się zorganizować kongresu, po którym wiele sobie obiecywano, na szczęście jednak odbyło się wiele konferencji, seminariów, spotkań przy okrągłym stole, niektóre otwarte dla publiczności, inne przy drzwiach zamkniętych. Wkrótce jednak wyszła na jaw bezużyteczność owych zgromadzeń. Kilka razy zdarzyło się, że w trakcie omawiania wybranych przypadków oślepnięcia prelegent zaczynał nagle krzyczeć, Jestem ślepy, jestem ślepy. Gazety, radio i telewizja wkrótce przestały zajmować się tymi smutnymi przypadkami, z wyjątkiem paru stacji, które w dyskretny i nader profesjonalny sposób wykorzystywały wszelkie sensacje, śmieszne i tragiczne anegdoty, nie mogąc oprzeć się pokusie, by od czasu do czasu zdać relację na żywo i udramatyzować akcję dla dobra sprawy, z tego przecież żyły. Jedną z takich sensacji było oślepnięcie profesora okulistyki.

Dowodem upadku moralnego i utraty ducha walki w społeczeństwie była postawa samego rządu, który w ciągu kilku dni dwukrotnie zmieniał taktykę działania.

Najpierw uznano, że jedynym sposobem zażegnania tragedii jest zamknięcie wszystkich ślepców i podejrzanych o zarażenie chorobą w kilku wybranych obiektach, na przykład w szpitalu dla umysłowo chorych, w którym się znajdujemy. Wkrótce jednak nagły wzrost zachorowań sprawił, że kilku wpływowych członków rządu w obawie, że deklaracje władz zostaną zbyt szybko zrealizowane i pociągną za sobą poważne konsekwencje polityczne, uznało, że rodziny chorych same powinny zatroszczyć się o odizolowanie ślepców, nie wypuszczać ich na ulicę, by nie paraliżowali i tak chaotycznego ruchu ulicznego oraz nie narażali na szkody moralne wrażliwych i jeszcze widzących obywateli, którzy mimo ciągłych zapewnień, iż tak nie jest, wciąż uważali, że biała choroba przekazywana jest drogą kontaktu wzrokowego, jakby chodziło o piorunujące spojrzenie sił nieczystych. Nic dziwnego, nagminne były wypadki, gdy zwykły człowiek idący ulicą, zatopiony w swoich myślach, smutnych, obojętnych lub radosnych, jeśli takowe jeszcze mogły zrodzić się w jego głowie, stawał nagle ze stężałą twarzą i patrząc niewidzącymi oczami na zbliżającego się przechodnia, wydawał znajomy okrzyk, Jestem ślepy, nic nie widzę. Trudno w takich okolicznościach zachować spokój. Najgorsze było jednak to, że rodziny, szczególnie te mniej liczne, z dnia na dzień zmieniały się w grupki bezradnych ślepców, pozbawionych przewodników i obrońców, a co gorsza nie można ich było w porę odizolować od otoczenia, od sąsiadów, którzy jeszcze widzieli. Żaden dotknięty chorobą człowiek, czy to ojciec, matka czy dziecko, nie był w stanie zadbać o siebie i bliskich, gdyż jak ślepcy ze słynnego obrazu, razem szli, razem padali i razem umierali.

Rząd musiał więc dostosować się do nowej sytuacji i został zmuszony do przejęcia w trybie natychmiastowym kolejnych obiektów, nie przestrzegając ustalonych wcześniej ostrych kryteriów użyteczności. Rekwirowano na potrzeby kwarantanny opuszczone fabryki, zapomniane świątynie, hale sportowe, puste magazyny. Od dwóch dni mówi się nawet o konieczności zorganizowania obozu wojskowego, ciągnął smutną opowieść stary człowiek z czarną opaską, Na początku epidemii kilka organizacji charytatywnych wysyłało do pomocy wolontariuszy, którzy zajmowali się ślepcami, słali im łóżka, czyścili ubikacje, prali, gotowali, słowem, wykonywali niezbędne czynności, bez których życie szybko stałoby się koszmarem nawet dla widzących. Niestety, biedacy oślepli niemal od razu, ale przynajmniej mogli poszczycić się szlachetnym gestem, A może i wśród nas jest jakiś wolontariusz, zapytał stary człowiek z czarną opaską. Nie, odparła żona lekarza, nie było nikogo takiego, Może to były tylko plotki, A jak wygląda miasto, komunikacja, spytał pierwszy ślepiec, przypomniawszy sobie skradziony samochód oraz taksówkarza, który odwiózł go do okulisty, a którego niedawno pochował, Chaos, wielki chaos, odparł stary człowiek z czarną opaską i opowiedział o kilku najbardziej spektakularnych wypadkach. Któregoś dnia w centrum miasta oślepł kierowca autobusu, powodując wypadek, lecz choć było wielu zabitych i rannych, nikt się tym specjalnie nie przejął. Być może ta obojętność wynikała z oswojenia się z sytuacją, czego najlepszym przykładem była postawa dyrektora pewnego przedsiębiorstwa transportowego odpowiadającego za kontakty z mediami. Bez wahania obwieścił, że wypadek nastąpił na skutek nieprawidłowej jazdy kierowcy, że co prawda było to wydarzenie tragiczne, lecz nie do przewidzenia, tak jak nie do przewidzenia jest atak serca u osoby, która przedtem nigdy nie miała z sercem kłopotów. Nasi pracownicy, powiedział dyrektor, podobnie jak nasze autobusy, są poddawani szczegółowym i rygorystycznym badaniom okresowym, co w sposób oczywisty i niebudzący wątpliwości potwierdza znikomy w skali ogólnej odsetek wypadków spowodowanych przez kierowców naszej firmy. Przedsiębiorstwo gęsto tłumaczyło się na łamach prasy, ale ludzie mieli inne sprawy na głowie, niż zajmowanie się jakimś wypadkiem autobusowym, w końcu to samo mogło się zdarzyć, gdyby komuś zepsuł się hamulec. Traf chciał, że dwa dni później to właśnie hamulce stały się przyczyną kolejnego wypadku, ale tak już bywa, że prędzej czy później prawda zawsze wyjdzie na wierzch, i tym razem nikt już nie miał wątpliwości, że kierowca oślepł. Na nic się zdały publiczne oświadczenia, wkrótce ludzie przestali korzystać z autobusów, twierdząc, że wolą stracić wzrok, niż umrzeć przez kogoś, kto go stracił wcześniej. Niebawem, z tej samej przyczyny, wydarzył się trzeci wypadek i choć w samochodzie nie było pasażerów, potwierdziło to tylko ogólne obawy i sprowokowało komentarze. Co chwila ktoś mówił, Spójrz pan na ten samochód, dobrze, że mnie tam nie było. Wypowiadający te słowa nawet nie podejrzewali, jak dramatyczna była sytuacja. Jednoczesne oślepnięcie dwóch pilotów stało się przyczyną katastrofy lotniczej. Samolot runął na ziemię i stanął w płomieniach, zginęli wszyscy pasażerowie i załoga, tym razem wszyscy wiedzieli, że nie było żadnej usterki technicznej. Przypuszczenia potwierdziło nagranie znalezione w czarnej skrzynce, jedynej rzeczy, która ocalała z katastrofy. Tego wydarzenia nie można już było zignorować jak wypadku autobusowego, nawet niepoprawni optymiści wkrótce stracili nadzieję. Od tej pory na ulicach nie słychać było warkotu silników, zniknęły samochody, wolne i szybkie, duże i małe. Dawniej ludzie skarżyli się na korki i nieprzejezdne ulice, piesi wpadali na zatrzymujące się nagle lub ruszające bez ostrzeżenia samochody, które przecinały im drogę, kierowcy robili sto okrążeń wokół domu, nim znaleźli miejsce do zaparkowania, a mimo to nikt nie chciał z samochodu zrezygnować. Teraz wszyscy zmotoryzowani porzucili swoje maszyny, gdyż nie mieli odwagi narażać własnego życia, dołączali do grona pieszych i narzekali na utrudnienia w komunikacji. Miasto pękało w szwach od porzuconych samochodów, ciężarówek, motocykli, a nawet z pozoru niekłopotliwych rowerów. Silne poczucie własności słabło w obliczu zwykłego strachu. Symbolicznym przykładem tej groteskowej sytuacji był unieruchomiony dźwig z samochodem wiszącym na haku. Prawdopodobnie oślepł operator maszyny. Życie stało się piekłem nie tylko dla widzących, ale i dla ślepych, którzy, używając potocznego zwrotu, szli, gdzie ich oczy poniosły. Litość brała, gdy widziało się, jak jeden za drugim wpadają na porzucone samochody, rozbijają sobie kolana, przewracają się, płaczą, błagają, Niech mi ktoś pomoże. Niestety wśród ślepców znajdowali się często ludzie źli z natury lub z nadmiaru nieszczęścia, którzy plując i złorzecząc, odrzucali pomocną dłoń. Żebyś zdechł, na ciebie też przyjdzie kolej, krzyczeli, a niefortunny samarytanin uciekał, gubiąc się w gęstej mgle i żałując swego litościwego gestu, który być może za chwilę okaże się dla niego fatalny w skutkach.

Tak wygląda życie w mieście, zakończył swą opowieść stary człowiek z czarną opaską na oku, Ale to nie wszystko, opowiedziałem jedynie o tym, co widziałem na własne oczy, zawahał się i poprawił, To znaczy, co widziałem swoim jednym, chorym okiem, choć teraz i z niego nie mam pożytku, Zawsze chciałem pana zapytać, dlaczego nie używa pan szklanego oka, tylko opaski, wtrącił lekarz, A po co, może mi pan wyjaśnić, odparł stary człowiek, Tak robią wszyscy, lepiej wygląda, a poza tym to bardziej higieniczne, szklane oko można wyjąć, umyć i włożyć z powrotem, tak jak sztuczne zęby, No to niech mi pan powie, co by się stało, gdyby ślepcy, którzy kiedyś stracili oczy, chodzili teraz ze szklanymi protezami, do czego by im służyły, Do niczego, Jeśli wszyscy oślepniemy, a jest to wielce prawdopodobne, nie musimy przejmować się względami estetycznymi, co zaś się tyczy higieny, proszę mi powiedzieć, panie doktorze, czy ktoś tu przestrzega higieny, Być może w świecie ślepców wszystko będzie wreszcie prawdziwe, odparł lekarz, A ludzie, spytała dziewczyna w ciemnych okularach, Ludzie zaczną wreszcie być sobą, ponieważ nikt nie będzie się im przyglądał, Mam pomysł, przerwał im stary człowiek z czarną opaską na oku, zagrajmy w coś, wtedy szybciej minie nam czas, Jak można grać, nie widząc, spytała żona pierwszego ślepca, Właściwie nie jest to gra, chodzi o to, by każdy z nas dokładnie opisał to, co widział w chwili, gdy oślepł, Nie wszystko nadaje się do powtórzenia, Jeśli ktoś nie ma ochoty, nie musi grać w tę grę, najważniejsze, żeby nie zmyślać, Proszę zacząć, zaproponował lekarz, Dobrze, odparł stary człowiek z czarną opaską na oku, Oślepłem, kiedy oglądałem moje niewidzące oko, Jak to, Po prostu, poczułem nagle, że w pustym oczodole coś mnie piecze, jakby wdało się zakażenie, podszedłem do lustra, zdjąłem opaskę i oślepłem, To brzmi jak symbol, odezwał się nieznajomy głos, oko, które nie przyjmuje do wiadomości faktu, że nie istnieje, Ja, powiedział lekarz, przeglądałem książki medyczne w związku z pacjentem, który oślepł, ostatnią rzeczą, jaką widziałem, były moje ręce na książce, Ja zapamiętałam coś innego, odezwała się żona lekarza, Wnętrze karetki pogotowia, kiedy pomagałam mężowi wejść do środka, O swoim przypadku opowiadałem już panu doktorowi, powiedział pierwszy ślepiec, Zatrzymałem się na jezdni, na czerwonych światłach, ludzie przechodzili przez ulicę, wtedy właśnie oślepłem, a potem ten człowiek, który zginął, odprowadził mnie do domu, oczywiście nie widziałem już jego twarzy, Ja zapamiętałam chusteczkę do nosa, ponieważ kiedy mnie to dotknęło, siedziałam w domu i płakałam, odezwała się jego żona, Podniosłam chusteczkę do twarzy i oślepłam, A ja wsiadałam do windy, przyznała się pielęgniarka z gabinetu okulistycznego, Wyciągnęłam rękę, żeby nacisnąć guzik, i przestałam widzieć, możecie sobie państwo wyobrazić, jak się zdenerwowałam, byłam sama, zamknięta w windzie, nie wiedziałam, czy wyjść, czy wjechać na górę, nie mogłam znaleźć przycisku, którego należy użyć w razie awarii, Mój przypadek nie był taki dramatyczny, wyznał pomocnik aptekarza, Słyszałem opowieści o ludziach, którzy nagle tracą wzrok, i próbowałem wyobrazić sobie, jak to jest, gdy człowiek jest ślepy, zamknąłem oczy, a kiedy je otworzyłem, już nie widziałem, To też brzmi symbolicznie, odezwał się ponownie nieznajomy głos, wystarczy chcieć oślepnąć, a już traci się wzrok. Zaległa cisza, ludzie wrócili na swoje miejsca, co wymagało nie lada wysiłku, ponieważ znali numery swoich łóżek, ale licząc od początku albo od końca sali, czyli licząc od jednego do dwudziestu lub odwrotnie, bo tylko wtedy mieli pewność, że trafią. Przez chwilę słychać było tylko monotonne liczenie przypominające modlitwę za zmarłych, a kiedy wreszcie zapanowała cisza, dziewczyna w ciemnych okularach opowiedziała swoją historię. Byłam w pokoju hotelowym, leżał na mnie mężczyzna, nagle urwała zawstydzona, nie wiedząc, jak opisać to, co robiła, kiedy nagle zobaczyła biel, ale przyszedł jej z pomocą stary człowiek z czarną opaską na oku. Czy nagle wszystko stało się białe, zapytał, Tak, odparła, Może pani oślepła inaczej niż my, zauważył stary człowiek z czarną opaską. Brakowało jedynie opowieści pokojówki hotelowej, Słałam wtedy łóżko i usłyszałam, że ktoś oślepł, podniosłam białe prześcieradło, rozłożyłam je, podwinęłam brzegi pod materac, tak jak się to robi, a kiedy je wygładzałam, oślepłam, pamiętam, że wygładzałam je bardzo powoli, obiema rękami, bo było to prześcieradło na materacu, a nie to, które się wkłada pod koc, zaznaczyła, jakby ta informacja miała szczególne znaczenie, Czy wszyscy opowiedzieli już swoją historię, spytał stary człowiek z czarną opaską na oku, Jeśli tak, to ja chciałbym opowiedzieć, co mi się przydarzyło, odezwał się nieznajomy głos, Proszę mówić, Ostatnią rzeczą, jaką widziałem, był obraz, Obraz, powtórzył stary człowiek z czarną opaską na oku, Gdzie widział pan ten obraz, W muzeum, przedstawiał kruki w zbożu, w tle rosły cyprysy, a słońce wyglądało tak, jakby utkano je z maleńkich słońc, Wygląda na to, że był to obraz holenderskiego malarza, Chyba tak, ale był tam jeszcze pies zagrzebany w piachu, prawie niewidoczny, No to musiał być obraz Hiszpana, nikt ani przed nim, ani po nim nie odważyłby się w ten sposób namalować psa, A może był tam przejeżdżający przez rzekę wóz z sianem ciągniony przez konie, A po lewej stronie stał dom, Tak, Wobec tego musiał to być obraz Anglika, Może, ale chyba nie, ponieważ była tam jeszcze kobieta z dzieckiem na ręku, Kobiety z dziećmi na ręku to ulubiony motyw malarzy, Tak, zauważyłem, Nie rozumiem, jak to możliwe, by na jednym obrazie znalazły się dzieła tylu malarzy, Aha, byli tam jeszcze ludzie jedzący posiłek, Historia sztuki zna tyle przykładów dzieł przedstawiających uczty, wieczerze, śniadania, obiady, że ten opis nie wystarczy, by odgadnąć, kto jadł posiłek, Trzynastu mężczyzn, To proste, co dalej, Była tam jeszcze naga kobieta o długich, jasnych włosach, stojąca wewnątrz otwartej muszli unoszącej się na falach, otoczona mnóstwem kwiatów, Jasne, przecież to Włoch, Widziałem jeszcze bitwę, Tutaj mamy ten sam problem co z kobietami i dziećmi, ta informacja nie wystarczy, by wskazać autora, Byli zabici i ranni, To oczywiste, wszystkie dzieci umierają prędzej czy później, z żołnierzami jest podobnie, Pamiętam jeszcze wystraszonego konia, Z wytrzeszczonymi oczami, Mniej więcej, To typowe dla koni, jakie jeszcze obrazy znajdowały się na pańskim malowidle, Nie wiem, oślepłem w chwili, gdy przyglądałem się koniowi, Czasem strach potrafi oślepić, powiedziała dziewczyna w ciemnych okularach, To prawda, kiedy straciliśmy wzrok, od dawna byliśmy ślepi, oślepił nas strach i to strach wciąż zalewa nam oczy, Kim pan jest, spytał lekarz, Jestem ślepcem, zwykłym ślepcem, jakich tu wielu, Ciekawe, ilu oślepnięć trzeba, by zapanowała epidemia ślepoty, spytał stary człowiek z czarną opaską, ale nikt nie potrafił mu odpowiedzieć. Dziewczyna w ciemnych okularach poprosiła, żeby włączył radio, może uda im się wysłuchać wiadomości. Przed nadaniem dziennika wysłuchali muzyki. Potem pojawiło się kilku ślepych z innej sali. Szkoda, że nie mamy gitary, zauważył jeden z nich. Wkrótce rozeszła się plotka, która nikogo nie podniosła na duchu. Podobno rozpatrywano możliwość powołania frontu ocalenia narodowego.

tonęły w fekaliach, sale znajdowały się w opłakanym stanie, gdyż skazani na to piekło umęczeni ludzie zapominali o dobrych manierach, a wielu z nich nie było po prostu w stanie powstrzymać nagłej potrzeby. Początkowo przypadki załatwiania się na korytarzach zdarzały się rzadko, wkrótce jednak szpital przekształcił się w jedną wielką kloakę. Zarówno jedni, jak i drudzy myśleli, To nie ma znaczenia, i tak nikt mnie nie widzi, po czym wypróżniali się w miejscu, w którym akurat stali. Kiedy z przyczyn obiektywnych lub fizjologicznych nie można już było dotrzeć do ubikacji, zaczęto załatwiać naturalne potrzeby w ogrodzie. Wrażliwi i lepiej wychowani ludzie powstrzymywali się i cierpieli katusze aż do nadejścia nocy, czyli do czasu, gdy większość ślepców położyła się spać, i dopiero wówczas wychodzili do ogrodu, skręcając się z bólu i ściskając kolana. Brodzili w rozdeptanych i rozmazanych ekskrementach, próbując znaleźć choćby skrawek czystej ziemi. Najgorsze, że nikt nie miał pewności, czy odnajdzie drogę powrotną, gdyż jedynym punktem orientacyjnym w ogrodzie było kilka drzew, których nagie pnie zdołały się oprzeć pasji eksploratorskiej wcześniejszych lokatorów, oraz płytkie groby ledwo przykrywające ciała zabitych. Codziennie późnym popołudniem, punktualnie jak w zegarku, z głośnika płynęły czytane monotonnym głosem instrukcje i zakazy, zachęcano do regularnego stosowania środków czystości, przypominano, że w każdej sali są telefony, z których można skorzystać, w razie gdyby czegoś zabrakło. Wiadomo jednak, że jedynym skutecznym rozwiązaniem byłoby zmycie całego tego gówna silnym strumieniem wody z ogromnego gumowego węża lub sprowadzenie brygady hydraulików, którzy naprawiliby spłuczki. Przede wszystkim brakowało wody, wody i jeszcze raz wody, by spłukać do ścieków wszystko, co powinno się tam znaleźć. Po takich porządkach należałoby po prostu rozdać ludziom oczy, które wskazywałyby drogę, no i głos, którym mówiliby, Tędy, proszę. Jeśli nie pomożemy tym ślepcom, wkrótce zamienią się w zwierzęta, gorzej, w ślepe zwierzęta, przerwał ciszę nocną czyjś głos. Nie był to jednak głos nieznajomego, który opowiadał o malarstwie i obrazach z całego świata. To żona lekarza wypowiedziała te słowa. Leżała obok męża z głową ukrytą pod kołdrą. Dłużej tego nie wytrzymam, szeptała, Trzeba z tym wreszcie skończyć, nie mogę wciąż udawać, że jestem ślepa, Pomyśl o konsekwencjach, zrobią z ciebie niewolnicę, każą ci się obsługiwać jak służącej, zmuszą cię, byś ich karmiła, myła, budziła, kładła spać, prowadziła za rękę, będziesz musiała ich pocieszać i ocierać im łzy, a gdy zaśniesz, obudzą cię krzykiem, popędzając i obrzucając wyzwiskami, Ale ja dłużej tego nie wytrzymam, nie mogę dalej patrzeć na ten bezmiar nieszczęścia, śni mi się po nocach, Nie chcę dłużej siedzieć z założonymi rękami, I tak dużo robisz, Co ja takiego robię, głównie staram się ukryć to, że widzę, Jeśli im powiesz, znienawidzą cię, chyba nie uważasz, że ślepota uczyniła ich lepszymi, Nie, ale nie są też gorsi, Niestety, obawiam się, że nie masz racji, wystarczy popatrzeć, co się dzieje, gdy zbliża się pora rozdziału żywności, Właśnie, jako jedyna widząca osoba mogłabym się tym zajmować, robiłabym to sprawiedliwie, uczciwie, przestaliby narzekać, wreszcie skończyłyby się ciągłe awantury, które doprowadzają mnie do szału, nie zdajesz sobie sprawy, jak wygląda dwóch walczących ze sobą ślepców, Walka zawsze stanowiła rodzaj zaślepienia, To co innego, Zrobisz, jak zechcesz, ale pamiętaj, że jesteśmy tylko chorymi ludźmi, zwykłymi ślepcami, nie wypowiadamy pięknych sentencji, nie współczujemy innym, malowniczy świat poczciwych biedaków należy do przeszłości, rozpoczęło się bezlitosne i krwawe panowanie ślepców, Gdybyś widział to, co ja, marzyłbyś, żeby stracić wzrok, Wierzę, ale nie muszę marzyć, ja już go straciłem, Wybacz, kochanie, ale gdybyś wiedział, Wiem, wiem, całe życie zaglądałem ludziom w oczy, to jedyne miejsce, gdzie można jeszcze ujrzeć skrawek duszy, ale teraz, gdy te oczy nie widzą, Jutro im powiem, Może masz rację, Tak, jutro im powiem, oświadczyła z mocą i po chwili dodała, Chyba że wreszcie do was dołączę.

Tak się jednak nie stało. Kiedy jak zwykle obudziła się wcześnie rano, jej oczy widziały dobrze i wyraźnie. Wokół wszyscy jeszcze spali. Zastanawiała się, czy zbierze wszystkich i przekaże im dobrą nowinę, czy powie to kilku wybranym osobom, chyba lepiej zrobić to dyskretnie, bez patosu, rzucić mimochodem, nie rozdmuchując całej sprawy, Wyobraźcie sobie, że ja ciągle widzę, choć stykam się z wami od tak dawna, a może lepiej skłamać, że cudem odzyskałam wzrok, co być może wzbudzi w nich nadzieję. Skoro ona wyzdrowiała, to my też mamy szansę, powiedzą. Jednak równie dobrze mogą kazać jej opuścić szpital, Wynoś się, krzykną, wtedy ona odpowie, że nie może, nie zostawi męża, a poza tym wojsko nikogo nie wypuszcza, toteż muszą pogodzić się z jej obecnością. Niektórzy ślepcy zaczęli poruszać się na łóżkach. Jak każdego ranka budzące się ciała pozbywały się nagromadzonych przez noc gazów, chociaż powietrze w sali już wcześniej było ciężkie, a poziom jego nasycenia dawno został przekroczony. Z ubikacji wydobywał się nieznośny fetor, którego nagłe powiewy przyprawiały o mdłości. W pomieszczeniach unosił się smród dwustu pięćdziesięciu ściśniętych, kiszących się we własnym pocie, lepkich od brudu ciał, które nie potrafiły się umyć, które dzień w dzień oblekały się w te same, coraz brudniejsze ubrania i spały w upapranych odchodami łóżkach. Mydło, proszki, wybielacze były tu bezużyteczne, gdyż prysznice dawno już nie działały, zostały powyrywane i odłączone od instalacji, ubikacje były zapchane, a nieczystości z muszli klozetowych wylewały się na posadzkę i korytarz, wnikając w najmniejsze szczeliny. Ja chyba oszalałam, wzdrygnęła się żona lekarza, gdy uświadomiła sobie, jakim obowiązkom musiałaby sprostać. Zrobiliby ze mnie niewolnicę, nie podołałabym takiej pracy, ileż trzeba mieć siły, żeby tak myć i czyścić bez końca. Gdy nadeszła decydująca chwila, jej niezachwiana odwaga zaczęła topnieć, rozpadać się na kawałki w obliczu bezlitosnej rzeczywistości, która wlewała się nozdrzami i raniła oczy. Jestem tchórzem, szepnęła przygnębiona, wolałabym oślepnąć, przynajmniej nie porywałabym się z motyką na słońce. Trzech ślepców, wśród nich pomocnik aptekarza, wstało, by zająć strategiczne miejsce w kolejce po żywność. Jednak mimo najlepszych chęci nie mogli sprawdzić, czy podział odbywał się sprawiedliwie, czy wszyscy otrzymali swój przydział odpowiadający z grubsza liczbie osób w sali. Żal było patrzeć na bezradnych ślepców próbujących podzielić żywność. Co chwila ktoś się mylił i trzeba było zaczynać od początku. Poza tym zawsze znalazł się jakiś podejrzliwy osobnik, który domagał się, by wszyscy informowali dokładnie, ile biorą porcji, wciąż wybuchały awantury, zaczynały się przepychanki, rozdawanie kuksańców na oślep. W sali nikt już nie spał, wszyscy niecierpliwie czekali na swe głodowe racje. Z czasem wypracowano efektywny sposób podziału żywności. Kartony zanoszono na koniec sali, gdzie spali lekarz z żoną oraz dziewczyna w ciemnych okularach z małym chłopcem, który wciąż dopytywał się o matkę.

Tam ustawiała się kolejka, po dwie osoby naraz, począwszy od zajmujących łóżka przy wejściu, po prawej i po lewej stronie, aż do ostatniego numeru, wszystko odbywało się bez nerwów i kłótni. Trwało to dłużej, ale przynajmniej był spokój. Osoby mające jedzenie pod ręką brały je jako ostatnie. Wyjątek stanowił zezowaty chłopiec, który jako pierwszy otrzymywał posiłek i kończył go, zanim dziewczyna w ciemnych okularach zaczynała jeść, skutkiem czego większa część jej porcji wędrowała do brzucha dziecka. Wszyscy ślepcy siedzieli z głowami zwróconymi w stronę wejścia, nasłuchując kroków swoich wysłanników. Bezbłędnie rozpoznawali charakterystyczne szuranie i ciężkie kroki obładowanych ludzi. Jednak tym razem to, co usłyszeli, nie przypominało znajomych odgłosów, był to raczej tupot biegnących ludzi, jeśli w ogóle ślepcy mogą biegać, toteż, gdy tylko wysłannicy pojawili się w drzwiach, zaczęto wołać, Co się stało, dlaczego tak szybko wróciliście. Tymczasem trzej ślepcy równocześnie próbowali przecisnąć się przez wąskie drzwi, by jak najszybciej podzielić się wiadomościami. Nie pozwalają nam zabrać jedzenia, wyrzucił z siebie zdyszanym głosem jeden z nich, Kto, żołnierze, Nie, ślepcy, Jacy ślepcy, przecież wszyscy tu jesteśmy ślepi, Nie wiemy, przerwał mu pomocnik aptekarza, ale chyba ci, co przybyli ostatnim transportem, Czy to możliwe, że nie pozwolili wam odebrać jedzenia, spytał lekarz, Do tej pory nie było z tym kłopotów, Powiedzieli, że z tym koniec i że od dzisiaj, kto chce jeść, musi płacić, W sali podniosły się głosy oburzenia, Niemożliwe, Nie mogą zabrać nam jedzenia, Banda łobuzów, Wstyd i hańba, ślepi przeciwko ślepym, nigdy nie przypuszczałem, że dożyję takiej chwili, Poskarżymy się sierżantowi. Jeden z bardziej krewkich mieszkańców sali zaproponował, by zwartą grupą odebrać siłą to, co im się należało. To nie będzie takie proste, powiedział pomocnik aptekarza, Jest ich wielu, mam wrażenie, że są dobrze zorganizowani, a najgorsze, że mają broń, Jak to, Z całą pewnością mają kije, tak mnie któryś zdzielił w ramię, że jeszcze czuję, odezwał się drugi ślepiec, Może uda nam się rozwiązać problem polubownie, powiedział lekarz, Pójdę z wami i porozmawiam z nimi, to jakieś nieporozumienie, Zgadzam się z panem doktorem, ale wątpię, żeby chcieli z nami rozmawiać, zauważył pomocnik aptekarza, Mimo to trzeba spróbować, nie możemy siedzieć z założonymi rękami, Pójdę z tobą, odezwała się jego żona. Niewielką grupką wyszli na korytarz, brakowało jedynie ślepca, który oberwał kijem. Widocznie uznał, że spełnił swój obowiązek, i teraz z wypiekami na twarzy zdawał mieszkańcom sali szczegółową relację o bulwersującym wydarzeniu, o tym, że jedzenie, które dotąd znajdowało się w zasięgu ręki, zostało otoczone murem ludzi. Uzbrojonych w kije, podkreślał.

Szli zwartą grupą, torując sobie drogę między ślepcami, którzy wylegli na korytarz. Gdy dotarli do głównego wejścia, widząc, co się dzieje, żona lekarza zrozumiała, że łagodną perswazją nic nie wskórają, ani teraz, ani później. Pośrodku korytarza, wokół stosu kartonów z żywnością, stała grupa uzbrojonych ślepców. Trzymali w rękach kije i metalowe pręty wyrwane z łóżek, wycelowane przed siebie niczym bagnety albo lance. Wokół nich zebrał się tłum bezradnych ślepców, bezskutecznie próbujących przełamać linię obrony, znaleźć lukę, przez którą mogliby się dostać do jedzenia. Na próżno, zbierali tylko cięgi. Niektórzy pełzali na czworakach, starając się prześlizgnąć między nogami strażników, lecz i tych rozpędzono kopniakami i uderzeniami żelaznych prętów. Walili, jak to mówią, na oślep. Zewsząd dobiegały głosy oburzenia, krzyki wściekłości, Oddajcie nam jedzenie, Domagamy się chleba, Łajdaki, Jedno wielkie draństwo. Ktoś naiwny albo roztargniony zawołał, Wezwać policję. Być może był tam jakiś policjant, ślepota jak wiadomo nie ma żadnych względów dla urzędów i profesji, choć należy pamiętać, że ślepy policjant to nie to samo co zaślepiony policjant, a poza tym jedyni dwaj policjanci, którzy tu byli, zostali właśnie z wielkim trudem pochowani. Jakaś ślepa kobieta, wierząc, że dzięki interwencji wojska uda się przywrócić w tym istnym domu wariatów porządek i sprawiedliwość, wyszła na dwór i krzyknęła do żołnierzy, Pomóżcie, ci ludzie chcą nam odebrać jedzenie, ale strażnicy udawali, że nie słyszą. Mieli w pamięci jasny i niepozostawiający żadnych wątpliwości rozkaz, jaki sierżant otrzymał od kapitana podczas inspekcji, Im szybciej się sami pozabijają, tym lepiej. Kobieta krzyczała coraz głośniej, zachowując się jak jej obłąkane poprzedniczki, jakby pod ciężarem nieszczęść traciła zmysły. Po chwili jednak zrozumiała, że nie może liczyć na pomoc, szlochając wróciła do budynku, lecz straciwszy orientację, wpadła wprost na uzbrojonych ludzi. Jeden z nich uderzył ją metalowym prętem. Runęła na ziemię jak kłoda. Żona lekarza chciała podbiec i pomóc jej, ale w straszliwym zamieszaniu, jakie powstało, nie mogła zrobić nawet kroku. Zniechęceni czekaniem ślepcy zaczęli wracać do sal, wielu pomyliło drogę, wpadali jedni na drugich, przewracali się, podnosili, znów padali, niektórzy nie próbowali już wstawać, leżeli wyczerpani, powykręcani z bólu, załamani, z twarzami przywartymi do ziemi. Żona lekarza z przerażeniem zauważyła, że jeden z uzbrojonych ślepców wyciągnął z kieszeni pistolet i wycelował w powietrze. Strzelił w sufit, a z góry posypały się wielkie płaty tynku, spadając na głowy bezbronnych ludzi. Wybuchła panika, Spokój, cisza, krzyknął uzbrojony ślepiec, Jeśli ktoś odezwie się choć słowem, zabiję jak psa, żebyście potem nie żałowali. Wszyscy znieruchomieli. Powiedziałem jasno i wyraźnie, ciągnął człowiek z pistoletem, Od dziś my rozdzielamy żywność i wszyscy mają się temu podporządkować, nikt nie ma prawa wychodzić po następne dostawy, przy wejściu postawimy straże, jeśli ktokolwiek odważy się nam przeciwstawić, porachujemy się z nim, kto chce jeść, musi płacić, Płacić, czym, spytała żona lekarza, Milczeć, wrzasnął człowiek, wymachując pistoletem, Ktoś musi o to zapytać, trzeba ustalić, jak mamy postępować, skąd odbierać jedzenie, czy zgłaszać się razem, czy osobno, Patrzcie no, jaka sprytna, odezwał się jeden z uzbrojonych ludzi, Zabij ją, będzie o jedną gębę mniej do wykarmienia, Gdybym widział, już by miała kulę w brzuchu, odparł przywódca i zwrócił się do reszty, Natychmiast wracać do siebie, no, już was tu nie ma, już, kiedy wniesiemy żywność, powiemy, co macie robić dalej, Czym mamy płacić, powtórzyła pytanie żona lekarza, Ile będzie kosztować kawa z mlekiem i ciastko, Słowo daję, ta baba zaraz oberwie, odezwał się jeden z uzbrojonych ślepców, Zostaw, ja to załatwię, uciszył go przywódca i łagodniejszym tonem wyjaśnił, Każda sala wybierze dwóch przedstawicieli, którzy zbiorą od wszystkich przedmioty wartościowe, mogą to być pieniądze, biżuteria, pierścionki, kolczyki, zegarki, co tylko macie, wszystko należy przynieść do trzeciej sali w lewym skrzydle, tam będziemy czekać, radzę nie oszukiwać, wiemy, że będziecie próbowali ukryć cenne rzeczy, ale ostrzegam, że to się na nic nie zda, jeśli uznamy, że daliście za mało, nie dostaniecie swojego przydziału, a wtedy możecie sobie żreć swoją forsę i gryźć świecidełka. Jeden ze ślepców z drugiej sali w prawym skrzydle zapytał, Czy mamy przynieść wszystko od razu, czy płacimy za każdy posiłek oddzielnie, Jak widać, nie wyraziłem się jasno, powiedział człowiek z pistoletem i zaśmiał się głośno, Najpierw płacicie, potem jecie, zjecie tyle, za ile zapłacicie, będzie to wymagało skomplikowanych obliczeń, więc może rzeczywiście byłoby lepiej, gdybyście zapłacili od razu, a my damy wam tyle, na ile zasługujecie, ale ostrzegam, nie radzę niczego chować po kątach, bo drogo to będzie was kosztowało, żebyście się potem nie skarżyli, żeśmy was oszukali, pamiętajcie, że będziemy robić inspekcje, i nie chciałbym się znaleźć w waszej skórze, jeśli coś odkryjemy, choćby jeden grosik, a teraz się wynoście. Podniósł pistolet i wystrzelił w powietrze, a z sufitu znów posypały się kawałki tynku. A ty miej się na baczności, zakończył ślepiec z pistoletem, Nie zapomnę twego głosu, Ani ja twojej twarzy, powiedziała żona lekarza.

Nikt nie zwrócił uwagi na absurdalną odpowiedź ślepej kobiety, która odgrażała się, że nie zapomni czyjejś twarzy. Ludzie rozpierzchli się szybko po korytarzach, szukając swoich sal. Wkrótce wysłannicy z pierwszej sali relacjonowali towarzyszom wydarzenia sprzed kilku minut. Po tym, co usłyszeliśmy, nie mamy innego wyjścia, jak podporządkować się rozkazom, powiedział lekarz, Na pewno jest to liczna grupa, a najgorsze, że są uzbrojeni, My też możemy poszukać broni, zauważył pomocnik aptekarza, Owszem, może uda nam się znaleźć kilka patyków, choć wątpię, by w zasięgu ręki na drzewach uchowały się jeszcze jakieś gałęzie, a pręty wyrwane z łóżek do niczego nam nie posłużą, bo nie mamy siły walczyć, tymczasem oni mają broń palną, Ja nic nie dam tym ślepym skurwysynom, odezwał się ktoś z głębi sali, Ja też nie, poparł go inny głos, Zdecydujmy się, albo dajemy wszyscy, albo nie daje nikt, przerwał lekarz, Nie mamy innego wyjścia, odezwała się jego żona, Musimy ustalić reguły jednakowe dla wszystkich, każdy ma prawo odmówić zapłaty, ale wówczas nie dostanie swojej porcji, nie można żyć kosztem innych, Płacimy wszyscy i oddajemy wszystko, co mamy, zadecydował lekarz, A jeśli ktoś nie ma czym zapłacić, spytał pomocnik aptekarza, W takim razie będzie jadł to, co dostanie od innych, pamiętacie, ktoś słusznie kiedyś powiedział, każdemu według potrzeb. Zapadła cisza, którą przerwał stary człowiek z czarną opaską na oku, Kogo wybierzemy na naszych przedstawicieli, Ja głosuję na pana doktora, powiedziała dziewczyna w ciemnych okularach. Dalsze głosowanie okazało się niepotrzebne, ponieważ wszyscy poparli kandydaturę okulisty. Ma być nas dwóch, przypomniał lekarz, czy ktoś zgłosi się na ochotnika, Jeśli nie ma chętnych, to ja mogę iść, odezwał się pierwszy ślepiec, Dobrze, wobec tego czas zacząć zbiórkę, czy ktoś ma pustą torbę, worek albo walizkę, Ja coś mam, powiedziała żona lekarza i zaczęła wyjmować z torby różne drobiazgi, które wzięła, nie przewidując, w jakich warunkach przyjdzie jej żyć. Wśród luksusowych, niepasujących do otoczenia flakoników, pudełek i tubek znalazły się też długie, ostro zakończone nożyczki. Zupełnie o nich zapomniała. Podniosła głowę, wszyscy czekali, jej mąż naradzał się z pierwszym ślepcem, dziewczyna w ciemnych okularach zapewniała zezowatego chłopca, że niedługo dostanie coś do jedzenia. Zza szafki stojącej obok łóżka wystawał skrawek zakrwawionej podpaski, którą dziewczyna w ciemnych okularach z przesadnym wstydem próbowała ukryć przed ludźmi, którzy i tak nic nie widzieli. Żona lekarza w napięciu patrzyła na lśniący przedmiot, zastanawiając się, dlaczego tak uporczywie mu się przygląda, jaki ukryty zamysł kazał jej zabrać te niklowane nożyczki o ostrych końcach, które teraz ściskała w dłoni, Masz torbę, spytał mąż, zbliżając się do łóżka w towarzystwie pierwszego ślepca, Tak, odparła, jedną ręką podając mu pustą torbę, a drugą ostrożnie chowając za plecami. Co się stało, zaniepokoił się lekarz, Nic, nic, odparła, jakby chciała powiedzieć, Nic, co mógłbyś zobaczyć, wprowadził cię w błąd mój zmieniony głos, ale to nic takiego. Lekarz podszedł do niej, nieporadnie ujął torbę i głośno powiedział, Przygotujcie rzeczy. Żona lekarza zdjęła najpierw swój zegarek, potem zegarek męża, wyjęła z uszu kolczyki, zdjęła mały pierścionek z rubinem, złoty łańcuszek, ściągnęła swoją obrączkę, potem obrączkę męża. Zeszczuplały nam palce, pomyślała i wrzuciła wszystko do torby. Potem wyjęła pieniądze, które przywiozła z domu, kilka banknotów o różnych nominałach, kilka monet, To wszystko, powiedziała, Na pewno, spytał lekarz, poszukaj dobrze, Nic więcej nie mamy. Dziewczyna w ciemnych okularach przygotowała już swoje drobiazgi, niewiele różniły się od tych, jakie dała żona lekarza, tyle że brakowało tu obrączki, dołożyła jeszcze dwie bransoletki. Kiedy lekarz i pierwszy ślepiec odwrócili się i odeszli, dziewczyna pochyliła się nad zezowatym chłopcem, mówiąc, Pamiętaj, że teraz jestem twoją mamą, płacę za siebie i za ciebie. Żona lekarza usiadła wygodnie na łóżku i oparła się o ścianę. Dopiero teraz zauważyła, że wzdłuż całej sali w ściany powbijane były wielkie gwoździe, ciekawe, do czego służyły mieszkającym tu szaleńcom, jakie skarby na nich wieszali, do jakich celów ich używali. Wstała, powiesiła nożyczki na najwyższym gwoździu i wróciła na miejsce. Jej mąż i pierwszy ślepiec powoli przesuwali się w stronę drzwi, zbierając po drodze cenne przedmioty. Niektórzy słusznie protestowali, że to ordynarna kradzież. Inni pozbywali się wartościowych rzeczy z dziwną obojętnością, jakby czuli, że nic na tym ziemskim padole nie trwa wiecznie, ci również mieli rację. Kiedy lekarz i jego towarzysz dotarli do drzwi, pierwszy spytał, Czy oddaliśmy wszystko, co mamy, Tak, odezwało się kilka zrezygnowanych głosów, inni milczeli, być może dlatego, że mieli nieczyste sumienia. Żona lekarza spojrzała na nożyczki. Widząc okrągły uchwyt wiszący na gwoździu, zdziwiła się, że tak wysoko je zawiesiła, jakby zrobiła to obca dłoń, po czym pogrążyła się w myślach. Może to i dobrze, że je znalazła, będzie mogła wreszcie obciąć mężowi brodę, żeby wyglądał jak człowiek. Wiadomo, że w warunkach, w jakich przyszło im żyć, codzienne golenie się było niemożliwe. Gdy znów spojrzała w stronę drzwi, dwaj mężczyźni zniknęli już w mroku korytarza, kierując się do trzeciej sali po lewej stronie, dokąd kazano im przynieść zapłatę za jedzenie. Może starczy nam na dzień, dwa, a może na cały tydzień, ale co dalej, wszystko, co mieliśmy, zniknęło za tymi drzwiami. Na to pytanie nie było jednak odpowiedzi.

Korytarz był prawie pusty, choć zazwyczaj kręcili się tu jacyś ślepcy, którzy na siebie wpadali, potykali się, przewracali, wysłuchując przekleństw i obraźliwych epitetów potrącanych osób. Po chwili sami zaczynali złorzeczyć niewidzialnemu wrogowi, choć i tak nie miało to najmniejszego znaczenia. Ale nawet ślepiec ma prawo wyładować złość. Słychać było szuranie, czyjeś głosy, pewnie wysłanników z innych sal, którzy szli spełnić swoją powinność. Jakie okropne jest nasze położenie, panie doktorze, odezwał się pierwszy ślepiec, nie dość, że sami jesteśmy ślepi, wpadliśmy w łapy kilku ślepych bandytów, coś mi się wydaje, że mam pecha, najpierw jeden kradnie mi samochód, teraz inni zabierają jedzenie i grożą pistoletem, No właśnie, są uzbrojeni, Naboje kiedyś się skończą, Wszystko kiedyś się kończy, ale mam nadzieję, że nie w tym przypadku, Dlaczego, Dlatego, że naboje skończą się tylko wtedy, gdy ktoś je wystrzela, a mamy już paru zabitych, Znaleźliśmy się w sytuacji bez wyjścia, Jesteśmy w sytuacji bez wyjścia, odkąd przekroczyliśmy próg tego szpitala, i mimo to dajemy sobie radę, Jest pan pesymistą, Nie jestem pesymistą, po prostu nie wyobrażam sobie, że może spotkać nas coś gorszego, A ja się boję, że zła nie można powstrzymać, Być może ma pan rację, powiedział lekarz, a po chwili, jakby mówiąc do siebie, dodał, Musi się coś wydarzyć, coś, co przyniesie zmiany na gorsze albo na lepsze, innego wyjścia nie ma. Przeszli już większość drogi krętymi korytarzami i znaleźli się w pobliżu sali, gdzie ulokowali się bandyci. Dotąd nie zapuszczali się jeszcze tak daleko, lecz wiadomo, że zgodnie z zasadami symetrii w lewym skrzydle obowiązywał ten sam rozkład co w prawym, więc kto dobrze poznał prawe skrzydło, bez trudu poruszał się po lewym, i na odwrót. Gdy w jednym skrzydle skręcało się w lewo, w drugim należało skręcić w prawo. Usłyszeli czyjeś głosy, pewnie ludzi, który przyszli tu przed nimi. Poczekajmy, szepnął lekarz, Dlaczego, Bandyci pewnie już dawno zjedli i nie będą się spieszyć, dokładnie sprawdzą, co tamci przynieśli, Myśli pan, że jest już pora obiadu, To nie ma znaczenia, nawet gdybyśmy widzieli, nie mamy już zegarków. W tejże chwili minęło ich dwóch mężczyzn. Z rozmowy wynikało, że nieśli jedzenie. Uważaj, nie możemy niczego upuścić, przestrzegał jeden, a drugi odparł ponuro, I tak nie wiadomo, czy dla wszystkich starczy, trzeba będzie zacisnąć pasa. Lekarz przesuwał się z wyciągniętą ręką wzdłuż ściany, aż dotknął framugi drzwi. Pierwszy ślepiec szedł za nim. Jesteśmy z pierwszej sali po prawej stronie, odezwał się lekarz. Zrobił krok naprzód, chcąc wejść do środka, ale natknął się na przeszkodę. Drzwi były zastawione łóżkiem, które pełniło funkcję lady. Są dobrze zorganizowani, pomyślał, nie ma mowy o improwizacji. Usłyszał czyjeś głosy. Ciekawe, ilu ich jest, pomyślał. Żona mówiła o dziesięciu, ale mogło ich być więcej, nie wszyscy pewnie wyszli na korytarz, żeby zagrabić żywność. Pierwszy odezwał się człowiek z pistoletem, który najwidoczniej był hersztem bandy, Sprawdźmy, co też przynieśli nam panowie z pierwszej sali po prawej stronie, rzucił szyderczo, po czym ściszonym głosem zwrócił się do kogoś stojącego obok, Zapisuj. Lekarz nie ukrywał zdziwienia, Jak to, zapisuj, to znaczy, że jest tu ktoś, kto może pisać, kto nie jest ślepy, a więc w budynku są przynajmniej dwie widzące osoby, trzeba uważać, ten człowiek może pojawić się w najmniej oczekiwanym momencie. Podobne myśli krążyły po głowie pierwszego ślepca, Jeden facet uzbrojony, drugi szpieg, koniec z nami, nie mamy szans. Herszt bandytów otworzył torbę, z wprawą wyjmował i obmacywał kolejne przedmioty, równie sprawnie badał wartość banknotów i monet, oddzielał rzeczy złote od innych, dla fachowca to nic trudnego. Trwało to zaledwie kilka minut, lecz mimo to lekarz zdołał rozpoznać dźwięk przedziurawianego papieru. Ktoś pisał brajlem, słychać było, jak ostry koniec jakiegoś przedmiotu dziurawi papier, uderzając w metalową podkładkę. To znaczy, że wśród ofiar epidemii znalazł się zwykły ślepiec, człowiek, którego kiedyś nazwano by ociemniałym. Prawdopodobnie został przez pomyłkę złapany z innymi chorymi. Lekarza korciło, by zapytać go, Czy należy pan do starych, czy do nowych ślepców, jak stracił pan wzrok. Mieli szczęście ci bandyci, zyskali pisarza i przewodnika w jednej osobie. Przeszkolony ślepiec to skarb, taki człowiek wart jest furę złota. Inwentaryzacja przeciągała się, czasem herszt bandy lub jego pomocnik prosili o pomoc księgowego. Co o tym myślisz, pytali, a on przerywał pisanie i sprawdzał podany mu przedmiot. Złom, mówił, a przywódca wołał, Za dużo tego złomu, za karę nie dostaną jedzenia. Kiedy zaś ociemniały wyrażał się o przedmiocie z aprobatą, bandyta zmieniał ton, Nie ma to jak robić interesy z uczciwymi ludźmi. W końcu postawili na łóżku trzy pudła. To dla was, powiedział człowiek z pistoletem. Lekarz policzył kartony. Za mało, stwierdził, Na początku, gdy byliśmy jeszcze sami, dostawaliśmy cztery paczki. Nie zdążył dokończyć zdania, a już poczuł na szyi lufę pistoletu. Nie lada wyczyn jak na ślepego bandytę, pomyślał lekarz. Za każdą skargę odbiorę ci jedną paczkę, więc spadaj, zanim się rozmyślę, i dziękuj Bogu, że masz co włożyć do gęby. Dobrze, powiedział zdławionym głosem lekarz i wziął dwa kartony. Jego towarzysz chwycił ostatnią paczkę i powoli, obładowani żywnością ruszyli w drogę powrotną. Kiedy doszli do holu, lekarz przekonany, że nikt ich nie słyszy, powiedział, Już nigdy więcej nie nadarzy mi się taka okazja. Nie rozumiem, zdziwił się pierwszy ślepiec, Przystawił mi pistolet do szyi, mogłem mu go wyrwać, To byłoby zbyt ryzykowne, Tylko pozornie, ja wiedziałem, gdzie jest pistolet, a on nie mógł widzieć moich rąk, Ma pan rację, Mam pewność, że on w tym momencie był bardziej ślepy ode mnie, szkoda, że o tym nie pomyślałem, a właściwie pomyślałem, ale zabrakło mi odwagi, Ale co byłoby potem, spytał pierwszy ślepiec, Jak to co, No, gdyby odebrał mu pan broń, nie wierzę, że byłby pan w stanie jej użyć, Jeśliby to miało rozwiązać nasze problemy, Ale nie jest pan tego pewien, Nie, A więc lepiej, że to oni mają broń, przynajmniej dopóki nas nie zaatakują, Grożenie bronią samo w sobie jest formą ataku, Gdyby im pan odebrał broń, dopiero zaczęłaby się prawdziwa wojna, obawiam się, że nie uszlibyśmy z życiem, Ma pan rację, przyznał lekarz, muszę o tym pamiętać, Proszę pamiętać raczej o tym, co mi pan wcześniej powiedział, To znaczy, Że prędzej czy później coś się musi wydarzyć, Wydarzyło się, a ja tego nie wykorzystałem, Nadarzy się inna okazja.

Kiedy weszli do sali i przedstawili swą mizerną zdobycz, odezwały się głosy oburzenia, że przynieśli za mało, że powinni zażądać więcej, czyż nie po to wybrano ich na przedstawicieli sali. Jednak gdy lekarz wyjaśnił, co zaszło, opowiedział o ociemniałym księgowym, o zachowaniu herszta bandy, o pistolecie, głosy niezadowolenia szybko ucichły, nikt już nie wątpił, że przedstawiciele sali zrobili, co było w ich mocy. Podzielono jedzenie, kilka osób nieśmiało zauważyło, że lepiej zjeść mało niż nic. Poza tym zbliżała się pora obiadu i niedługo będzie można udać się po kolejną dostawę. Najważniejsze, żeby nie spotkało nas to, co tego konia, który zdechł dlatego, że odzwyczaił się od jedzenia, zauważył jeden ze ślepców. Pozostali przyjęli ten żart z bladym uśmiechem, a ktoś powiedział, Może to i niezły pomysł, chociaż między nami a koniem jest pewna różnica, on nie wie, że umiera.

lecz stary człowiek był nieubłagany, mówiąc, że melodię można samemu odtworzyć i nie trzeba do tego doskonałej pamięci i że ważniejsze są wiadomości. Miał rację, muzyka z radia kłuła jak cierń, jak złe wspomnienie, które tylko rani. Dlatego w oczekiwaniu na serwis informacyjny starał się słuchać radia jak najciszej. Kręcił gałką, zmieniał częstotliwości, żeby tylko nie przegapić jakiejś ważnej informacji, którą będzie mógł potem przekazać najbliższym sąsiadom i która wkrótce zacznie krążyć po sali, przekazywana od łóżka do łóżka, z ust do ust, zmieniana przez kolejnych rozmówców. W ten sposób niektóre informacje traciły na ważności, inne zaś zyskiwały, co zwykle zależało od nastroju przekazującej je osoby. Jednak pewnego dnia w sali zapanowała cisza i stary człowiek przestał opowiadać, nie dlatego, że wyczerpały się baterie czy zepsuło radio, ale z powodu niezbadanych i nieubłaganych wyroków losu, które sprawiły, że ktoś zamilkł wcześniej niż radyjko. Od pierwszego dnia swego pobytu w tym przeklętym miejscu stary człowiek z czarną opaską na oku skwapliwie przekazywał wszystkie wiadomości, dementując przy okazji nazbyt optymistyczne i fałszywe informacje rządowe. Siedział teraz na łóżku, w zapadającym zmierzchu i jawnie słuchał cennego radia, próbując zrozumieć chrypiący, coraz bardziej niewyraźny głos spikera. Nagle usłyszał jego krzyk, Jestem ślepy, jestem ślepy, potem hałas, jakby coś gwałtownie uderzyło w mikrofon, kilka niewyraźnych dźwięków, okrzyków i cisza. Zamilkła jedyna stacja, którą zdołał wychwycić. Stary człowiek długo trzymał radio przy uchu w nadziei, że głos się znowu odezwie i powróci do czytania wiadomości. Jednak tym razem czuł, a właściwie wiedział, że tak się nie stanie. Biała choroba oślepiła nie tylko spikera radiowego, ale z szybkością prochowego lontu dosięgła po kolei wszystkich pracowników stacji. Stary człowiek z czarną opaską na oku ze złością cisnął radiem o podłogę. Jeśli do sali przyjdą ci przeklęci bandyci i zaczną węszyć, niech żałują, że nie wciągnęli przenośnych radioodbiorników na listę przedmiotów wartościowych. I stary człowiek z czarną opaską na oku naciągnął kołdrę na głowę, by móc swobodnie się wypłakać.

Żółte, brudne światło lamp padało na zmęczone, lecz nasycone trzema posiłkami ciała ślepców, którzy po raz pierwszy od dawna usnęli mocnym, głębokim snem. Zakładając, że ta sytuacja potrwa dłużej, należałoby wyciągnąć wniosek, że nawet w największym nieszczęściu można osiągnąć pewien stopień zadowolenia, który pozwala cierpliwie znosić owe przykre doświadczenia. Znaczyłoby to, że obecnie, wbrew przewidywaniom, przechwycenie przez bandytów żywności i jej kontrolowany podział miały pozytywny skutek, mimo skarg niepoprawnych idealistów, którzy woleliby samodzielnie walczyć o przetrwanie, nawet narażając się na śmierć głodową. Większość ludzi spała jednak spokojnie, nie myśląc o jutrze, zapominając, że kto płaci z góry, ten wiele ryzykuje. Inni, zmęczeni rozmyślaniem, jak znaleźć honorowe wyjście z tej upokarzającej sytuacji, również powoli zasypiali, oddając się snom o lepszej przyszłości, kiedy to zapanuje dostatek, a przede wszystkim wolność. W pierwszej sali po prawej stronie czuwała tylko żona lekarza. Myślała o tym, co czuł jej mąż, gdy przez chwilę sądził, że wśród bandytów znajduje się druga widząca osoba, którą wziął za ich szpiega. Dziwne, że nie wrócili do tego tematu przed zaśnięciem, jakby lekarz z przyzwyczajenia zapomniał, że jego żona nadal widzi. Ona zaś nie chciała zawracać mu głowy. Była pewna, że powinna zrobić to, czego nie może zrobić jej mąż. Gdyby powiedziała mu o swoich planach, udawałby, że nie rozumie, o co chodzi. Przez lekko przymknięte powieki spojrzała na wiszące na gwoździu nożyczki. Co z tego, że widzę, myślała, widziała rzeczy straszliwsze od najstraszliwszych koszmarów, marzyła, by oślepnąć, niczego bardziej nie pragnęła. Ostrożnie usiadła na łóżku. Naprzeciwko spała dziewczyna w ciemnych okularach i zezowaty chłopiec. Zauważyła, że ich łóżka stoją obok siebie, pewnie dziewczyna zsunęła je, by móc uspokoić chłopca, gdy obudzi się z płaczem w środku nocy, otrzeć mu łzy tęsknoty za matką. Dlaczego sama na to wcześniej nie wpadłam, pomyślała zdziwiona. Nie budziłaby się w nocy z lękiem, że mąż spadnie z łóżka. Spojrzała na niego czule, spał głębokim, niezdrowym snem, zmęczony wydarzeniami dnia. Nie zdążyła mu powiedzieć, że znalazła nożyczki i że któregoś dnia przystrzyże mu brodę, nawet ślepy to potrafi, pod warunkiem że zbyt mocno nie przyciska ostrza do twarzy. Obawiała się jednak, że zaczną do niej przychodzić tabuny mężczyzn i do końca życia będzie goliła brody. Usiadła na brzegu łóżka i zaczęła szukać kapci, chciała je włożyć, ale zawahała się i w końcu wsunęła je z powrotem pod łóżko. Cicho przemknęła między śpiącymi do drzwi. Jej bose stopy kleiły się do lepkiej i brudnej posadzki, ale wiedziała, że na korytarzu będzie jeszcze gorzej. Szła, rozglądając się na boki w obawie, by nie natknąć się na błądzącego we śnie ślepca. Poruszała się niemal bezszelestnie, ale nawet gdyby ją ktoś usłyszał, uznałby, że to kolejny nieszczęśnik gnany nagłą potrzebą fizjologiczną, która, jak wiadomo, potrafi zaskoczyć w najmniej odpowiedniej chwili. Najbardziej obawiała się, że mąż obudzi się i nie pozwoli jej wyjść. Zacznie ją wypytywać, Dokąd idziesz, po co, pytania, które zwykle zadają mężczyźni swoim żonom, nie mając odwagi zapytać o najważniejsze, Gdzie byłaś. Idąc korytarzem, ujrzała kobietę opartą o wezgłowie łóżka, która nieruchomo wpatrywała się w ścianę. Żona lekarza przystanęła, jakby bała się przeciąć cienką nić ślepego spojrzenia. Kobieta podniosła rękę, widocznie wyczuła w powietrzu lekkie wibracje, lecz po chwili opuściła ją zrezygnowana, wystarczy, że sąsiedzi nie dają jej spać chrapaniem. Żona lekarza szła dalej, im bardziej zbliżała się do głównego wejścia, tym bardziej przyspieszała kroku. Zanim przeszła przez hol, odwróciła się i spojrzała w głąb korytarza, gdzie znajdowały się ubikacje, kuchnia i jadalnia. Wzdłuż ściany spali pokotem ślepcy, którzy nie zdołali znaleźć wolnego łóżka lub nie mieli siły przebić się w porę przez tłum kłębiący się u wejścia do sal. Parę metrów dalej jakiś ślepiec leżał na ślepej kobiecie, która mocno obejmowała go nogami. Kochali się cicho i dyskretnie, o ile takie rzeczy można robić dyskretnie w publicznym miejscu, ale nie trzeba było nadzwyczajnego słuchu, by wiedzieć, co robią, szczególnie w chwili, gdy oboje nie mogli powstrzymać okrzyków, jęków i coraz głośniejszych szeptów, które wskazywały na nieuchronnie zbliżający się orgazm. Żona lekarza nie mogła oderwać od nich oczu, nie czuła zazdrości, miała przecież męża, który zaspokajał jej potrzeby seksualne. Przykuło ją do miejsca uczucie, którego nie potrafiła określić, ale zbliżone do sympatii, jakby chciała powiedzieć im, Nie zwracajcie na mnie uwagi, wiem, co czujecie, nie przeszkadzajcie sobie. Jednocześnie czuła litość. Gdyby ta chwila rozkoszy mogła trwać wiecznie, gdybyście mogli stać się jednym ciałem i duszą, westchnęła. Ślepcy odpoczywali, dysząc ciężko, rozdzieleni, lecz wciąż trzymając się za ręce. Wyglądali młodo, może byli parą zakochanych, poszli do kina i tam oślepli, a może połączył ich cudowny przypadek. Jak się rozpoznali, oczywiście po głosie, bo choć żądza i miłość są ślepe, ta ostatnia nigdy nie jest niema. Prawdopodobnie jednak oboje oślepli w tym samym czasie, a ich ręce splotły się dawno temu.

Żona lekarza westchnęła i przetarła oczy, wydało jej się, że gorzej widzi, ale nie przestraszyła się, tym razem były to łzy. Poszła dalej przed siebie. Kiedy mijała hol, podeszła do drzwi i wyjrzała na dwór. W słabym świetle lampy dostrzegła czarną sylwetkę żołnierza. W oddali rysowały się kontury ciemnych domów. Wyszła na schody, wiedziała, że nic nie ryzykuje, gdyż nawet gdyby żołnierz ją zauważył, miał rozkaz najpierw ostrzec ją, by nie zbliżała się do bramy, gdzie przebiegała niewidzialna linia demarkacyjna, gwarantująca mu bezpieczeństwo. Zdziwiła się, że panuje tu taka cisza. Zdążyła przyzwyczaić się do ciągłych hałasów w sali, a tu panował całkowity bezruch, który zastąpił czyjąś obecność, jakby cała ludzkość zniknęła z powierzchni ziemi, zostawiając jedynie słabe światełko i żołnierza na straży garstki ślepych kobiet i mężczyzn, którzy nawet nie mogli dojrzeć świecącej lampki. Usiadła na ziemi, opierając się o framugę drzwi, i tak samo jak cierpiąca na bezsenność kobieta w sali zaczęła wpatrywać się w dal przed sobą. Noc była zimna, chłodny wiatr owiewał fasadę budynku. Trudno wprost uwierzyć, że noc może być taka czarna, że huczy wiatr i nadal toczy się życie. Nie myślała o sobie, lecz o ślepcach, dla których dzień trwał wiecznie. W słabym świetle zamajaczyła druga postać, zbliżała się zmiana warty. Wszystko w porządku, powiedział pewnie pierwszy żołnierz swojemu zmiennikowi, po czym wszedł do namiotu, by przed świtem jeszcze się zdrzemnąć. Nie zdawali sobie sprawy, co dzieje się za drzwiami szpitala, nie słyszeli strzałów w holu, zwykły pistolet nie robi wiele hałasu. A co dopiero małe nożyczki, pomyślała żona lekarza. Dawno przestała się zastanawiać, skąd przychodzą jej do głowy takie myśli, zdziwiła się jedynie, że to ostatnie zdanie tak długo kołatało jej w głowie, jakby pierwsze słowo nie mogło się zrodzić, a kolejne z trudem układały się w całość, jak gdyby to nieoczekiwane skojarzenie tkwiło w niej od dawna, brakowało tylko czegoś, co by przyoblekło się w słowa, jak ciało układające się do snu, które wybiega w przyszłość, szukając niszy przygotowanej przez chęć zaśnięcia. Żołnierz podszedł do bramy, choć miał za sobą ostre światło lampy i nie było widać jego twarzy, domyśliła się, że patrzy w jej stronę, może zauważył jej nieruchomą sylwetkę, w której nie rozpoznał jeszcze bezbronnej kobiety siedzącej obok wejścia z brodą opartą na podkurczonych kolanach. Żołnierz podniósł lampę, by oświetlić podejrzane miejsce, i dopiero teraz wyraźnie zauważył kobiecą postać, wstającą równie wolno jak jej myśli, o czym żołnierz, oczywiście, nie wie, wie za to, że zaczyna się bać tej osoby, która porusza się jak w zwolnionym filmie, zastanawia się, czy wszcząć alarm, przecież to tylko ślepa kobieta, nie może jednak podjąć decyzji i na wszelki wypadek postanawia wycelować w nią broń, lecz żeby to zrobić, musi najpierw postawić lampę, która nagle chwieje się i razi go w oczy mocnym światłem. Kiedy oczy żołnierza przyzwyczaiły się do mroku, kobiety już nie było. Strażnik czuł, że tym razem nie będzie mógł powiedzieć swemu zmiennikowi, Wszystko w porządku.

Żona lekarza jest już w lewym skrzydle budynku i zmierza ku trzeciej sali. Tu także ślepcy śpią na korytarzu, ale jest ich o wiele więcej niż w prawej części szpitala. Porusza się bezszelestnie, ostrożnie stąpając po lepkiej od brudu posadzce. Zagląda przez drzwi pierwszych dwóch sal; wszędzie ten sam widok przykrytych kocami nieruchomych ciał, jakiś ślepiec nie może zasnąć i mamrocze coś pod nosem, wokół pobrzmiewa urywane chrapanie. Wszystko przenika niemożliwy do zniesienia smród, ale tak jest w całym budynku, tak pachnie również jej własne ciało i ubranie. Gdy doszła do korytarza, gdzie znajdowała się trzecia sala, zawahała się. W drzwiach stał człowiek. Wystawili straże, pomyślała. Ślepiec trzyma w ręku laskę, którą wolno wymachuje to w jedną, to w drugą stronę, sprawdzając w ten sposób, czy nikt się nie zbliża. Tu nikt nie śpi na ziemi, korytarz jest pusty. Strażnik niestrudzenie wymachuje laską, po pewnym czasie przekłada ją do drugiej ręki i powtarza te same ruchy. Żona lekarza wolno podchodzi do przeciwległej ściany, uważając, by nie dotknąć ubraniem chropowatej powierzchni. Ślepiec wciąż energicznie wymachuje laską, lecz nie dosięga nią nawet środka szerokiego korytarza. Można by go porównać do nieuzbrojonego żołnierza na warcie. Żona lekarza stoi naprzeciw ślepca i dokładnie widzi, co dzieje się w trzeciej sali. Niektóre łóżka są wolne. Ciekawe, ilu ich jest, zastanawia się. Człowiek z laską zwrócił głowę w jej stronę, jakby wyczuł coś podejrzanego, czyjś oddech, ruch powietrza. Był wysoki i miał duże ręce. Wyciągnął przed siebie laskę i gwałtownie zamachał nią przed sobą. Zrobił krok do przodu i żona lekarza przestraszyła się, że naprawdę ją widzi i tylko sprawdza, z której strony najlepiej zaatakować. To nie jest spojrzenie ślepca, pomyślała przerażona. Jednak myliła się, były to oczy ślepca, oczy niewidzące, których pod tym dachem nie brakowało. Była jedyną widzącą osobą w szpitalu. Kto tu jest, odezwał się szeptem ślepy wartownik, zamiast krzyknąć jak żołnierze przed bramą, cicho spytał, Kto idzie. W ostatniej chwili powstrzymała się, by nie powiedzieć, Posłaniec z misją pokoju, na co on powinien odrzec, Droga wolna. Niestety były to tylko marzenia. Ślepiec spuścił głowę, jakby chciał powiedzieć, Co za bzdury, przecież o tej porze wszyscy śpią, nie ma tu nikogo. Z wyciągniętą przed siebie ręką cofnął się do drzwi i uspokojony przez własne myśli stanął nieruchomo. Był śpiący, od dawna czekał, aż go ktoś zmieni, ale wiedział, że jego zmiennik musi sam się obudzić, a jedyne, co może wyrwać go ze snu, to wewnętrzne poczucie obowiązku, gdyż nie miał budzika, którego zresztą i tak nikt nie umiałby nastawić. Żona lekarza ostrożnie zbliżyła się do framugi drzwi i zajrzała do środka. Sala nie była zapełniona, na oko znajdowało się w niej dziewiętnastu, może dwudziestu ludzi. W głębi ujrzała stos paczek z jedzeniem, kilka kartonów leżało na wolnych łóżkach. To było do przewidzenia, pomyślała, większość zatrzymują dla siebie. Ślepy strażnik znów zaczął nasłuchiwać, ale nie poruszył się. Czas mijał. W sali jakiś palacz dostał ataku kaszlu. Strażnik odwrócił się z ulgą, może wreszcie pójdzie spać, ale nikt nie wstał, ślepiec usiadł ostrożnie na brzegu łóżka, jakby się bał, że zostanie przyłapany na gorącym uczynku i oskarżony o opuszczenie posterunku oraz złamanie surowych reguł obowiązujących wartownika. Przez chwilę siedział z opuszczoną głową, walcząc ze zmęczeniem, ale w końcu poczuł, jak ogarnia go fala snu, myśląc zapewne, To nic, nikt mnie przecież nie widzi. Żona lekarza znów policzyła ludzi znajdujących się w sali. Razem ze strażnikiem było ich dwudziestu. Przynajmniej dowiedziała się czegoś konkretnego podczas tej niebezpiecznej nocnej eskapady. Ale czy tylko po to tu przyszłam, zastanawiała się w myślach, lecz nie miała odwagi sobie odpowiedzieć. Ślepiec zasnął z głową opartą o framugę drzwi, laska zsunęła się na podłogę. Miała przed sobą bezbronnego człowieka, forteca stała otworem. Patrzyła na niego, próbując przywołać w myślach jak najgorsze skojarzenia. Ten człowiek kradnie żywność, odbiera cudzą własność, odejmuje dzieciom od ust, ale mimo to nie zdołała wzbudzić w sobie nawet cienia niechęci. Na widok bezwładnego ciała, wygiętej szyi z pulsującymi żyłami i głowy ufnie odchylonej do tyłu ogarnęła ją litość. Po raz pierwszy od wyjścia z sali przeszył ją dreszcz, posadzka była tak zimna, że niemal parzyła jej stopy. Oby to nie była gorączka, pomyślała, ale wiedziała, że to tylko obezwładniające zmęczenie. Poczuła nieodparte pragnienie ucieczki w głąb siebie, wtulenia się we własne ciało, a przede wszystkim chciała zamknąć oczy, spojrzeć w siebie, jak najgłębiej, jak najdalej, aż do rdzenia mózgu, dotrzeć tam, gdzie na pierwszy rzut oka nie widać, czy jest się ślepym czy nie. Wolno, bardzo wolno zaczęła się wycofywać, poczuła, że musi jak najszybciej wrócić do swojej sali, przezwyciężając zmęczenie, mijała ślepców przypominających lunatyków, ona sama też wyglądała, jakby chodziła we śnie, nie musiała nawet udawać, że nie widzi. Młodzi kochankowie nie trzymali się już za ręce, spali przytuleni do siebie, ona odwrócona plecami, wtulona w zagłębienie jego ciała, próbując zachować resztki krążącego w żyłach ciepła. A jednak, gdy żona lekarza przyjrzała im się bliżej, zauważyła, że trzymają się za ręce, jego ramię objęło ją od góry, a dłonie splotły się w uścisku. W sali obok ślepa kobieta wciąż siedziała na łóżku, czekając, aż zmęczenie przełamie opór niespokojnych, uporczywych myśli. Oprócz niej wszyscy spali, niektórzy zakryli głowy kocami, jakby wciąż mieli nadzieję na odnalezienie prawdziwej, nieosiągalnej ciemności. Na szafce obok łóżka dziewczyny w ciemnych okularach stały krople do oczu. Nie wiedziała, że już ich nie potrzebuje.

zabierano, a tym, co w zamian dostawali, wykazałby, że nie należy wierzyć w słynną od wieków cytowaną zasadę równowagi między przyczyną i skutkiem, szczególnie w jej aspekcie ilościowym. Musiałby również zauważyć, że jeśli bandyci będą bezkarnie spać na stercie paczek z żywnością, to biedacy z innych sal wkrótce zostaną zmuszeni do zbierania z brudnej posadzki ostatnich okruchów chleba. Spostrzegawczy księgowy, zarówno jako kronikarz, jak i uczestnik tych wydarzeń, z pewnością potępiłby niegodziwe postępki ślepych ciemiężycieli, którzy woleli zmarnować jedzenie, niż oddać je potrzebującym. Niektóre produkty mogły przetrwać kilka tygodni, jednak większość przeznaczona była do natychmiastowego spożycia, jedzenie szybko pleśniało, gniło i stawało się bezużyteczne dla ludzi, jeśli tacy nadal znajdowali się pod dachem szpitala. Zmieniając wątek, lecz pozostając przy tym samym temacie, skrupulatny kronikarz stwierdziłby z żalem, że poza dolegliwościami żołądkowymi, wynikającymi z chronicznego niedożywienia i spożywania nieświeżych produktów, wśród internowanych panowały też inne choroby. Byli tacy, którzy na pierwszy rzut oka wyglądali jak okazy zdrowia, ale po krótkim czasie ni stąd, ni zowąd powalała ich tak silna grypa, że nie byli w stanie zwlec się ze swych obskurnych łóżek, i chociaż wywrócono do góry dnem wszystkie damskie torebki i przeszukano dokładnie każdą salę, nie znaleziono nawet jednej tabletki aspiryny, która pozwoliłaby obniżyć gorączkę i zmniejszyć ból głowy. Zapewne nasz kronikarz z obawy przed konsekwencjami nie zechciałby szczegółowo opisywać innych nieszczęść nękających ponad trzysta osób, które zostały poddane nieludzkiej kwarantannie, ale niewątpliwie wspomniałby przynajmniej o dwóch przypadkach zaawansowanej choroby nowotworowej, którą zignorowano podczas łapanki, twierdząc, że w demokracji prawo jest jednakowe dla wszystkich i nie można nikogo wyróżniać. Traf chciał, że wśród internowanych znalazł się tylko jeden lekarz, do tego okulista, a wiadomo, że takich tu nie potrzebowano. Gdyby nasz skryba podjął się opisu tych wydarzeń, zapewne poczułby się tak przytłoczony nadmiarem nieszczęść i bólu, że z rezygnacją odłożyłby na stół swój metalowy dziurkacz i drżącą ręką zaczął po omacku szukać kawałka czerstwego chleba, który odłożył, by spełnić obowiązek kronikarza końca świata. Przypuszczalnie jednak niczego by nie znalazł, gdyż zapach jedzenia już wcześniej przyciągnął innego, zgłodniałego ślepca. Nic dziwnego, że księgowy odrzucił możliwość pojednania z ciemiężonymi braćmi i pozostał w trzeciej sali w lewym skrzydle, gdzie mimo szczerego oburzenia na haniebne praktyki jej mieszkańców miał zapewnioną strawę.

I na tym właśnie opierały się rządy bandytów. Kiedy przedstawiciele sal wracali z głodowymi porcjami żywności, wybuchały protesty, odzywały się głosy pełne oburzenia. Ktoś proponował, by zorganizować wspólną akcję odwetową, stosując jedyny skuteczny i często stosowany argument, siłę tłumu. Zgodnie z prawami dialektyki w pewnych okolicznościach nieśmiałe pragnienia nabierają mocy, mnożąc się w nieskończoność. Jednak bojowy nastrój szybko znikał, wystarczył jeden racjonalny głos, umiejący zestawić wszelkie za i przeciw planowanej akcji, by przypomnieć zwolennikom walki o śmiercionośnej broni, jaką jest pistolet, Pamiętajcie, co was czeka, kiedy tam pójdziecie, pomyślcie, co się stanie z tymi na końcu, gdy po pierwszym strzale wybuchnie panika, więcej bohaterów zginie stratowanych niż od kuli. W sali, gdzie toczyła się dyskusja, doszło do kompromisu i zdecydowano, że wbrew tym przestrogom zostanie wysłana liczniejsza grupa ludzi, którzy przedstawią żądania wszystkich mieszkańców. Wkrótce wiadomość ta rozeszła się wśród reszty internowanych. Najpierw grupa miała składać się z dziesięciu, dwunastu ochotników, ale liczne ostrzeżenia sceptyków zniechęciły większość ślepców, którzy wcześniej się zgłosili. Bogu dzięki ten rażący brak odwagi został usprawiedliwiony. Choć był to powód do wstydu, wkrótce okazało się, że słuszność mieli ci, którzy nawoływali do ostrożności. Ośmiu śmiałków, którzy odważyli się podjąć tej misji, zostało bezlitośnie przepędzonych z lewego skrzydła. Podobno użyto nawet pistoletu, lecz strzał nie był skuteczny, choć tym razem cel był konkretny. Przepędzeni ślepcy zarzekali się później, że słyszeli świst kul nad głowami, chociaż nie mieli pewności, jakie były prawdziwe zamiary strzelającego. Być może herszt bandy pomylił się w ocenie wzrostu ślepców i wyobrażał ich sobie jako rosłych osiłków, co tłumaczyłoby jego złe intencje, albo był to po prostu strzał ostrzegawczy. Wszelkie te domysły nie znalazły na razie potwierdzenia, należało więc cieszyć się, że nikt nie zginął, niezależnie, czy było to zrządzenie losu, czy zwykły przypadek, grunt, że wszyscy śmiałkowie powrócili z misji. Za karę wszyscy mieszkańcy zbuntowanej sali przez trzy dni nie dostawali jedzenia. I tak mieli szczęście, gdyż mogli zostać na zawsze odcięci od dostaw żywności, co byłoby sprawiedliwą karą za niewdzięczność wobec ich dobroczyńców. Buntowników zmusiło to do chodzenia od sali do sali i żebrania o kromkę chleba, najlepiej posmarowaną czymś treściwym i pożywnym. Nie umarli więc z głodu, lecz przez te trzy dni nasłuchali się wielu przykrych uwag, Skoro jesteście tacy mądrzy, to czemu sami nie macie co do gęby włożyć, Gdybyśmy was posłuchali, ładnie byśmy na tym wyszli, Cierpliwości, będziecie musieli przełknąć jeszcze niejedną gorzką prawdę. Po trzech dniach kary buntownicy mieli nadzieję, że ich los odmieni się na lepsze. Okazało się jednak, że dla czterdziestu buntowników z nieszczęsnej sali czas upokorzeń dopiero się zaczął. Zamiast dwudziestu porcji żywności, które z trudem starczały dla wszystkich, dostali głodowe racje, którymi nie mogło się posilić nawet dziesięciu ślepców. Łatwo sobie wyobrazić rozgoryczenie i przygnębienie ukaranych, szczególnie bolesne wobec tchórzostwa pozostałych internowanych, którzy nie tylko nie chcieli im pomóc, ale czuli się wręcz zagrożeni ich postawą. Odwaga buntowników postawiła ich w trudnej sytuacji wyboru między starą jak świat ludzką solidarnością a równie głęboko zakorzenionym przeświadczeniem, że nikt nie jest bardziej godny miłosierdzia niż my sami.

I właśnie wtedy bandyci wysunęli kolejne żądania. Znów domagali się pieniędzy i biżuterii. Uznali, że wartość dostarczanej żywności dawno przekroczyła sumę pierwszej zapłaty, choć byli na tyle łaskawi, że ocenili ją jako dość wysoką. Przerażeni ślepcy przypomnieli, że nie mają w kieszeni złamanego grosza, gdyż zgodnie z rozkazem wszystko oddali, niektórzy mieli nawet czelność dodać, że wniesiona przez nich opłata przekraczała wartość tego, co dali inni, co z kolei powinno im zapewnić jedzenie do końca pobytu w szpitalu. Mówiąc prościej, nie mieli zamiaru płacić za krętaczy i domagali się kolejnych dostaw żywności. Oczywiście, nikt nie wiedział, jaką opłatę wniosły poszczególne sale, ale każda sala uważała, że zapłaciła więcej od innych, i nie życzyła sobie, by inni żywili się jej kosztem. Na szczęście rozgoryczeni mieszkańcy nie spełnili swoich pogróżek, ostatnie słowo i tak należało do bandytów, jak to zwykle bywa w takich przypadkach. Ci zaś powtórzyli rozkaz, że wszyscy ponownie mają wnieść opłaty, a ewentualne różnice w ich wysokości miały pozostać tajemnicą niewidomego księgowego. Wśród internowanych wybuchło oburzenie, znów rozgorzały dyskusje, w paru przypadkach doszło nawet do rękoczynów. Wypominano sobie nieuczciwość i złe intencje, oskarżano o ukrycie kosztowności podczas pierwszej zbiórki. Odezwały się głosy, że wielu ludzi żywiło się kosztem innych, uczciwych obywateli, którzy pozbyli się ostatniego grosza. Inni, interpretując dobro ogółu jako własne, stwierdzili, że uczynili błąd, przejmując się losem współtowarzyszy, i teraz płacą za swą naiwność, utrzymując darmozjadów i nicponi. Skutek tych oskarżeń okazał się taki, że na własną rękę przeprowadzono rewizję. Nastąpił podział na złych i dobrych, uczciwych i oszustów. Co prawda nie znaleziono wielu kosztowności, ale doszukano się kilku zegarków i obrączek, przede wszystkim wśród mężczyzn. Winowajców ukarano paroma kuksańcami i kopniakami na oślep. Boleśniejsze okazały się obelgi, które mogły posłużyć jako przykład klasycznej mowy oskarżycielskiej, choćby często powtarzane zdanie, Ty byś nawet własną matkę okradł. Padały też poważniejsze zarzuty zapowiadające niejedną zemstę, ta jednak mogłaby się ziścić, dopiero gdyby wszyscy na świecie oślepli, a ich oczy straciły blask, który dotąd oświetlał ludziom drogę prawości i dobroci. Bandyci łaskawie przyjęli zaległe opłaty, grożąc, iż wyciągną konsekwencje w stosunku do opieszałych dłużników. Na szczęście nie spełnili swoich gróźb, może zapomnieli, a może już wtedy zaświtał im w głowie szatański pomysł, o którym powiemy za chwilę. Gdyby jednak dotrzymali słowa, mogłoby się to skończyć tragicznie. Nieuczciwi internowani z dwóch sal zaczęli oskarżać

Bogu ducha winnych mieszkańców z innych sal o ukrywanie cennych przedmiotów, by w ten sposób odwrócić od siebie uwagę. Szczególnie pokrzywdzeni byli ci, którzy najszybciej oddali swoje kosztowności. Na szczęście niewidomy księgowy postanowił tym razem oszczędzić sobie dodatkowej pracy i zapisywać wysokość haraczu na oddzielnej kartce, co było z korzyścią zarówno dla uczciwych, jak i mających coś na sumieniu. Lepiej nie myśleć, jak by się to mogło skończyć, gdyby ludzie na własne oczy zauważyli rażące różnice w opłatach.

Tydzień później bandyci przekazali internowanym wiadomość, że chcą kobiet. Tak po prostu, bez ogródek powiedzieli, Przyprowadźcie nam kobiety. To nieoczekiwane, choć nie tak znów niezwykłe żądanie ze zrozumiałych względów wywołało oburzenie. Skonsternowani wysłannicy wrócili do bandytów z odpowiedzią, że mieszkańcy trzech sal z prawego skrzydła i dwóch z lewego, łącznie z kobietami i mężczyznami śpiącymi w korytarzu, kategorycznie odmawiają spełnienia tej niesmacznej zachcianki i nie godzą się na tak rażące pogwałcenie ludzkiej, w tym przypadku kobiecej, godności, a jeśli w trzeciej sali lewego skrzydła nie ma kobiet, to trudno, internowani nie życzą sobie, by odpowiedzialnością za to, o ile takowa jeszcze istnieje, ich obarczać, na co padła zwięzła odpowiedź, Nie ma kobiet, nie ma żarcia. Upokorzeni wysłannicy wrócili jak niepyszni do siebie. Nie mamy wyjścia, muszą iść albo nie dostaniemy jedzenia. Jako pierwsze zaprotestowały kobiety samotne lub takie, które dotąd nie znalazły sobie towarzyszy. Nie będą płacić tym, co mają między nogami, za jedzenie żonatych lub związanych z kimś mężczyzn, a jedna nawet bezwstydnie oświadczyła, Owszem, mogę tam iść, ale co zarobię, to moje, a jeśli mi się spodoba, to może nawet z nimi zostanę, przynajmniej będę miała gdzie spać i co jeść. Jednakże nie wprowadziła w czyn swoich obietnic, gdyż w porę uświadomiła sobie, czym by to mogło grozić, gdyby sama jedna musiała zaspokoić erotyczne zachcianki dwudziestu rozpasanych samców, bardziej zaślepionych żądzą niż białą chorobą. Niestety, ta nieprzemyślana uwaga wypowiedziana przez mieszkankę drugiej sali w prawym skrzydle padła na podatny grunt. Jeden z wysłanników wykorzystał dogodny moment i zaproponował, by zgłosiły się ochotniczki, ponieważ łatwiej spełnić to zadanie dobrowolnie niż pod przymusem. W ostatniej chwili powstrzymał się, by nie przytoczyć znanego powiedzenia, Dla chcącego nic trudnego, lecz i tak mimo swej przezorności wywołał burzę protestów. Oburzenie kobiet nie miało granic, nie zostawiono na mężczyznach suchej nitki, kobiety oskarżały ich, że są zepsuci do szpiku kości, brutale, dranie, trutnie, egoiści, wampiry, wyzyskiwacze, stręczyciele. Padały różne epitety, w zależności od kultury osobistej, wykształcenia i wrażliwości pań. Niektóre żaliły się, że powodowane współczuciem, z dobrego serca użyczyły swego ciała towarzyszom niedoli, a ci niewdzięcznicy tak oto im się odpłacają. Mężczyźni gorączkowo próbowali się tłumaczyć, że to nieprawda, że nie wolno dramatyzować, że panie źle zrozumiały i że pytano o ochotniczki, ponieważ zazwyczaj w trudnych i niebezpiecznych sytuacjach społeczeństwo odwołuje się do ludzi dobrej woli. Stoimy w obliczu śmierci głodowej, przypominali. Ten argument uciszył część kobiet, ale jedna rzuciła pytanie, rozpętując nową burzę, Ciekawe, co byście zrobili, gdyby zamiast kobiet zażądali mężczyzn, no, proszę, powiedzcie. Wśród pań nastąpiło ogólne ożywienie, No, dalej, powiedzcie, prosimy, wołały chórem, zadowolone, że przyparły mężczyzn do muru, że dali się schwytać we własną pułapkę, z której teraz nie potrafili się uwolnić, chciały sprawdzić, jak daleko posuną się w swej męskiej solidarności. Nie ma wśród nas pedałów, odważył się odezwać jeden z internowanych, A wśród nas kurew, odparła bez namysłu kobieta, która zadała prowokacyjne pytanie, A nawet gdyby były, to być może nie mają ochoty sprzedawać się dla was. Mężczyźni zamilkli zdenerwowani, wiedząc, że tylko jedna odpowiedź zadowoliłaby rozjuszone wiedźmy, a brzmiałaby ona, Tak, jeśli zażądają mężczyzn, na pewno pójdziemy, ale oczywiście żaden z nich nie miał odwagi rzucić wszem i wobec tak jednoznacznej obietnicy. Z przejęcia zapomnieli, że w rzeczywistości nie groziło im żadne niebezpieczeństwo i niewiele by ryzykowali, ponieważ te skurwysyny wolały zadawać się z kobietami, a nie z mężczyznami.

Prawdopodobnie obie strony w tym momencie pomyślały o tym samym, gdyż trudno inaczej wytłumaczyć ciszę, jaka zapanowała w sali, gdzie toczyła się dyskusja. Kobiety zdały sobie sprawę, że zwycięstwo w słownych potyczkach w rzeczywistości oznaczało klęskę. Identyczny przebieg miały rozmowy w innych salach, wiadomo, że ludzkim umysłem kierują podobne mechanizmy, zarówno dobre, jak i złe. Ostateczna decyzja zapadła po słowach pewnej pięćdziesięcioletniej kobiety, którą przywieziono tu z jej starą matką i która wiedziała, że nie zdoła jej inaczej zapewnić pożywienia. Ja pójdę, powiedziała, nie wiedząc, że równocześnie te same słowa padły w pierwszej sali z ust żony lekarza. Jej decyzja nie wywołała gwałtownych protestów ze strony nielicznych kobiet, były tam tylko dziewczyna w ciemnych okularach, żona pierwszego ślepca, pielęgniarka z gabinetu okulistycznego i pokojówka z hotelu, nie licząc nieznajomej, która robiła wrażenie tak nieszczęśliwej i załamanej, że nikt nie brał jej pod uwagę. Z kobiecej solidarności nie musieli korzystać wyłącznie mężczyźni. Pierwszy ślepiec od razu zaprotestował, że nie zgadza się, by jego żona uczestniczyła w tym upokarzającym procederze handlu żywym towarem, nie bacząc na wysokość zapłaty, ani ona nie ma na to ochoty, ani on na to nie pozwoli, gdyż ludzka godność nie ma ceny. Ulegając w drobnych sprawach, w końcu traci się sens życia, zakończył. Lekarz spytał, jaki według niego sens ma życie w obecnych warunkach, kiedy wszyscy chodzą głodni, umazani od stóp do głów gównem, śpią na zapchlonych i zapluskwionych łóżkach i gryzą ich wszy. Ja też nie chcę posyłać mojej żony, ale to nie ma znaczenia, szanuję jej wolę, choć cierpi na tym moja męska duma, a raczej to, co z niej zostało po tych wszystkich upokorzeniach, wiem, że będzie cierpiała, ale ona już cierpi i nic na to nie poradzę, to jedyny sposób, by uchronić nas od śmierci głodowej, Każdy postępuje zgodnie z własnym sumieniem i nie zmienię swojej decyzji, odparł ze złością pierwszy ślepiec. Wtedy odezwała się dziewczyna w ciemnych okularach, Nikt dokładnie nie wie, ile kobiet jest w każdej sali, więc może pan zachować żonę dla siebie, ale ciekawa jestem, jak zareaguje pańskie sumienie, gdy będzie pan jadł chleb, na który zarobimy naszym ciałem, Pani mnie źle zrozumiała, zaczął tłumaczyć się ślepiec, ale jego słowa zabrzmiały śmiesznie, jak puste frazesy, deklaracje niepasujące do okoliczności, opinie należące już do innego świata. Po chwili sam pojął, że powinien zapomnieć o swych mądrościach, wznieść ręce do nieba i dziękować losowi, że ma żonę, która uchroni go od kłopotliwej sytuacji, w której zmuszony byłby żyć kosztem innych kobiet, a przede wszystkim kosztem żony lekarza. Nie brał pod uwagę dziewczyny w ciemnych okularach, gdyż nie tylko była panną, ale jak wiemy, prowadziła nader swobodny tryb życia, pozostałe kobiety też nie miały stałych partnerów. Zapadła cisza, wszyscy czekali na słowa, które rozwieją wszelkie wątpliwości, słowa, które mogły paść z ust tylko jednej osoby, a była nią żona pierwszego ślepca. Tak też się stało. Nie jestem ani gorsza, ani lepsza od innych, odezwała się cicho, I zrobię to, co do mnie należy, Zrobisz, co ja ci każę, przerwał jej mąż, Daj spokój, możesz się wściekać, ale to nic nie da, jesteś tak samo ślepy jak inni, To niemoralne, Zachowaj sobie swoją moralność, ale pamiętaj, że wtedy nie będziesz jadł, padła niespodziewana odpowiedź z ust tej słodkiej i uległej dotąd kobiety. Nagle usłyszeli nieprzyjemny, ochrypły śmiech pokojówki, Nie ma obawy, będzie jadł, co ma biedak zrobić. Po chwili jej śmiech zamienił się w płacz, Co my teraz zrobimy, wołała, szlochając, wiedząc, że na to pytanie nie ma odpowiedzi. Co my teraz zrobimy, powtarzała. Żona lekarza spojrzała na wiszące na haku nożyczki, widać było, że bezgłośnie powtarza słowa pokojówki, choć po chwili zadała im inne pytanie, Co chcecie ze mną zrobić.

Jednak na wszystko przychodzi odpowiedni czas, czyli, jak mówią, co ma wisieć, nie utonie. Bandyci zdecydowali w końcu, że zaczną od tego, co mają pod nosem, to znaczy od kobiet z sąsiednich sal. Postanowili zastosować zasadę rotacji, określenie ze wszech miar usprawiedliwione, ponieważ miała ona same zalety. Przede wszystkim pozwalała na lepszą kontrolę, wiadomo było, kogo wykorzystano, a kto jeszcze czeka w kolejce, jak w zegarku, który pokazuje nam, ile dnia zostało, co trzeba jeszcze zrobić, co mamy, a czego jeszcze brakuje. Po drugie, zakończenie pierwszej rundy gwarantowało, że to, co znane, nabierało blasku nowości, szczególnie dla osób o słabej pamięci. Z tej przyczyny kobiety w prawym skrzydle mogły przez chwilę odetchnąć, ktoś cierpi, by ktoś mógł się radować. Co prawda żadna z kobiet nie powiedziała tego na głos, ale wszystkie myślały to samo. Jeszcze nie narodziła się istota ludzka pozbawiona egoizmu, nazywanego słusznie drugą skórą człowieka, o wiele grubszą od pierwszej, która przy lada okazji zaczyna krwawić. Co więcej, można było przypuszczać, że zgodnie z ludzką naturą kobiety z prawego skrzydła zdążą wynagrodzić sobie czekające je upokorzenia. W obliczu zbliżających się cierpień obudziły się zmysły, tłumione dotąd przez trudne warunki, mężczyźni w akcie rozpaczy chcieli pozostawić w swych kobietach jakiś ślad siebie, one zaś starały się zapamiętać rozkosze płynące z dobrowolnego oddania się, jakby wykuwały w ten sposób pancerz, który pozwoli im znieść atak nieprzyjaciela. Nasuwa się jednak pytanie, w jaki sposób rozwiązano problem nierównej liczby kobiet i mężczyzn, nawet po odliczeniu niezdolnych do współżycia osobników płci męskiej, jak choćby starego człowieka z czarną opaską i wielu innych anonimowych ślepców, którzy z różnych przyczyn nie odgrywali w naszej relacji żadnej roli. Jak wiemy, w sali znajdowało się siedem kobiet, łącznie z nieznajomą cierpiącą na bezsenność, i tylko dwie pary małżeńskie, co stwarza pokaźną grupę samotnych mężczyzn, oczywiście z pominięciem zezowatego chłopca. Być może w innych salach mieszkało więcej kobiet, ale niepisaną regułą, która wkrótce przekształciła się w żelazną zasadę, było rozwiązywanie wszelkich problemów i potrzeb w obrębie własnej sali. Jak słusznie mawiali nasi przodkowie, których mądrość niestrudzenie będziemy chwalić, Nigdy nie pierz swoich brudów poza domem. Żaden ptak nie kala własnego gniazda. Kobiety z pierwszej sali prawego skrzydła wkrótce zaspokoiły żądze współmieszkańców.

Wyjątek stanowiła żona lekarza, której, nie bardzo wiadomo dlaczego, nikt nie odważył się słowem lub gestem złożyć propozycji spędzenia wspólnej nocy. Nawet żona pierwszego ślepca, która zrobiła pierwszy krok ku niezależności, nieoczekiwanie przeciwstawiając się mężowi, dyskretnie poszła w ślady innych pań. Czasem jednak zdarza się upór, którego ani siłą, ani po dobroci nie da się złamać, czego przykładem dziewczyna w ciemnych okularach, którą bezskutecznie próbował uwieść pomocnik aptekarza. Im bardziej był natarczywy, tym większy stawiała opór. W ten sposób zapłacił za swą wcześniejszą grubiańską uwagę. Ale ta sama dziewczyna, najpiękniejsza ze wszystkich kobiet znajdujących się w szpitalu, właścicielka boskiego, najbardziej powabnego ciała, przynajmniej według znawców przedmiotu, owej nocy, z własnej, nieprzymuszonej woli położyła się obok starego człowieka z czarną opaską, który przyjął ją jak letni deszcz i spełnił swój obowiązek jak mógł najlepiej, a nawet całkiem nieźle jak na swój wiek, dowodząc tym samym, jak złudne bywają pozory i że nie gładka twarz oraz giętkie ciało stanowią o mocy serca. Mieszkańcy sali byli przekonani, że dziewczyna w ciemnych okularach oddała się staremu człowiekowi z litości, ale kilku bardziej wrażliwych mężczyzn, którzy wcześniej cieszyli się jej względami, wzdychało z zazdrości. Uważali, że nie ma na świecie lepszej nagrody, niż leżeć samotnie w łóżku, oddając się marzeniom, i nagle poczuć, że ktoś podnosi kołdrę, powoli wślizguje się do łóżka i przywiera całym ciałem w nadziei, że wybuch żądz ukoi nagłe drżenie rozpalonej skóry. I to wszystko dostało się komuś za darmo, ot po prostu, bo miała taki kaprys. Okazuje się, że wystarczy być starym i nosić opaskę na pustym oczodole. Widocznie są sprawy, których nie da się wytłumaczyć, nie warto wnikać w ludzkie myśli i uczucia, a postępować tak jak żona lekarza, która wstała, by otulić kołdrą zezowatego chłopca. Nie wróciła jednak do łóżka, stanęła w wąskim przejściu między dwoma rzędami obskurnych łóżek i z rozpaczą wpatrywała się w przeciwległe drzwi, te same, przez które weszła tu dawno temu, a które teraz prowadziły donikąd. Kiedy tak stoi, widzi, że jej mąż nagle wstaje i z szeroko otwartymi oczami podchodzi do łóżka dziewczyny w ciemnych okularach. Nie ruszyła się, by go powstrzymać, widziała, jak wsuwa się pod kołdrę, nie napotykając oporu, patrzyła, jak dwie twarze szukają swych ust, była świadkiem ich rozkoszy, męża, dziewczyny, ich wspólnej rozkoszy, przysłuchiwała się stłumionym szeptom, słyszała słowa dziewczyny, Och, panie doktorze, które nie brzmiały wcale śmiesznie, słyszała jego odpowiedź, Przepraszam, nie wiem, co mi się stało. Jeśli ów człowiek nie umiał odpowiedzieć sobie na to pytanie, to co dopiero my, świadkowie tej sceny. Leżeli ściśnięci na wąskim łóżku, nie zdając sobie sprawy, że ktoś ich obserwuje, choć lekarz nagle się zaniepokoił, czy aby jego żona na pewno śpi, a może snuje się po korytarzach, jak to ma w zwyczaju. Poruszył się, jakby chciał wstać, ale czyjś głos go zatrzymał, Nie odchodź, po czym szczupła ręka jak ptak opadła mu na piersi. Lekarz chciał otworzyć usta, by raz jeszcze się usprawiedliwić, ale cichy głos znów mu przerwał, Zrozumiem więcej, jeśli nic nie powiesz. Dziewczyna w ciemnych okularach zaczęła cicho płakać, Co się z nami stało, po czym dodała szeptem, Ja też tego chciałam, nie jest pan niczemu winien. Uciszcie się, odezwała się nagle żona lekarza, Przestańmy wreszcie mówić, są chwile, kiedy słowa nic nie znaczą, ile bym dała, żeby też móc zapłakać, wykrzyczeć z siebie wszystko, nie otwierać ust i być rozumianą.

Usiadła na brzegu łóżka, objęła leżące ciała, jakby chciała złączyć je w jedno, i przytuliwszy się do dziewczyny w ciemnych okularach, szepnęła jej do ucha, Ja widzę. Dziewczyna nawet nie drgnęła, leżała nieruchomo, nie okazując najmniejszego zdziwienia, jakby przeczuwała to od pierwszego dnia, ale bała się wyjawić głośno tę wielką tajemnicę. Zwróciła głowę w stronę żony lekarza i równie cicho szepnęła jej do ucha, Mam wrażenie, że wiem to od dawna, nie wiem skąd, ale wiem, Nie mów nikomu, Niech się pani nie obawia, Ufam ci, Nie zawiodę pani, wolałabym umrzeć, niż oszukać panią, Mów mi po imieniu, Nie potrafię. Szeptały przez dłuższą chwilę, dotykając ustami swych włosów, płatków uszu, przytulone do siebie jak przyjaciółki, prowadząc z pozoru błahą, ale jednak bardzo poważną rozmowę, jeśli w ogóle można połączyć te dwa przeciwstawne określenia. Przypominało to raczej pogawędkę przyjaciółek przy kawie. Zachowywały się tak, jakby nie było pomiędzy nimi mężczyzny, jakby ich rozmowa podlegała tajemnej logice nie z tego świata. Po chwili żona lekarza zwróciła się do męża, Jeśli chcesz, możesz tu zostać, Nie, wracam do naszego łóżka, Pomogę ci. Wstała, uwalniając go od ciężaru swego ciała, spojrzała na głowy niewidomych spoczywające obok siebie na poplamionej poduszce, dwie brudne twarze otoczone skołtunionymi włosami. Tylko ich oczy bezużytecznie błyszczały czystym blaskiem. Lekarz usiadł ostrożnie, szukając oparcia, po czym zatrzymał się niezdecydowany, jakby nagle zapomniał, dokąd ma iść. Jednak od razu znalazła się opiekuńcza dłoń żony, która jak zawsze pewnie chwyciła go za ramię, choć tym razem w znajomym geście odkrył coś nowego, nigdy przedtem nie czuł takiej potrzeby wsparcia. Chciał, by ktoś wskazywał mu drogę, a wiedział, że mogą to uczynić tylko te dwie kobiety. Żona lekarza dotknęła twarzy dziewczyny, ta chwyciła jej dłoń i przycisnęła ją do ust. Lekarzowi zdawało się, że słyszy czyjś tłumiony, niemy szloch, jakby dwie wstydliwe łzy spłynęły komuś po policzkach i zagnieździły się w kącikach ust, po raz kolejny podejmując trud niekończącej się wędrówki śladem ludzkich smutków i radości. Tym razem nie jemu, lecz dziewczynie w ciemnych okularach należały się słowa otuchy, to ona miała zostać sama, dlatego dłoń starszej kobiety tak długo spoczywała na jej twarzy.

Następnego dnia podczas kolacji, o ile parę nędznych kromek czerstwego chleba i trochę nieświeżego mięsa można nazwać kolacją, w drzwiach stanęło trzech bandytów z lewego skrzydła. Ile macie kobiet, spytał jeden z nich, Sześć, odparła żona lekarza, celowo pomijając kobietę cierpiącą na bezsenność, Siedem, sprostował stłumiony kobiecy głos. Mężczyźni zaczęli się śmiać, Do diabła, będziecie miały dużo roboty tej nocy, powiedział jeden z nich, a drugi dodał, Może poszukać jeszcze kobiet w innych salach, Nie ma potrzeby, odezwał się trzeci, Na jedną przypada trzech, na pewno wytrzymają, jak widać był mocny w rachunkach. Znowu zarechotali, po czym ten sam głos, który spytał, ile jest kobiet, rozkazał, Macie przyjść zaraz po kolacji, oczywiście jeśli same chcecie się najeść i nakarmić swoich chłopów. To samo powtarzali we wszystkich salach, zadowoleni ze swego dowcipu. Skręcali się ze śmiechu, tupali nogami, uderzali o podłogę grubymi prętami. Nagle jeden z bandytów przypomniał sobie coś ważnego i dodał, Ale nie chcemy żadnej z okresem, te zostawimy sobie na później, Żadna nie ma okresu, uspokoiła ich żona lekarza, No to szykujcie się. I zniknęli w korytarzu. W sali zapadła cisza, którą przerwała żona pierwszego ślepca, Nie mam apetytu. Nie była w stanie przełknąć nawet kęsa nędznej kromki, którą trzymała w ręku. Ja też, powtórzyła za nią kobieta cierpiąca na bezsenność, I ja, odezwała się nieznajoma, Ja już skończyłam, powiedziała pokojówka, Ja też, oznajmiła pielęgniarka, Słowo daję, wyrzygam się na łóżko pierwszego drania, który się do mnie zbliży, wycedziła przez zęby dziewczyna w ciemnych okularach. Żona lekarza podniosła się i powiedziała, Chodźmy. Pierwszy ślepiec schował głowę pod kołdrę, jakby szukał tam prawdziwej ciemności, która go oślepi. Lekarz podszedł do żony i szybko pocałował ją w czoło, cóż więcej mógł, inni mężczyźni nie ruszyli się z miejsca, bo i po co, nie mieli wśród kobiet nikogo bliskiego, dlatego nie dotyczyło ich znane powiedzenie, że rogacz, który pozwala na zdradę, jest podwójnym rogaczem. Dziewczyna w ciemnych okularach położyła rękę na ramieniu żony lekarza, za nią stanęła pokojówka z hotelu, potem żona pierwszego ślepca, za nimi pielęgniarka, nieznajoma i kobieta cierpiąca na bezsenność. Wyglądały groteskowo, brudne postacie w cuchnących ubraniach, aż trudno uwierzyć, że człowiek może tak szybko zmienić się w zwierzę i pozwala, by żądza zagłuszyła najdelikatniejszy ze zmysłów, powonienie. Nie bez powodu teologowie, choć używając innych określeń, mówią, że najgorszą rzeczą w piekle jest smród. Kierowane przez żonę lekarza kobiety powoli ruszyły korytarzem. Wszystkie zostawiły buty w sali w obawie, że zgubią je w ogólnym zamieszaniu. Kiedy przechodziły przez hol, żona lekarza wyjrzała na dwór, by sprawdzić, czy świat jeszcze istnieje. Chłodne powietrze wystraszyło pokojówkę z hotelu, która przypomniała, Nie możemy wychodzić, tam są żołnierze, Byłoby lepiej, gdyby nas zastrzelili, przynajmniej zginęłybyśmy od razu, Dawno powinnyśmy były umrzeć, odezwała się kobieta cierpiąca na bezsenność, Mówi pani o nas, spytała pielęgniarka, Nie, o wszystkich kobietach w szpitalu, wreszcie stałybyśmy się naprawdę ślepe. Po raz pierwszy wypowiedziała tak długie zdanie. Żona lekarza rzuciła pospiesznie, Chodźmy, nie ma czasu, kto ma umrzeć, ten umrze, śmierć nie wybiera. Weszły do lewego skrzydła, po czym gęsiego ruszyły wąskim korytarzem. Mijając dwie kolejne sale, widziały wystraszone, skulone na swoich łóżkach kobiety, na pewno żadna z nich nie miała ochoty podzielić się z nimi wrażeniami z poprzedniej nocy. Mężczyźni siedzieli w milczeniu, bezradni, gdyż każda próba zbliżenia się do kobiet lub ich dotknięcia wywoływała histerię.

W głębi ostatniego korytarza żona lekarza ujrzała ślepca stojącego jak zwykle na straży. Kiedy usłyszał szuranie, zawołał, Już idą. Już idą. Z wnętrza sali dały się słyszeć okrzyki, śmiech, wrzaski. Czterech ślepców sprawnie odsunęło łóżko barykadujące wejście, Pospieszcie się, dziewczynki, wchodźcie, wchodźcie, czekają tu na was prawdziwe ogiery, nie wyjdziecie stąd nienasycone, powiedział chełpliwie jeden z nich. Okrążyli kobiety i zaczęli je obmacywać, ale nagle rozstąpili się przed hersztem bandy, który potrząsając pistoletem, krzyknął, Ja wybieram pierwszy. Mężczyźni na próżno wpatrywali się w twarze kobiet, wyciągali ręce, próbując dotknąć ich ciał, by przynajmniej wyobrazić sobie, na co patrzą, podczas gdy one stały nieruchomo w przejściu między łóżkami, jak żołnierze podczas parady w oczekiwaniu na inspekcję. Herszt bandytów, wciąż trzymając pistolet, poruszał się tak sprawnie, jakby naprawdę widział. Dotknął kobiety cierpiącej na bezsenność, która stała najbliżej, zaczął obmacywać ją z przodu i z tyłu, chwycił za pośladki, piersi, wsunął rękę między nogi. Kobieta krzyknęła, ale on odepchnął ją na bok. Nic niewarta dziwka, po czym podszedł do stojącej obok nieznajomej, włożył pistolet do kieszeni i dokładnie obmacał ją obiema rękami, Ta całkiem niezła, stwierdził i w pośpiechu przystąpił do obmacywania żony pierwszego ślepca, następnie zaczął macać pokojówkę z hotelu. Chłopaki, one są całkiem niezłe, zawołał z uznaniem. Bandyci ożywili się, z radości uderzając prętami o podłogę. Zabierajmy się do roboty, bo robi się późno, zaczęli się niecierpliwić. Spokój, rozkazał herszt, Najpierw muszę wszystkie sprawdzić. Kiedy dotknął dziewczyny w ciemnych okularach, zagwizdał, No, no, ale mamy szczęście, takiej sztuki jeszcze nie było. Podniecony, jedną ręką nadal obmacywał dziewczynę, drugą wyciągnął w stronę żony lekarza. Znów zagwizdał, Dorodna, dojrzała klacz. Przygarnął do siebie obie kobiety i zawołał, z trudem powstrzymując podniecenie, Biorę obydwie, potem wy możecie je sobie wziąć. Zaciągnął je na koniec sali, gdzie piętrzyły się kartony, paczki i puszki z żywnością, było tu tyle tego, że starczyłoby dla całego pułku. Rozległy się pierwsze krzyki kobiet, słychać było odgłosy szturchańców, bicia, padały rozkazy, Zamknij się, ścierwo, wszystkie jesteście takie same, umiecie się tylko drzeć, Daj jej popalić, to się przymknie, Niech ją tylko dostanę w swoje ręce, będzie błagać o litość, Szybciej, bo nie wytrzymam. Kobieta cierpiąca na bezsenność wyła z bólu, przygnieciona cielskiem jednego z bandytów. Inni z opuszczonymi spodniami przepychali się i kłócili o cztery pozostałe kobiety, wyglądali jak hieny żerujące na padlinie. Żona lekarza stała obok pryczy, gdzie zaciągnął ją herszt bandy. Rozpaczliwie ściskała rękami poręcz łóżka, patrzyła, jak ślepiec gwałtownie zdziera z dziewczyny w ciemnych okularach spódnicę, po omacku spuszcza spodnie i pomagając sobie ręką, gwałtownie wpycha członek między jej nogi, słyszała jego charczenie, przekleństwa. Dziewczyna w ciemnych okularach miała zaciśnięte usta, które otworzyła tylko po to, by zwymiotować na bok. Ślepiec był tak podniecony, że nie zwrócił nawet uwagi na to, co się stało, poza tym zapach wymiocin czuć tylko wtedy, gdy wokół jest czyste powietrze. Wreszcie jęknął trzy razy, poruszając ciałem, jakby wbijał gwóźdź w twardą ścianę, po czym wstrząsnął nim dreszcz i wydał z siebie ostatni, stłumiony okrzyk. Było po wszystkim. Dziewczyna w ciemnych okularach płakała bezgłośnie, ślepiec wyjął członek, z którego skapywały resztki spermy, i zdyszanym głosem zwrócił się do żony lekarza, Nie bądź zazdrosna, zaraz się tobą zajmę, po czym krzyknął w stronę kolegów, Hej, chłopaki, jedną możecie już zabrać, ale traktujcie ją dobrze, bo jeszcze do niej wrócę. Sześciu ślepców, potykając się, wybiegło na środek sali, chwycili dziewczynę i przepychając się, zaczęli ją sobie z rąk wyrywać, Najpierw ja, Nie, ja, przekrzykiwali się. Człowiek z pistoletem usiadł na łóżku, jego członek zwisał między nogami, spodnie opadły na ziemię. Uklęknij i weź w usta, rozkazał, Nie wezmę, odparła żona lekarza, Zrobisz, co każę, albo cię zbiję i nie dam żarcia twoim ludziom, Nie boisz się, że ci go odgryzę, spytała spokojnie, Spróbuj tylko, trzymam cię za szyję i uduszę, zanim cokolwiek zrobisz, odparł, a po chwili namysłu dodał, Poznaję twój głos, A ja twoją twarz, Przecież jesteś ślepa, nic nie widzisz, Owszem, To dlaczego kłamiesz, Nie kłamię, po prostu ten głos może mieć tylko taką twarz, Rób, co każę, i nie gadaj, Nie, Chcesz, żeby ludzie z twojej sali nie dostali więcej ani jednej kromki chleba, no to idź, powiedz im, że nie będą jeść, bo mi nie chciałaś obciągać druta, a potem wróć i opowiedz, jak na to zareagowali.

Żona lekarza pochyliła się i końcami palców prawej ręki podniosła lepki członek mężczyzny, lewą dłoń opierając o podłogę. Po chwili wolną ręką ostrożnie zaczęła obmacywać jego spodnie, aż natknęła się na twardy, zimny, metalowy przedmiot. Mogłabym go teraz zabić, pomyślała, ale było to niemożliwe, wiedziała, że nie zdoła wydobyć pistoletu ze zwiniętych spodni. Może nadarzy się jeszcze okazja. Pochyliła głowę, z zamkniętymi oczami wzięła członek w usta i zaczęła ssać.

Bandyci puścili je dopiero o świcie. Kobietę cierpiącą na bezsenność musiały wynieść, chociaż same z trudem trzymały się na nogach. Przez całą noc przechodziły z rąk do rąk, z jednego upokorzenia w drugie, od gwałtu do gwałtu, wytrzymując to wszystko, co tylko zdoła wytrzymać kobiece ciało. Wiecie już, że każdej sali płacimy jednym rodzajem towaru, powiedzcie swoim chłopakom, że mogą przyjść po zupy w proszku, rzucił im na pożegnanie herszt bandy i dodał, rechocząc ochryple, Do zobaczenia, panienki, przygotujcie się na następną randkę. Towarzyszył mu zgodny chór pozostałych bandytów, Do zobaczenia, wołali, jedni nazywali je dziewczynkami, inni dziwkami, a w ich znużonych głosach wyczuwało się wyczerpanie nocnymi ekscesami. Głuche na obelgi, nieme i ślepe kobiety szły, potykając się, ściskając się za ręce, zamiast położyć dłonie na ramieniu sąsiadki, choć gdyby ktoś je teraz spytał, Dlaczego trzymacie się za ręce, żadna nie potrafiłaby odpowiedzieć. Są gesty, których nie da się wyjaśnić. Kiedy przechodziły obok głównego wejścia, żona lekarza wyjrzała na dwór. Przy ogrodzeniu stali żołnierze, przyjechała ciężarówka, pewnie przywieźli jedzenie dla internowanych. W tej samej chwili kobieta cierpiąca na bezsenność runęła na podłogę, jakby jakaś nieznana siła zwaliła ją z nóg i zatrzymała jej serce, przerywając jego kolejny skurcz. Teraz wiemy, dlaczego spędziła tyle bezsennych nocy, wreszcie będzie mogła spokojnie zasnąć i nikt jej nie obudzi. Nie żyje, powiedziała żona lekarza, jej głos zabrzmiał dziwnie bezbarwnie i obojętnie, jakby wypowiadane przez nią słowa, mimo iż płynęły z żywych ust, były równie martwe jak leżąca kobieta. Próbowała objąć i podnieść bezwładne ciało, patrzyła na zakrwawione nogi, posiniaczony brzuch, obwisłe piersi ze śladami ślepej żądzy, pogryzione ramiona. Oto mój własny portret, nasz wspólny portret, tak wyglądamy, nosimy te same ślady przegranej, choć między nami a tą sponiewieraną kobietą jest pewna różnica, ona jest martwa, my jeszcze żyjemy, myślała zrozpaczona. Dokąd ją zabierzemy, spytała dziewczyna w ciemnych okularach, Najpierw do sali, ale potem musimy ją pogrzebać, odparła żona lekarza.

W drzwiach czekali już mężczyźni, brakowało jedynie pierwszego ślepca, który słysząc powracające kobiety, znów ukrył się pod kołdrą, oraz zezowatego chłopca, który jeszcze spał. Żona lekarza szybko i sprawnie, bez zbędnego liczenia łóżek, położyła na pryczy ciało martwej kobiety. Nie obchodziło jej teraz, że inni mogą coś podejrzewać, przecież cieszyła się sławą najbardziej rozgarniętej niewidomej wśród internowanych. Nie żyje, powtórzyła, Jak to się stało, spytał lekarz, ale jego żona nie odpowiedziała, bo pytanie to dotyczyło nie tylko sposobu, w jaki umarła kobieta, ale tego, co jej zrobili. A na żadne z tych pytań nie chciała odpowiadać, cokolwiek oznaczały, nie należało na nie odpowiadać. Po prostu umarła i tyle, nieważne jak, na co, po co, i tak nikomu się to nie przyda, z czasem wszyscy zapomną. Wystarczy jedno słowo, umarła, żeby zrozumieć, że nie jesteśmy już tymi samymi kobietami, które wyszły stąd wczoraj wieczorem, myślimy i mówimy inaczej, a reszta niech pozostanie milczeniem, to wszystko. Idźcie po jedzenie, powiedziała głośno. Przypadek, ślepy los, przeznaczenie, fatum, jakkolwiek byśmy nazwali niezbadane koleje ludzkiego żywota, wszystko to jest czystym absurdem, jakże bowiem inaczej wytłumaczyć fakt, że po zapłatę za nocną pracę kobiet poszli jedyni żonaci mężczyźni z sali. Czy ktokolwiek mógł przypuszczać, że przyjdzie im zapłacić aż tak wysoką cenę. Równie dobrze tej nieszczęsnej misji mogli podjąć się wolni mężczyźni, kawalerowie, którzy nie musieli bronić honoru żon. Jednak nikt nie spieszył się z wyciągnięciem ręki po jałmużnę od bandytów, którzy zgwałcili kobiety, ani wolni, ani żonaci mieszkańcy sali. Dał temu wyraz pierwszy ślepiec, który kategorycznie odmówił odebrania zapłaty. Kto chce, niech idzie, ja się stąd nie ruszę. Ja pójdę, westchnął lekarz, Idę z panem, odezwał się stary człowiek z czarną opaską na oku, Wątpię, by nam dużo dali, ale tak zdobyty chleb dużo waży, Mam jeszcze siłę, by unieść parę bochenków chleba, odparł lekarz, Niech pan nie zapomina, że darowane jedzenie ciąży, Trudno, niech moją zapłatą będzie ból, który znoszę, widząc cierpienie innych. Wyobraźmy sobie tych dwóch mężczyzn, starczyło im jeszcze sił, by znieść ciężar tych straszliwych słów. Stali naprzeciw siebie, twarzą w twarz, jakby na siebie patrzyli, co, jak wiemy, było niemożliwe. Wystarczyło jednak, by siłą wyobraźni każdy z nich wywołał ze świetlistej bieli kształt ust rozmówcy, a potem, wokół tego pulsującego punktu, wydobył z jasności resztę twarzy, choć łatwiejsze zadanie miał lekarz, gdyż przed utratą wzroku był zdrowy, nie to co stary człowiek z czarną opaską na oku, który już wcześniej był na poły ślepy i nie zdołał zachować w sobie wyraźnego obrazu rzeczywistości. Obaj zniknęli w korytarzu, by odebrać zapłatę, która, jak podkreślał pierwszy ślepiec, naznaczona była piętnem hańby. Żona lekarza kazała kobietom zostać w sali, po czym wybiegła na zewnątrz, w poszukiwaniu wiadra lub innego naczynia, choć nie miała pojęcia, gdzie go szukać. Potrzebowała wody, nieważne, brudnej czy czystej, musiała znaleźć wodę, by zmyć z ciała zmarłej kobiety ślady jej krwi i cudzej spermy, by tak oczyszczoną oddać matce ziemi, choć w głębi duszy wątpiła, czy można się umyć w tej wielkiej cuchnącej kloace. Tylko dusza pozostaje poza zasięgiem brudu i gnoju.

Na długich ławach w jadalni leżeli ślepcy. Z niedokręconego kranu w zlewie na stertę odpadków lała się strużka wody. Żona lekarza rozejrzała się wokół, szukając wiadra lub naczynia, ale nic nie znalazła. Jeden ze ślepców poruszył się niespokojnie i spytał, Kto tu jest. Nie odpowiedziała, wiedząc, że nie może liczyć na ciepłe przyjęcie i przyjazne słowa, nikt nie powie, Chcesz wody, weź, dla umycia zmarłej, to weź wszystko, do ostatniej kropli. Podłoga była usłana plastikowymi torbami, w których przedtem znajdowało się jedzenie, niektóre były bardzo duże, choć pewnie podziurawione. Pomyślała jednak, że może ich użyć zamiast wiadra, wkładając kilka toreb w jedną, by nie zmarnować ani kropli wody. Musiała się spieszyć, ślepcy powstawali z ław i pytali zaniepokojeni, Kto tu jest. Słysząc plusk wody, zdenerwowali się jeszcze bardziej i zaczęli iść w stronę zlewu. By ich powstrzymać, żona lekarza odgrodziła się stołem. Worek napełniał się powoli, więc drżącymi rękami spróbowała mocniej odkręcić kran. Nagle trysnął silny strumień, jakby uwolniły się pokłady życiodajnej wody, opryskując ją od stóp do głów. Przerażeni ślepcy cofnęli się, myśląc, że pękła rura, a w przekonaniu tym umocniła ich olbrzymia kałuża, która rozlała się u ich stóp. Nie wiedzieli, że sprawcą tej powodzi jest nieznajoma kobieta, która weszła do sali. Żona lekarza dopiero po chwili zorientowała się, że nie udźwignie takiego ciężaru, lecz nie dała za wygraną, zakręciła brzegi torby, zarzuciła ją sobie na plecy i najszybciej, jak umiała, wycofała się na korytarz.

Kiedy lekarz i stary człowiek z czarną opaską wrócili z posiłkiem, nie mogli zobaczyć sześciu nagich kobiet i siódmego ciała spoczywającego na łóżku, ciała, które prawdopodobnie za życia nie było takie czyste. Żona lekarza starannie umyła po kolei wszystkie kobiety, po czym obmyła się sama.

nerwowo przestępując z nogi na nogę, wyglądali jak marionetki poruszane sznurkami. Poznała ich, wszyscy trzej zgwałcili ją tamtej nocy. W końcu któryś walnął prętem o podłogę i powiedział, No, czas na nas. Słychać było, jak szli, postukując prętem, i krzyczeli, Z drogi, rozejść się, z drogi. Ich głosy oddalały się, aż wreszcie ucichły i zaległa cisza. Po chwili dobiegł głuchy szloch z drugiej sali. Bandyci zawiadamiali kobiety, że mają się u nich stawić po kolacji. Znów rozległo się stukanie o podłogę, Rozejść się, rozejść się, słychać było ostrzegawcze głosy trzech ślepców. Po chwili mignęli w drzwiach i znikli w głębi korytarza.

Kiedy złodzieje zatrzymali się w drzwiach pierwszej sali, żona lekarza właśnie opowiadała zezowatemu chłopcu bajkę, gdy odeszli, zwróciła się do malca, Potem ci dokończę, podniosła się i bezszelestnie zdjęła z gwoździa nożyczki. Nikt z sali nie zapytał, dlaczego z taką pogardą wyraziła się o zmarłej kobiecie, która cierpiała na bezsenność. Włożyła buty i szepnęła do męża, Zaraz wracam. Wychodząc, przystanęła w drzwiach i zaczęła nasłuchiwać. Po dziesięciu minutach na korytarzu pojawiły się kobiety z drugiej sali. Było ich piętnaście, niektóre płakały, nie szły gęsiego, lecz grupkami, trzymając się sznura splecionego z podartego koca. Kiedy przeszły, żona lekarza dołączyła do nich niezauważona, nie zorientowały się, że jest ich teraz więcej. Wiedziały, co je czeka, po szpitalu krążyły opowieści o orgiach urządzanych w sali bandytów. Były przygotowane na najgorsze, czuły, że świat znów zmienił się w chaos. Nie bały się gwałtu, dręczyło je samo oczekiwanie straszliwej nocy. Oczami wyobraźni widziały piętnaście bezbronnych kobiet leżących na łóżkach i na ziemi, przyjmujących kolejnych mężczyzn, którzy bez skrępowania dawali upust swym chuciom. Najbardziej lękały się jednak tego, że sprawi im to przyjemność. Kiedy znalazły się w wąskim korytarzu prowadzącym do sali bandytów, strażnik zawołał, Już je słyszę, idą, idą. Znów odsunęli łóżko zagradzające wejście i po kolei wpuszczali przerażone kobiety. Ale ich dużo, zawołał ślepy księgowy, nie przerywając liczenia. Był coraz bardziej podniecony, Jedenaście, dwanaście, trzynaście, czternaście, piętnaście, piętnaście, piętnaście, mamy piętnaście kobiet. Poszedł za ostatnią i wsunął jej drżące ręce pod spódnicę. Ta już piszczy z uciechy, jest moja, moja, powtarzał zdławionym od żądzy głosem. Dawno zrezygnowali z oceny wdzięków kobiet. Doszli do wniosku, że nie warto tracić czasu, gdyż i tak wszystkie czekał ten sam los. Poza tym przedłużające się oględziny, mierzenie wzrostu, obwodu biustu i bioder chłodziły pożądanie. Już je rozbierali, już wlekli do łóżek, zdzierając z nich ubranie. Wkrótce rozległy się jęki i płacz, błagania, prośby, a jeśli padały odpowiedzi, zwykle były podobne i sprowadzały się do następujących słów, Jeśli chcesz jeść, rozchyl nogi, i kobiety rozchylały nogi, niektóre musiały rozchylać również usta, tak jak ta, klęcząca między nogami herszta, która nie mogła już mówić. Żona lekarza bezszelestnie wślizgnęła się do sali i przecisnęła między łóżkami. Nie musiała wykazywać szczególnej ostrożności. Nawet gdyby tupała, to w całym tym zamieszaniu nikt by jej nie usłyszał, a w najgorszym razie uznaliby ją za jedną z przybyłych kobiet i musiałaby dołączyć do reszty. W ogólnym podnieceniu nikt nie zwróciłby uwagi, czy jest ich piętnaście, czy szesnaście.

Herszt bandy nadal zajmował łóżko na końcu sali, gdzie piętrzyły się kartony z jedzeniem. Sąsiednie prycze zostały odsunięte, by nikt go nie krępował, by nie musiał potykać się o ciała innych mężczyzn. Pójdzie jak z płatka, pomyślała żona lekarza. Szła wolno między łóżkami, nie spuszczając oczu z człowieka, którego zamierzała zabić. Klęcząca przed nim ślepa kobieta nie przerywała żmudnej pracy. Widziała, jak z rozkoszą odchyla głowę do tyłu, jakby dobrowolnie ofiarowywał jej swoją szyję. Ostrożnie obeszła jego łóżko dookoła i stanęła z tyłu. Podniesiona ręka trzymała lekko rozchylone nożyczki, tak by ostre końce wbiły się w ciało jak dwa sztylety. W tej samej chwili herszt bandy zdał sobie sprawę z czyjejś obecności, lecz było już za późno, rozkosz przeniosła go w inny wymiar, pozbawiając władzy nad ciałem. Nie pozwolę mu cieszyć się do końca, pomyślała żona lekarza i z mocą wbiła mu nożyczki w gardło, kręcąc ostrymi końcami, które przecinały kolejne warstwy ciała i chrząstki, aż napotkały na opór kręgów szyjnych. Nikt nie zwrócił uwagi na stłumiony krzyk, który równie dobrze mógł być zwierzęcym rykiem przeżywającego orgazm samca. Podobne odgłosy rozlegały się w całej sali i być może rzeczywiście nasienie złodzieja wypełniło usta ślepej kobiety w tej samej chwili, gdy jego twarz zalała się krwią. Dopiero krzyk kobiety obudził podejrzenia, w tej dziedzinie ślepcy mieli rozległą wiedzę. Kobieta krzyczała przerażona, nie mogąc zrozumieć, skąd spływa na nią krew. Bała się, że niechcący odgryzła mu członek. Ślepcy porzucili swoje ofiary i po omacku zbliżyli się do łóżka swojego herszta. Co się dzieje, dlaczego tak wrzeszczysz, pytali zdezorientowani, ale klęcząca kobieta nie zdążyła odpowiedzieć, gdyż czyjaś ręka zakryła jej usta, a nieznajomy głos szepnął, Nic nie mów. Potem poczuła, że ktoś delikatnie odciąga ją do tyłu. Znów usłyszała kobiecy szept, Nic nie mów, i mimo tych przerażających okoliczności kobieta uspokoiła się. Jako pierwszy dotknął leżącego niewidomy księgowy. Jego sprawne ręce przebiegły po ciele. Nie żyje, zawołał po chwili. Głowa człowieka z pistoletem zwisała z łóżka, krew wciąż wyciekała z rany, tworząc ciepłe bąbelki na gardle. Ktoś go zabił, zawołał. Ślepcy stali sparaliżowani, nie mogąc uwierzyć w to, co się stało. Niemożliwe, kto go zabił, Ma na gardle wielką ranę, to pewnie ta dziwka, która z nim była, musimy ją złapać. Walcząc ze strachem, ślepcy wolno rozchodzili się po sali, myśląc tylko o jednym, trzęśli się ze strachu, że natkną się na niewidzialny sztylet, który zabił ich szefa. Nie wiedzieli, że księgowy szybko obmacał kieszenie zabitego i wyjął z nich pistolet oraz plastikowy woreczek z kilkunastoma zwiniętymi banknotami. Pełną napięcia ciszę przerwały nagle krzyki kobiet, które w panice zaczęły uciekać do wyjścia. Przerażone straciły orientację i zapomniawszy, gdzie są drzwi, wpadały na bandytów, ci zaś w przekonaniu, że są atakowani, zaczęli się bronić. Rozpoczęła się szamotanina, panika graniczyła z obłędem. Żona lekarza stała spokojnie na końcu sali, czekając na dogodną chwilę, by się wymknąć. Jedną ręką wciąż mocno trzymała ślepą kobietę, w drugiej ściskała nożyczki, gotowa zadać śmiertelny cios każdemu mężczyźnie, który stanie jej na drodze. Na razie czuła się bezpieczna, ale wiedziała, że nie na długo. Kilka kobiet odnalazło po omacku drzwi, inne starały się wyrwać z rąk oprawców, któraś próbowała udusić jednego z bandytów i powiększyć liczbę ofiar śmiertelnych. Księgowy krzyknął stanowczym głosem, Spokój, cisza, musimy opanować sytuację, i chcąc podkreślić wagę tych słów, wystrzelił w powietrze. Jednak efekt okazał się odwrotny. Bandyci nagle zrozumieli, że pistolet przeszedł w inne ręce i że od tej chwili mają nowego szefa. Zdezorientowani, przestali walczyć, niektórych opuściły siły, jeden z nich uduszony padł na ziemię. Żona lekarza uznała, że to najlepsza chwila na ucieczkę.

Rozdając ciosy na prawo i lewo, sprawnie przedostała się do drzwi. Spychani na boki ślepcy krzyczeli i przewracali się jedni na drugich. Przypadkowy świadek tej sceny uznałby, że wszystko, co stało się wcześniej, było niewinną igraszką w porównaniu z chaosem, jaki teraz zapanował w sali. Żona lekarza nie zamierzała nikogo więcej zabijać, próbowała jedynie wyrwać się stąd, nie zostawiając za sobą żadnej ślepej kobiety. Ten chyba nie przeżyje, pomyślała, wbijając nożyczki w pierś nacierającego bandyty. Znów rozległy się strzały. Szybciej, szybciej, popędzała żona lekarza, popychając przed sobą kilka oszołomionych kobiet. Pomagała im się podnieść, gdy padały, i wciąż nawoływała, Prędzej, prędzej. Księgowy krzyknął z głębi sali, Łapcie je, nie pozwólcie im uciec. Było jednak za późno, wszystkie kobiety wydostały się na korytarz, uciekały po omacku, półnagie, podtrzymując na sobie strzępy ubrań. Żona lekarza zatrzymała się w drzwiach i krzyknęła z furią, Pamiętacie, kiedyś powiedziałam, że nigdy nie zapomnę jego twarzy, waszych też nie zapomnę, Zapłacisz nam za to, wrzasnął niewidomy księgowy, Ty, twoje wspólniczki i ci rogacze w waszych salach, którzy uważają się za mężczyzn, Nie znasz mnie i nie wiesz, gdzie mieszkam, Jesteś z pierwszej sali po tamtej stronie, odezwał się księgowy, Zdradził cię głos, wystarczy, że w mojej obecności piśniesz słówko, a zabiję cię, Tamten mówił to samo i oto jak skończył, Ale mnie nie oślepiła choroba tak jak was, kiedy wy straciliście wzrok, ja już żyłem w świecie ślepców, Nie wiesz, kiedy straciłam wzrok, Mnie nie oszukasz, wiem, że widzisz, Nie bądź taki pewien, może jestem najbardziej ślepa z was wszystkich, zabiłam człowieka i od tej pory, jeśli zajdzie potrzeba, będę zabijać bez wahania, Nie zdążysz, zdechniesz z głodu, od dziś nie dostaniecie ani kromki chleba, nawet gdybyście przyczołgały się tu, skamląc z rozchylonymi nogami jak suki, Za każdy dzień bez jedzenia umrze jeden z twoich ludzi, wystarczy, że odważycie się wychylić nos z sali, Nie uda ci się, Zobaczymy, od dziś my odbieramy żywność, a wy musicie zadowolić się tym, co macie w sali, Ty kurwo, krzyknął księgowy, Nie jestem kurwą, nie ma wśród nas żadnych kurew ani skurwysynów, chyba dobrze wiesz, co to znaczy prawdziwa kurwa i ile taka kosztuje. Rozwścieczony księgowy wystrzelił w kierunku drzwi. Kula przeleciała pomiędzy głowami ślepców, nie raniąc nikogo, i utknęła w ścianie korytarza. Nigdy mnie nie schwytasz, zawołała żona lekarza, I pamiętaj, niedługo skończą ci się naboje, a nie tylko ty chciałbyś tu rządzić.

Zrobiła kilka kroków do tyłu, odwróciła się i prawie nieprzytomna z nadmiaru wrażeń ruszyła korytarzem w stronę prawego skrzydła. W pewnej chwili poczuła, jak uginają się pod nią kolana. Runęła na ziemię, a jej oczy przysłoniła mgła. Tracę wzrok, pomyślała, ale po chwili zrozumiała, że to nie biała choroba, lecz łzy zalewają jej oczy tak obficie jak nigdy dotąd. Zabiłam człowieka, łkała, zabiłam człowieka, Chciałam zabić i zabiłam. Odwróciła się, by sprawdzić, czy ktoś jej nie goni. Wiedziała, że nie ma siły się bronić, ale korytarz był pusty. Kobiety dawno zniknęły, a ślepcy byli tak przerażeni strzałami, a przede wszystkim zabitymi kolegami, że nie odważyli się wyjść z sali. Żona lekarza czuła, że powoli wracają jej siły. Wciąż płakała, lecz potok łez ustał, a pojedyncze krople spływały wolno, jakby w obliczu nieuchronnej katastrofy. Resztkami sił podniosła się z podłogi. Zobaczyła ślady krwi na rękach i ubraniu. Nagle poczuła, jakby przybyło jej lat. Jestem stara i zabiłam człowieka, pomyślała, ale wiedziała, że bez wahania zrobiłaby to jeszcze raz. Czy człowiek wie, kiedy zabić, zapytała siebie, idąc wzdłuż ściany do głównego holu, Wie, wtedy, gdy wszystko w nim umarło, a on sam wciąż żyje. Pokręciła głową, Słowa, puste słowa, pomyślała. Samotnie minęła drzwi prowadzące do ogrodu, za kratami ogrodzenia ujrzała majaczącą postać wartownika. To niemożliwe, że na zewnątrz są jeszcze zdrowi ludzie. Usłyszała czyjeś kroki i zamarła. To oni, pomyślała i odwróciła się gwałtownie z nożyczkami przygotowanymi do ciosu, ale korytarzem szedł jej mąż. Kobiety z drugiej sali biegły, krzycząc, że ktoś zasztyletował herszta bandy i że wybuchła strzelanina. Lekarz nie musiał pytać, kim był morderca. Przypomniał sobie, że jego żona obiecała zezowatemu chłopcu, że później dokończy mu bajkę, po czym wstała i wyszła. Pomyślał, że pewnie nie żyje, ale niespodziewanie usłyszał jej głos, Jestem tutaj. Podeszła do niego i mocno go objęła, zapominając, że ma poplamione krwią ubranie. Jakie to ma znaczenie, pomyślała, Do dziś dzieliliśmy ze sobą wszystkie smutki. Co się stało, spytał, Mówią, że ktoś nie żyje, Tak, zabiłam herszta bandy, Dlaczego, Ktoś musiał to zrobić, byłam jedyną osobą, która miała szansę ujść przy tym z życiem, Co teraz, Jesteśmy wolni, wiedzą, co ich czeka, jeśli odważą się znów po nas przyjść, Wiesz, że to oznacza wojnę, Ślepcy zawsze ze sobą walczą, Znów chcesz kogoś zabić, Jeśli zajdzie potrzeba, od tego zaślepienia już się nie wybronię, Co z jedzeniem, Sami będziemy je odbierać, wątpię, żeby teraz mieli odwagę wyjść nawet na korytarz, przez kilka dni na pewno będą się bali, że czyjaś niewidzialna ręka wbije im nożyczki w gardło, Nie potrafiliśmy godnie się im przeciwstawić, kiedy pierwszy raz po was przyszli, To prawda, zastraszyli nas, a strach nie jest dobrym doradcą, ale chodźmy już, dla pewności powinniśmy zagrodzić wejście do sali, ustawimy barykadę z łóżek, kilka osób będzie musiało spać na ziemi, ale lepsze to niż umrzeć z głodu.

Przez kilka następnych dni zastanawiali się, czy jednak nie grozi im śmierć głodowa, ponieważ dostawy żywności zostały wstrzymane. Początkowo nie oponowali, gdyż przyzwyczaili się, że żywność dostarczano nieregularnie, bandyci mieli rację, napomykając kiedyś pół żartem, pół serio, że żołnierze są niesolidni i dlatego to oni muszą przejąć w swoje sprawiedliwe ręce rozdział jedzenia, podejmując się jednocześnie trudnej sztuki rządzenia. Jednak trzeciego dnia, gdy w sali nie było już ani jednej skórki od chleba, żona lekarza wyszła na dwór w towarzystwie kilku ludzi i krzyknęła do żołnierza stojącego na warcie, Dlaczego od dwóch dni nie otrzymujemy jedzenia. Do ogrodzenia zbliżył się nowy sierżant i wyjaśnił, że to nie ich wina, wojsko nie ma zwyczaju głodzić obywateli, nie pozwala na to żołnierski honor. Nie ma jedzenia i tyle, jeśli odważycie się zrobić jeszcze krok, wiecie chyba, co was czeka, rozkazy się nie zmieniły. Wystraszeni ślepcy zawrócili do budynku. Co teraz zrobimy, pytali jedni drugich, Może jutro dostarczą zaległe porcje, Równie dobrze może to nastąpić pojutrze albo kiedy już zdechniemy z głodu, Trzeba stąd wyjść, Przecież nie uda nam się nawet zbliżyć do bramy, Szkoda, że jesteśmy ślepi, Gdybyśmy widzieli, nie skazaliby nas na to piekło, Ciekawe, jak teraz wygląda miasto, Może wyjdziemy na ulice i zaczniemy żebrać, pewnie wszędzie brakuje jedzenia i ludzie nas zrozumieją, Dlatego właśnie nic nam nie dadzą, I zdechniemy wcześniej niż oni, Czy mamy jakieś wyjście. Znajdowali się w holu, słabe światło lamp padało na nieregularny krąg siedzących po turecku postaci, byli tam lekarz, jego żona, stary człowiek z opaską na oku, poza tym po dwie, trzy osoby z każdej sali, zarówno z lewego, jak i prawego skrzydła, kobiety i mężczyźni. W pewnej chwili padło zdanie, które musiało paść. Jeden ze ślepców powiedział, Nie doszłoby do takiej sytuacji, gdyby nie zabito herszta bandy, komu przeszkadzało, że raz na dwa tygodnie kobiety dawały im to, co i tak wszyscy dostają. Ktoś się głośno roześmiał, ktoś nerwowo zachichotał, komuś słowa uwięzły w gardle, gdyż poczuł nagły skurcz pustego żołądka. Ten sam ślepiec zapytał, Chciałbym wiedzieć, komu przyszedł do głowy ten szaleńczy pomysł, kobiety, które tam były, przysięgają, że są niewinne, Musimy znaleźć i ukarać mordercę, Gdybym wiedział, kto to zrobił, niezwłocznie oddałbym go bandytom, mówiąc, Oto osoba, której szukacie, a teraz dajcie nam coś do jedzenia, Ale wciąż nie wiem, kto to był. Żona lekarza spuściła głowę. Ma rację, jeśli umrzemy z głodu, będzie to tylko moja wina, ale nagle wezbrała w niej złość i przyszła jej do głowy myśl zaprzeczająca poczuciu winy, Nawet nie są w stanie zrozumieć, że pierwsi zapłaciliby za mój grzech, Podniosła oczy, Gdybym się teraz przyznała, zawlekliby mnie do bandytów, skazując na pewną śmierć. Być może z głodu lub z przemęczenia, które mąciło jej umysł, poczuła w głowie pustkę, poruszyła się i otworzyła usta, jakby chciała coś wyznać, ale nagle ktoś mocno ścisnął ją za ramię. Odwróciła się. To stary człowiek z czarną opaską na oku chwycił ją, mówiąc, Własnymi rękami zabiję tego, kto się przyzna, Dlaczego, zaczęli pytać, Dlatego, że jeśli w tym piekle, które nam zgotowano i które sami skrupulatnie budujemy, jest jeszcze miejsce na odrobinę godności, to tylko dzięki tej osobie, ona jedna miała odwagę skończyć z tym bandziorem, Zgoda, ale godnością nie napełnimy żołądków, Kimkolwiek jesteś, masz rację.

Godnością nie napełnisz żołądka, tylko niegodziwcy chodzą syci, nam pozostało jedno, te resztki ludzkiej godności, na którą zasłużymy sobie, jedynie jeśli zaczniemy bronić naszych praw, Co chcesz przez to powiedzieć, To, że wysyłając kobiety do bandytów i żywiąc się ich kosztem, zachowaliśmy się jak alfonsi, nadszedł czas, by zaczęli działać mężczyźni, Zanim wyjaśnisz dokładnie, co masz na myśli, powiedz, z której jesteś sali, Z pierwszej po prawej stronie, Mów, co mamy robić, To proste, sami pójdziemy po żywność, Oni mają broń, Jeden pistolet, a poza tym niedługo skończą im się naboje, Ale zanim się skończą, mogą jeszcze pozabijać paru ludzi, Zabili już niejednego, Nie mam ochoty nadstawiać karku za to, by inni najedli się do syta, Nie masz chyba również ochoty napychać się jedzeniem tych, których poślesz na śmierć, zapytał z ironicznym uśmiechem stary człowiek z czarną opaską na oku. Zapadła cisza.

W drzwiach prowadzących do prawego skrzydła stała kobieta, która ukradkiem przysłuchiwała się rozmowie. To jej twarz zalała fontanna krwi, jej usta wypełniły się nasieniem szefa złodziei, to ona usłyszała uspokajający szept nieznajomej. Kiedy żona lekarza spostrzegła ją, pożałowała, że nie może tak jak wtedy podejść i szepnąć jej do ucha, Bądź cicho, nie zdradź mnie, wiem, że rozpoznałaś mój głos, wiem, że nigdy go nie zapomnisz, tak, to moja ręka zasłoniła ci usta, moje ciało przylgnęło do twego, to ja powiedziałam, Nic nie mów, Nadszedł czas próby, dowiem się, kogo uratowałam, dlatego teraz, właśnie teraz, odezwę się głośno i wyraźnie, byś mogła mnie usłyszeć i oskarżyć, jeśli taka jest twoja wola i moje przeznaczenie, po czym powiedziała głośno, Pójdziemy wszyscy, kobiety i mężczyźni, wrócimy tam, gdzie nas upokorzono, by zmazać ślady hańby, żebyśmy mogły wypluć wreszcie to, czym napełnili nam usta. Umilkła i w napięciu czekała na odpowiedź kobiety stojącej przy drzwiach. Gdzie ty pójdziesz, tam i ja, odezwał się jej głos. Stary człowiek z czarną opaską na oku uśmiechnął się, jakby ogarnęła go fala szczęścia, choć w tych okolicznościach nie możemy go zapytać, czy tak było naprawdę. Natomiast zdziwienie pozostałych ślepców było oczywiste, sprawiali wrażenie, jakby coś przeleciało im nad głowami, ptak, chmura, jakby dotknął ich nikły promień światła. Lekarz ujął żonę za rękę i zapytał, Czy nadal chcecie wiedzieć, kto zabił herszta bandytów, czy też uznamy, że dłoń, która wbiła weń sztylet, działała w imieniu wszystkich i każdego z osobna. Nikt nie odpowiedział. Ciszę przerwała żona lekarza, Damy im jeszcze jedną szansę i poczekamy do jutra, jeśli żołnierze nie dostarczą jedzenia, zaczniemy działać. Wszyscy wstali, część udała się do prawego skrzydła, część do lewego. Nie przyszło im do głowy, że któryś z bandytów mógł podsłuchiwać naradę, na szczęście licho też czasem zasypia i nie zawsze sprawdzają się ludowe mądrości. Zupełnie niespodziewanie z głośników popłynął komunikat. W ostatnich dniach nadawano go nieregularnie, ale zwykle o tej samej porze, być może to automat włączał magnetofon z nagraniem. Nie dowiemy się jednak, dlaczego kilka razy ten mechanizm zawiódł, gdyż były to sprawy należące do świata zewnętrznego, choć owe usterki techniczne w sposób znaczny dezorganizowały życie wielu internowanym. Byli jednak i tacy, którym komunikaty pozwalały liczyć upływający czas, może znajdowali się wśród nich maniacy lub miłośnicy porządku, co też jest swego rodzaju manią, zawiązywali supełki na sznurku, jakby nie dowierzali swej pamięci, i tworzyli coś na kształt pamiętnika. Tym razem jednak komunikat nadano niespodziewanie, być może zawiodła technika, wkręciła się taśma, zaciął przycisk, oby tylko nagranie nie powtarzało się w nieskończoność, bo wówczas można by kompletnie zwariować. W korytarzach i w salach odbijały się echem puste, wyzbyte uczuć, absurdalne instrukcje władz, Rząd ubolewa, że musiał uciec się do środków ostatecznych, ale uważa za swój obowiązek i prawo użyć ich w sytuacji zagrażającej całemu społeczeństwu, Obecny kryzys nosi wszelkie znamiona epidemii ślepoty, nazwanej prowizorycznie białą zarazą, Liczymy na współpracę i uczciwość wszystkich obywateli, co uniemożliwi dalsze rozprzestrzenianie się choroby, przyjmując, że jest ona zakaźna i że zanotowane przypadki nie są zwykłym zbiegiem okoliczności, Podjęcie decyzji o zgrupowaniu chorych i podejrzanych o kontakt z chorobą obywateli w odosobnionym, lecz znajdującym się blisko miasta budynku nie było łatwe, Rząd zdaje sobie sprawę ze swej odpowiedzialności i wierzy w obywatelską postawę wszystkich osób, do których kierowane są te słowa, Ufamy, że wykażą one solidarność, przedkładając dobro narodu nad własny interes, W związku z tym prosimy o skrupulatne wykonywanie rozkazów, Po pierwsze, nie należy gasić światła w budynku, z tym że manipulowanie przy przyciskach nic nie da, gdyż są one uszkodzone, po drugie, opuszczenie budynku bez zezwolenia grozi zastrzeleniem, powtarzam, zastrzeleniem, po trzecie, w każdej sali znajduje się telefon, którego można używać jedynie do składania zamówień na środki opatrunkowe i środki czystości, po czwarte, internowani mają obowiązek prać ubrania ręcznie, po piąte, radzimy wybrać przewodniczącego sali, Nie jest to rozkaz, lecz sugestia, by internowani zorganizowali się w celu sumiennego przestrzegania podanych wyżej punktów oraz rozkazów, które sukcesywnie będziemy wydawać, po szóste, trzy razy dziennie dostarczane będą kartony z żywnością, które zostaną umieszczone po lewej i po prawej stronie przy wejściu głównym, co odpowiada podziałowi budynku na dwie części, dla podejrzanych o kontakt z chorobą i chorych, po siódme, wszystkie odpadki należy palić, przez odpadki rozumiemy zarówno resztki jedzenia, jak i opakowania oraz talerze i sztućce wykonane z materiałów łatwopalnych, po ósme, palenie odpadków powinno odbywać się na patiach znajdujących się w części centralnej obiektu lub w ogrodzie, po dziewiąte, internowani ponoszą odpowiedzialność za wszelkie nieprzewidziane konsekwencje palenia odpadków, po dziesiąte, zarówno w razie pożaru, jak i umyślnego podpalenia nie należy liczyć na interwencję straży pożarnej, po jedenaste, ani na żadną inną pomoc z zewnątrz w przypadku choroby internowanych, agresji lub problemów wynikających z nieprawidłowej organizacji, po dwunaste, w przypadku śmierci, niezależnie od jej przyczyn, internowani zobowiązani są bez zbędnych formalności zakopać ciało w ogrodzie, po trzynaste, komunikowanie się ślepych z podejrzanymi o kontakt z chorobą ma się odbywać poprzez część centralną budynku, gdzie znajduje się wejście główne, po czternaste, internowani podejrzani o kontakt z chorobą, którzy oślepną, zobowiązani są niezwłocznie przenieść się do skrzydła zamieszkanego przez ślepych, po piętnaste, powyższy komunikat będzie powtarzany codziennie o tej samej porze, by mogli się z nim zapoznać nowo przybyli, Rząd, lecz tu głos się urwał i zgasło światło. Jakiś odrętwiały ślepiec ściskał sznurek, na którym zawiązał supełek oznaczający kolejny miniony dzień, potem próbował je policzyć, ale palce plątały mu się, gdyż niektóre supełki zawiązane były jedne na drugich, jakby one również oślepły. W końcu dał za wygraną. Zgasło światło, zauważyła żona lekarza, Nic dziwnego, lampy palą się na okrągło przez tyle dni, Nie ma prądu, to chyba jakaś awaria w mieście, Teraz ty też będziesz ślepa, Pójdę na dwór i zaczekam na wschód słońca, powiedziała i skierowała się do głównego wejścia, by sprawdzić, co się stało. Cała dzielnica tonęła w ciemnościach, nie palił się również używany przez żołnierzy reflektor, widocznie podłączali go do ogólnego źródła zasilania i zgasł, gdy nagle zabrakło elektryczności.

Następnego dnia ślepcy zaczęli gromadzić się na schodach przed głównym wejściem. Jedni wstali o świcie, inni nieco później, gdyż dla każdego ślepca słońce wschodzi o innej porze, co w znacznej mierze zależy od stopnia wyostrzenia słuchu. Kobiety i mężczyźni nadchodzili z różnych stron, z obu skrzydeł szpitala, zgromadzili się tu wszyscy oprócz bandytów, którzy o tej porze na pewno zasiedli już do śniadania. Wszyscy w napięciu czekali na szczęk rozsuwanej bramy, zgrzyt zardzewiałych zawiasów i pokrzykiwanie sierżanta, Nie wychodzić, nie zbliżać się, na szuranie żołnierskich butów, głuchy dźwięk rzucanych kartonów, tupot wycofujących się ludzi, znów zgrzytanie zawiasów i zezwolenie na odebranie żywności, Możecie podejść. Czekali cały ranek, nadeszła dwunasta, minęło popołudnie. Nikt, nawet żona lekarza, nie zwracał się do żołnierzy z pytaniem o jedzenie. Dopóki nie usłyszeli przeczącej, bezlitosnej odpowiedzi, dopóty mogli mieć nadzieję, że lada chwila usłyszą czyjś głos obwieszczający, że właśnie przywieziono żywność. Już jadą, spokojnie, wstrzymajcie się jeszcze chwilę. Jednak wielu ludzi nie było w stanie wytrzymać na słońcu i padali pokotem, jakby nagle zmorzył ich sen, ale nie na darmo mieli żonę lekarza. Ta kobieta wszystko wiedziała, była obdarzona szóstym zmysłem, widziała, mimo iż była ślepa, jej wszechobecność graniczyła z cudem. To dzięki niej wygłodniali nieszczęśnicy nie piekli się na słońcu jak na wolnym ogniu, lecz od razu wnoszono ich do środka. Parę kropel wody, kilka lekkich uderzeń w twarz szybko przywracało im przytomność, ale nie siły, biedacy nie byliby w stanie zabić nawet muchy, a swoją drogą, nie wiadomo dlaczego w myśl tego starego przysłowia łatwiej jest zabić muchę niż na przykład motyla. Po wielu godzinach oczekiwania pierwszy odezwał się stary człowiek z czarną opaską na oku, Jak widać, jedzenia nie ma, musimy więc sami je zdobyć. Ostatkiem sił ludzie wstali i przenieśli się do sali położonej najdalej od fortecy bandytów, wystarczyło, że poprzedniego dnia postąpili lekkomyślnie, obradując pod ich bokiem. Kiedy znaleźli się już w sali, niezwłocznie wytypowano kilku ludzi z lewego skrzydła, którzy lepiej znali rozkład tej części budynku, by wrócili na korytarz i ustawili się na czatach. Jeśli usłyszycie jakikolwiek podejrzany szmer, od razu nas zawiadomcie. Żona lekarza poszła z wybranymi strażnikami i po chwili wróciła z niezbyt radosną wiadomością, Czterema łóżkami zabarykadowali wejście do lewego skrzydła, Skąd wiadomo, że czterema, zapytał ktoś z sali, Łatwo dało się to sprawdzić, dotykając rękami, Nie słyszeli was, Wątpię, Co teraz zrobimy, Musimy tam iść, odezwał się stary człowiek z czarną opaską, Tak jak postanowiliśmy wcześniej, inaczej czeka nas powolna, niechybna śmierć, Jeśli ich zaatakujemy, poleje się krew i znowu będą zabici, zauważył pierwszy ślepiec, Kto ma umrzeć, ten umrze, choć jeszcze o tym nie wie, Każdy od urodzenia jest przygotowany na śmierć, No właśnie, to tak, jakbyśmy się rodzili martwi, Po co tracić czas na bezsensowne rozważania, przerwała im dziewczyna w ciemnych okularach, Jeśli mamy bawić się w słowa, to rzeczywiście wolę położyć się do łóżka i czekać na śmierć, Umrą tylko ci, których godziny są już policzone, odezwał się lekarz i podnosząc głos, zapytał, Kto chce iść, ręka do góry, i od razu pożałował. Tak to jest, gdy człowiek najpierw powie, potem pomyśli, żaden ślepiec nie mógł przecież policzyć podniesionych rąk, i oznajmić, że jest ich trzynaście, na pewno rozpoczęłaby się nowa dyskusja w celu wyjaśnienia niesmacznego i nielogicznego żartu oraz trzeba by było ponownie wyłonić ochotników. Druga próba polegała na wyciągnięciu z tłumu na chybił trafił kilkunastu ludzi. Co prawda paru ślepców machinalnie podniosło ręce, ale uczynili to bez większego przekonania, zastanawiając się nad absurdalnością rozkazu oraz konsekwencjami swej lekkomyślnej decyzji. Lekarz zaśmiał się, Co za głupiec ze mnie, jak można prosić, żebyście podnieśli ręce, musimy to zrobić inaczej, niech cofną się osoby, które nie chcą lub nie mogą wziąć udziału w akcji, reszta niech zostanie na miejscu. Rozległy się kroki, szuranie, szepty, westchnienia, powoli tłum podzielił się na tchórzliwych i walecznych. Pomysł lekarza był wspaniałomyślny i niemal genialny, gdyż z jednej strony łatwo dało się go wykonać, z drugiej nikt nie musiał zdradzać się ze swoją decyzją. Żona lekarza policzyła ochotników, razem z nią i mężem zebrało się siedemnaście osób. Z pierwszej sali po prawej stronie zgłosił się stary człowiek z czarną opaską na oku, pomocnik aptekarza i dziewczyna w ciemnych okularach, z innych sal, oprócz kobiety, która powiedziała, Gdzie ty pójdziesz, tam i ja, zgłosili się sami mężczyźni. Stanęli w przejściu między łóżkami, lekarz raz jeszcze wszystkich policzył, Zgadza się, jest nas siedemnaścioro, Mało, zauważył pomocnik aptekarza, Nie damy rady, Musimy szturmem ruszyć do ataku, jeśli wolno mi użyć tego wojskowego określenia, powiedział stary człowiek z czarną opaską na oku, Z przodu nie może być zbyt wielu ludzi, nie zmieścimy się w drzwiach, Racja, inaczej powpadalibyśmy na siebie, odezwał się głos z głębi sali i teraz nikt już nie miał wątpliwości.

W akcji zdecydowano się użyć znanej nam broni, czyli metalowych prętów wyrwanych z łóżek, mogły służyć zarówno jako lance, jak i łomy. Stary człowiek z czarną opaską na oku, który w młodości musiał przejść niejedną lekcję taktyki walki, przypomniał, że mają trzymać się razem i zawsze powinni być zwróceni w tę samą stronę, by przez pomyłkę nie zaatakować swoich. Dodał, że należy poruszać się bezszelestnie, by zaskoczyć przeciwnika. Zdejmijcie obuwie, poradził, Nie odnajdziemy potem naszych butów, zaprotestował jeden z ochotników, Oby nie stały się one butami nieboszczyka, choć tutaj na pewno znajdzie się ktoś, kto chętnie je po nas włoży, Jakie znowu buty nieboszczyka, To takie stare, ludowe porzekadło, buty nieboszczyka oznaczają coś bezwartościowego, Nie rozumiem, Kiedyś chowano nieboszczyków w butach z tektury, uważano, że dusza nie ma nóg i nie potrzebuje solidnego obuwia, aha, jeszcze jedno, przypomniał sobie stary człowiek, Wybierzmy sześciu silnych i odważnych ludzi, którzy w pierwszym natarciu zburzą barykadę z łóżek i utorują drogę pozostałym, Czy pręty trzeba odłożyć, Niekoniecznie, można nimi podważyć łóżka. Stary człowiek zastanowił się i po chwili dodał, Najważniejsze to trzymać się razem, inaczej zginiemy, A co z nami, co my mamy robić, spytała dziewczyna w ciemnych okularach, Przecież są tu jeszcze kobiety, Ty też idziesz, spytał stary człowiek z czarną opaską, Wolałbym, żebyś została, A to dlaczego, Jesteś za młoda, Tu w szpitalu nie liczy się wiek ani płeć, dlatego nie zapominaj o kobietach, Nie,

nie zapominam, odparł bez przekonania stary człowiek, a jego słowa zabrzmiały tak, jakby zostały wzięte z innego dialogu, następne były już bardziej stanowcze. Nawet nie wiecie, jak bardzo bym chciał, aby choć jedna z was widziała, mielibyśmy przewodnika, jednym ruchem moglibyśmy przyłożyć im do gardeł nasze pręty, tak jak to zrobiła tamta kobieta, Marzy pan o rzeczach niemożliwych, to był przypadek, a poza tym kto wie, czy ona jeszcze żyje, nie wiemy, co się z nią stało, przypomniała zebranym żona lekarza, Kobiety zmartwychwstają jedna przez drugą, damy odradzają się w dziwkach, dziwki w damach, zauważyła dziewczyna w ciemnych okularach. Zapadła złowroga cisza, kobiety wiedziały już wszystko, mężczyźni wciąż musieli szukać odpowiedzi, wiedząc z góry, że nigdy jej nie znajdą.

Wyszli po kolei na korytarz, tak jak wcześniej ustalono, z przodu ustawiło się sześciu najsilniejszych ludzi, wśród nich lekarz i pomocnik aptekarza, za nimi reszta. Każdy ściskał w ręku pręt od łóżka, garstka wynędzniałych, obdartych lansjerów, kiedy przechodzili przez hol, jeden z nich upuścił pręt, który uderzył o kamienną posadzkę z łoskotem przypominającym serię z karabinu maszynowego. Jeśli bandyci nas usłyszą i domyślą się, że idziemy, jesteśmy zgubieni, Nie mówiąc nic nikomu, nawet mężowi, żona lekarza wybiegła naprzód i sprawdziła, co się dzieje na korytarzu, potem krok po kroku zbliżyła się do sali bandytów i stanęła, nasłuchując. Bandyci w środku niczego nie słyszeli. Wróciła do swoich i przekazała im tę wiadomość, ruszyli naprzód. Pomimo ostrożności i ciszy, w jakiej poruszali się napastnicy, ludzie z dwóch sal położonych najbliżej bandyckiej fortecy, wiedząc, co się stanie, zgromadzili się przy drzwiach, by przysłuchiwać się odgłosom nieuniknionej bitwy.

Niektórych ponosiły emocje, czując w powietrzu zapach prochu zapowiadający eksplozję, chwytali za broń i w porywie serca dołączali do uzbrojonych ślepców. W końcu zamiast garstki siedemnastu ochotników grupa liczyła przynajmniej dwa razy więcej osób, co na pewno nie ucieszyłoby starego człowieka z czarną opaską na oku, któremu do głowy nie przyszło, że dowodzi już dwoma pułkami. Przez okna wychodzące na ogród wpadało coraz słabsze, szare i rozproszone światło zapadającego zmierzchu, budynek powoli tonął w gęstej ciemności nadciągającej nocy. Zaczynała się dziwna pora dnia, która wlewa w ludzkie serca melancholię i smutek. Wynędzniali ślepcy byli w depresji z powodu tajemniczej choroby, na którą zapadli, ale równocześnie ślepota chroniła ich przed niebezpieczną godziną zmierzchu, która jeszcze w czasach, gdy ludzie widzieli, przywiodła wielu do desperackich czynów. Kiedy dotarli do sali bandytów, było już tak ciemno, że na nic się zdały nawet zdrowe oczy żony lekarza. Wkrótce okazało się, że nie tylko podwoiła się liczba uczestników batalii, ale w tajemniczy sposób urosła też barykada, która zamiast z czterech składała się teraz z ośmiu łóżek. Pełną napięcia ciszę przerwał okrzyk starego człowieka z czarną opaską na oku, Teraz. Być może klasyczny rozkaz, Do ataku, wydał mu się niestosowny w sytuacji, gdy żołnierzami byli bezradni ślepcy, a barykadę tworzyły obskurne łóżka, po których łaziły pluskwy i wszy, oraz cuchnące, niegdyś szare koce, które teraz upstrzone były plamami we wszystkich kolorach ludzkiego wstydu. Choć zapadł zmrok, nie trzeba było widzieć, by się domyślić, jak wyglądały łóżka bandytów. Ślepcy ruszyli do ataku niczym archanioły otoczone świetlistą aureolą, z furią rzucili się na barykadę, tak jak ich wcześniej pouczył stary człowiek, ale łóżka nawet nie drgnęły, Atakujący z pierwszej linii, choć o wiele silniejsi od biegnących za nimi towarzyszy, z trudem utrzymywali metalowe pręty, każdy z nich przypominał człowieka niosącego krzyż swej przyszłej męki. Ciszę przerwał rozdzierający krzyk atakujących, który zlał się z wrzaskiem atakowanych. Dopiero teraz okazało się, jak przerażający jest okrzyk ślepca, szalony i niezrozumiały, chciałoby się zamknąć mu usta, uciec jak najdalej, by samemu nie oślepnąć. Kiedy mimo gwałtownego ataku barykada nie drgnęła nawet o milimetr, wrzawa stała się jeszcze większa, prawie nie do zniesienia. Ochotnicy w wąskim gardle przejścia rzucili pręty i popychani przez kolegów z tyłu przypuścili kolejny szturm na barykadę. Już zdawało się, że ich atak uwieńczy zwycięstwo, łóżka bowiem nieznacznie się przesunęły, gdy nagle, bez ostrzeżenia, rozległy się trzy strzały, które zraniły dwóch ludzi. To ślepy księgowy wdrapał się na szczyt barykady i wycelował na oślep w tłum atakujących. Ślepcy zaczęli się wycofywać, potykając o porzucone pręty, a ściany odbijały echem ich szalone okrzyki w korytarzu. Do ogólnej wrzawy dołączyły głosy ślepców z sąsiednich sal. Panowała całkowita ciemność i trudno było sprawdzić, kogo trafiono. Oczywiście, można było rzucić mimochodem pytanie, Hej, wy tam, jak się nazywacie, ale byłoby to wysoce niestosowne, rannym bowiem należy się szacunek, trzeba okazać im współczucie, położyć dłoń na czole, jeśli oczywiście nie przedziurawiła go kula, spytać szeptem, jak się czują, pocieszyć, zapewnić, że zaraz zjawią się sanitariusze, napoić, chyba że, jak przestrzegają autorzy podręcznika pierwszej pomocy, kula utkwiła w brzuchu. Co robimy, dwóch ludzi leży na ziemi, spytała żona lekarza. Nikt nie zapytał, skąd wie, że jest dwóch rannych, przecież słychać było trzy strzały, chyba że jedna kula odbiła się rykoszetem. Musimy ich zabrać, zdecydował lekarz, To ryzykowne, zauważył stary człowiek z czarną opaską na oku przygnębiony, że jego taktyka doprowadziła do porażki. Jeśli nas usłyszą, zaczną znów strzelać, westchnął, ale po chwili dodał, Racja, musimy po nich pójść, ja jestem gotów, Ja też, odezwała się żona lekarza, Najbezpieczniej będzie podczołgać się, trzeba ich jak najszybciej zabrać, zanim tamci się zorientują, Idę z wami, odezwała się kobieta, która poprzedniego dnia oświadczyła, Gdzie ty pójdziesz, tam i ja. Żaden ze ślepców nie wpadł na pomysł, że najprostszym sposobem ustalenia, kto został ranny lub zabity, nikt przecież nie wiedział, w jakim stanie znajdowały się ofiary, było zadeklarowanie swojego udziału w akcji słowami, Ja idę, Ja nie idę.

Czterej ochotnicy zaczęli się czołgać w stronę barykady, dwie kobiety w środku, mężczyźni po bokach. Nie wynikało to z męskiej kurtuazji ani z rycerskiej postawy, która nakazuje chronić damy, lecz było dziełem przypadku, wszystko zależało bowiem od kąta, pod jakim padnie strzał, gdyby oczywiście niewidomy księgowy zdecydował się ponownie użyć broni. Może nic się nie stanie, może tym razem pomysł starego człowieka z czarną opaską na oku, by pozostali towarzysze krzyczeli co tchu w płucach, zagłuszając kroki ochotników i Bóg wie co jeszcze, okaże się lepszy od poprzednich, tym bardziej że w tej sytuacji krzyk był reakcją naturalną. Po chwili ochotnicy dotarli do rannych. Wiedzieli, że są u celu, zanim dotknęli nieruchomych ciał, gdyż ich ręce i ubrania tonęły w lepkiej kałuży krwi, która jak echo szeptała im do ucha, Byłam życiem, teraz jestem niczym. Mój Boże, ile tej krwi, pomyślała żona lekarza. Rzeczywiście, ręce i ubrania lepiły się do ziemi, tak jakby deski i kafelki podłogi pokryła warstwa kleju. Kobieta uniosła się na łokciach i w tej pozycji zbliżyła do nieruchomego ciała. Z tyłu wciąż dobiegały krzyki niestrudzonych ślepców. Żona lekarza i stary człowiek z czarną opaską na oku na chybił trafił chwycili pierwszego rannego za kostki, drugie ciało ciągnęli lekarz i nieznajoma kobieta, jedno trzymając je za nogę, drugie za ramię. Należało jak najszybciej wymknąć się z pola obstrzału. Aby ciągnąć rannych, ochotnicy musieli zmienić pozycję i wycofywać się na czworakach, tylko w ten sposób, goniąc resztkami sił, mogli poradzić sobie z ciężarem bezwładnych ciał. Znów usłyszeli strzał, lecz tym razem kula chybiła. Nikt jednak nie uciekł. Rosnący strach zamiast paraliżować, dodawał im sił. Po chwili wszyscy bezpiecznie siedzieli przy ścianie przylegającej do sali bandytów, gdzie mógł ich dosięgnąć jedynie strzał z ukosa, choć było raczej wątpliwe, by ślepy księgowy do tego stopnia zgłębił tajniki strzelectwa. Nie udało im się jednak podnieść ciał i musieli ciągnąć je po ziemi, zostawiając za sobą smugę krzepnącej krwi ze strużką ciepłych kropel, jakby ktoś zrobił na posadzce krwawą rysę. Kto został ranny, spytali ślepcy, Skąd mamy wiedzieć, przecież jesteśmy ślepi, odparł stary człowiek z czarną opaską na oku. Nie możemy tu pozostać, odezwał się ktoś, jeśli oni zdecydują się na kontratak, znowu będą następni ranni, Albo zabici, zauważył lekarz, zbadawszy puls ofiar. Wracali, ciągnąc ciała, niczym pokonane wojsko, w holu zdecydowali się na postój, zupełnie jak żołnierze, którzy zamierzają rozbić obóz. Prawdziwy powód był jednak bardziej prozaiczny, to ich własne ciała błagały, Stańmy, nie mamy siły iść dalej. W tym miejscu należy zwrócić uwagę na zadziwiającą postawę bandytów wcześniej tak władczych i agresywnych, którzy teraz bronili się w sali, wznosząc barykady, jedynie od czasu do czasu strzelając na oślep, jakby bali się stanąć do boju oko w oko, twarz w twarz. Jak większość zjawisk na tym świecie, również to dziwne zachowanie ma swoje wytłumaczenie. Po tragicznej śmierci herszta bandytów opuścił hart ducha i w sali zapanował chaos. Niewidomy księgowy mylnie sądził, że pistolet zapewni mu władzę, wręcz przeciwnie, za każdym razem strzelał ślepymi nabojami, innymi słowy, każdy strzał osłabiał jego autorytet i nieuchronnie zbliżała się chwila, gdy zabraknie mu kul. Nie należy zapominać starej prawdy, że to nie berło czyni króla, a habit mnicha. Co prawda na razie berło dzierżył w dłoni ślepy księgowy, lecz martwy król, którego płytki grób znajdował się w tej samej sali, wciąż przypominał o sobie straszliwym odorem rozkładającego się ciała. Tymczasem na niebie pojawił się księżyc, przez drzwi prowadzące z holu do ogrodu wpadało rozproszone światło, które z wolna zaczęło odkrywać ukryte w ciemnościach twarze, ciała martwych i żywych nabierały konkretnych kształtów, z ukrycia wypełzł nienazwany koszmar. Żona lekarza zrozumiała, że nie ma sensu dalej udawać ślepej, że być może niepotrzebnie broniła swej tajemnicy, ponieważ z tej matni i tak nikt żywy nie ujdzie, ponieważ ślepota jest przede wszystkim utratą nadziei. Teraz mogła powiedzieć, kim były ofiary, jedną z nich okazał się pomocnik aptekarza, a drugą człowiek, który przestrzegał, by nie wpadać na siebie przy szturmie na barykadę. Okazało się, że obaj mieli rację, a dlaczego ich rozpoznała, odpowiedź jest prosta. Bo widzi. Niektórzy od dawna wiedzieli, że nie jest ślepa, inni dopiero teraz zaczęli coś podejrzewać, zaskakujące jednak było zobojętnienie zebranych na ujawniony sekret, choć z drugiej strony, jeśli dobrze się zastanowić, trudno się temu dziwić. Może w innych okolicznościach wybuchłaby wrzawa, wielkie poruszenie, Masz szczęście, mówiliby ślepcy, jak ci się udało uchować przed tą straszliwą chorobą, jakich cudownych kropel używasz, daj nam telefon swojego lekarza, pomóż wyjść z tego więzienia, ale teraz nie miało to znaczenia, w obliczu śmierci wszyscy jesteśmy ślepi. Wiedzieli tylko jedno, nie mogą tam zostać, są bezbronni, ponieważ po drodze zgubili nawet metalowe pręty, a pięści na nic się zdadzą ślepemu człowiekowi. Kierowani przez żonę lekarza wywlekli zwłoki na dwór i zostawili je w blasku księżyca, w mlecznej poświacie gwiazd, ciała, które z zewnątrz otaczała biel, a od środka pochłaniała ciemność. Wracajmy do środka, powiedział stary człowiek z czarną opaską na oku, Później zobaczymy, co z nimi zrobić, dodał. Nikt nie zwrócił uwagi na te szalone słowa, w milczeniu wrócili do środka, nie dzieląc się na grupy, po drodze odnajdując sąsiadów ze swoich sal. Jedni skręcali w lewo, inni w prawo, rozstały się również żona lekarza i kobieta, która wcześniej powiedziała, Gdzie ty pójdziesz, tam i ja, widocznie zapomniała o przyrzeczeniu i dołączyła do swoich. Cóż, jak widać, nie zawsze dotrzymujemy przysięgi, czasami przeszkadza nam w tym słabość charakteru, czasem jakaś siła wyższa.

Księżyc świecił pełnym blaskiem. Chociaż od powrotu ochotników minęła godzina, nikt nie mógł oka zmrużyć, Przerażenie i głód spędzały ludziom sen z powiek, lecz było też kilka innych powodów, które nie pozwalały wszystkim zasnąć. Być może nie mogli się uspokoić po niedawnej, sromotnie przegranej bitwie, poza tym coś wisiało w powietrzu. Nikt nie odważył się wyjść na korytarz, za to w salach ludzie przypominali niespokojny rój bzyczących owadów, które jak wiemy, przemieszczają się zawsze chaotycznie, i jak dotąd żadne badania naukowe nie wykazały, by kiedykolwiek przejmowały się przyszłością, choć oczywiście zbyt krzywdzące byłoby nazywanie biednych ślepców trutniami, co zjadają cudzy chleb, lub obibokami, co wypijają ostatnią kroplę wody. Takie oskarżenia nigdy nie uchodzą bezkarnie. A jednak od każdej reguły są odstępstwa. Otóż pewna kobieta z drugiej sali w prawym skrzydle nie poddała się ogólnemu nastrojowi. Tuż po powrocie z bitwy zaczęła nerwowo krzątać się wokół swego łóżka. W końcu znalazła jakiś mały przedmiot i ściskając go w dłoni, prześliznęła się przez salę, jakby chciała ukryć się przed ślepcami. Być może znów zadziałał mechanizm przyzwyczajenia, które jest drugą naturą człowieka, nawet w obliczu ostatecznej katastrofy. Tu, gdzie zapomniano o ludzkiej solidarności, o zasadzie jeden za wszystkich, wszyscy za jednego, tu, gdzie silniejsi odejmowali strawę od ust słabszym, jedynie ta kobieta przypomniała sobie o małej zapalniczce, która jakimś cudem nie wypadła jej z torebki. Ściskając ją w dłoni, by przez nieuwagę nie zagubiła się w morzu mleka, zazdrośnie chowając ją przed światem, jakby to był warunek jej ocalenia, nie pomyślała, że może któryś z mieszkańców sali czekał na okazję wypalenia ostatniego, skrzętnie chowanego papierosa, marząc o zapalniczce, którą ona właśnie w sekrecie wyniosła. Kobieta wyszła bez słowa pożegnania tak szybko, że nie było okazji poprosić jej o ogień. Przeszła korytarzem, nie zwracając niczyjej uwagi, minęła pierwszą salę i doszła do holu. Słabnące światło księżyca oświetlało leżącą na ziemi butelkę mleka. Kobieta przechodzi do lewego skrzydła, idzie korytarzem, jest coraz bliżej celu, ma go przed sobą w linii prostej, na pewno nie zabłądzi. Słyszy czyjeś głosy, jakby rosnący zgiełk wzywał ją i wskazywał drogę. To bandyci z ostatniej sali ucztują z okazji zwycięstwa, jedząc i pijąc, ile dusza zapragnie. Oczywiście jest w tym zwrocie pewna przesada, pamiętajmy bowiem, że wszystko jest względne, że piją i jedzą to, co mają pod ręką, wznosząc toasty na cześć nowego herszta, co prawda najchętniej wbiliby mu sztylet w plecy, ale nie mogą, gdyż siedząc na barykadzie z ośmiu łóżek, trzyma on w dłoni naładowany pistolet. Kobieta klęka przy drzwiach do sali, gdzie wznoszą się prycze, ostrożnie wyciąga koc spod materaca, wstaje i robi to samo przy drugim i trzecim łóżku, czwartego nie jest w stanie dosięgnąć, nie szkodzi, lont został przygotowany, wystarczy go tylko podpalić. Kilka razy sprawdza płomień zapalniczki, chce, by był jak największy, już jest, czuje ciepły, drżący, ostry jak sztylet język ognia. Zaczyna od najwyżej położonej pryczy, płomień powoli ogarnia brudną powierzchnię, zapala się pościel, potem ogień przeskakuje na środkowe łóżko, już jest na dole, kobieta czuje swąd palących się włosów, musi uważać, ona przecież tylko podpala stos pogrzebowy i to nie ona ma na nim spłonąć. Słyszy krzyki bandytów i nagle wpada w panikę, A jeśli mają wodę, jeśli ugaszą pożar. W rozpaczy rzuca się pod pierwsze łóżko i przesuwa płomień zapalniczki wzdłuż spodu materaca. Barykada staje w płomieniach, przypominając gorejącą zasłonę. Ktoś w desperackim geście bezmyślnie wylewa wiadro wody na rosnący słup ognia. Kobieta czuje, że ma mokre włosy, ale wie, że nic już nie powstrzyma pożaru, jej własne ciało za chwilę stanie się żywą pochodnią. Ciekawe, co się dzieje w środku, nie możemy ryzykować i wedrzeć się do środka, ale od czego wyobraźnia, chwila koncentracji i już widzimy płomienie tańczące na kolejnych łóżkach w sali, drżą z niecierpliwości i łakomie pochłaniają wszystko, co napotykają na swej drodze. Bandyci bezmyślnie pozbywają się kolejnych wiader wody, rzucają się do okien, w rozpaczy wskakują na poręcze łóżek, których jeszcze nie zajęły płomienie, ale po chwili ogień jest wszędzie, bandyci tracą równowagę, spadają i w mgnieniu oka pochłania ich ogień. Pod wpływem żaru szyby pękają na drobne kawałki, świeże powietrze z dworu podsyca płomień, ach, zapomnieliśmy o krzykach rozpaczy, o strachu, bólu i agonii, ale po chwili słyszymy, że jest ich coraz mniej, a kobieta z zapalniczką już dawno zamilkła.

Wkrótce w zadymionym korytarzu pojawiają się przerażeni ślepcy. Pali się, pali się, krzyczą. Dopiero teraz widać, jak źle został zaprojektowany ten szpital dla obłąkanych, który miał służyć jako schronienie dla chorych i cierpiących. Zwróćmy uwagę na metalowe łóżka, które w mgnieniu oka mogą zamienić się w śmiertelną pułapkę, wkrótce okaże się, jak straszne konsekwencje mogą wyniknąć z faktu, że w każdej sali mieszczącej czterdzieści osób, nie licząc ludzi śpiących na ziemi, jest tylko jedno wąskie wyjście, które w razie pożaru zamyka drogę ucieczki. Na szczęście, jak to pokazuje historia ludzkości, nie ma tego złego, co by na dobre nie wyszło, choć pamiętajmy, że czasem bywa odwrotnie, dobre rzeczy pociągają za sobą fatalne wydarzenia, ale świat jest pełen sprzeczności i tylko nieliczne udaje nam się rozwikłać. Otóż wąskie drzwi, które w przypadku bandytów stały się śmiertelną pułapką, tu okazały się zbawieniem, gdyż opóźniły rozprzestrzenianie się ognia. Należało mieć nadzieję, że tym razem ludzie nie poddadzą się panice i wszyscy ujdą z życiem. Oczywiście wielu ślepców znów zaczęło się tratować, popychać, ulegając naturalnym odruchom, które w dramatycznych okolicznościach kierują nie tylko ludźmi, ale również światem fauny i flory. Prawdopodobnie, gdyby nie korzenie przytwierdzające rośliny do ziemi, to kto wie, może i one rzuciłyby się do ucieczki, wyobraźmy sobie, cóż to byłby za piękny widok, las uciekający przed pożarem. Na szczęście ślepcy wpadli na pomysł, by wybić okna w korytarzu, i wylegli do ogrodu. Skakali, potykali się, zawodząc i krzycząc, ale tam przynajmniej byli bezpieczni, chyba że jęzor ognia, który piął się po dachu, podsycony powietrzem, wybuchnie ze zdwojoną siłą niczym wulkan, wyrzucając w górę fragmenty drewnianej konstrukcji i gorącym oddechem trawiąc korony drzew. W drugim skrzydle również wybuchła panika, wystarczy, że ślepiec poczuje dym, a już myśli, że płomienie liżą mu stopy. Na korytarz wyległy tłumy ludzi, wyglądało na to, że jeśli ktoś nie weźmie sprawy w swoje ręce, panika doprowadzi do tragedii. Nagle ktoś przypomniał sobie, że jest przecież żona lekarza, jedyna widząca osoba w szpitalu, Gdzie ona jest, zaczęli wołać ślepcy, Niech powie nam, co się dzieje, dokąd mamy uciekać, gdzie ona jest, powtarzali, Jestem tutaj, krzyknęła, dopiero teraz udało jej się wydostać z sali, gdzie szukała zezowatego chłopca, który ze strachu gdzieś się ukrył. Gdy tylko chwyciła go za rękę, przyrzekła sobie, że nic już nie zdoła ich rozdzielić. Drugą ręką ciągnęła za sobą męża, za nimi biegła dziewczyna w ciemnych okularach, potem stary człowiek z czarną opaską na oku, jak widać stali się nierozłączni, potem pierwszy ślepiec i jego żona, wszyscy trzymali się kurczowo za ręce, jakby stanowili jeden pień żywego drzewa, którego, miejmy nadzieję, nie strawi żaden ogień. Ślepcy z innych sal poszli za przykładem internowanych z drugiego skrzydła, rzucając się na oślep z okien do ogrodu. Nie wiedzieli, że lewe skrzydło płonie jak pochodnia, choć czuli na dłoniach i twarzy powiew gorącego powietrza. Dach wciąż był nietknięty, ale liście drzew zaczęły zwijać się od żaru płomieni. Ktoś krzyknął, Dlaczego tu stoimy, dlaczego nie uciekamy. Spośród tłumu owładniętych panicznym strachem ślepców padła zwięzła odpowiedź, Tam są żołnierze, Lepiej zginąć od strzału, niż upiec się w płomieniach, odezwał się stary człowiek z czarną opaską na oku, a słowa te zabrzmiały jak głos rozsądku, jakby jego ustami przemówiła kobieta z zapalniczką, która nie miała szczęścia zginąć od ostatniej kuli wystrzelonej przez ślepego księgowego. Przepuśćcie mnie, zawołała żona lekarza, Porozmawiam z żołnierzami, przecież nie pozwolą nam tu zginąć, to też ludzie. Te pełne nadziei słowa otworzyły jej drogę przez wzburzony tłum. Przeciskała się z trudem, ciągnąc za sobą ślepych podopiecznych. Dym gryzł ją w oczy, bała się, że za chwilę stanie się równie ślepa jak pozostali internowani. Z trudem udało im się minąć hol. Drzwi prowadzące do ogrodu wypchnął gorący podmuch powietrza. Ślepcy zgromadzeni w korytarzach zrozumieli, że nie są już bezpieczni, chcieli wydostać się przed budynek, ale internowani znajdujący się w holu bali się pokazać żołnierzom, strach przed kulami okazał się silniejszy od strachu przed ogniem. Ludzie w holu zapierali się więc nogami i rękami, broniąc swoich pozycji. Wkrótce jednak i oni zrozumieli, że stary człowiek z czarną opaską na oku miał rację, lepiej zginąć od kuli niż w płomieniach. Nie trzeba było długo czekać. Żona lekarza wydostała się na schody w poszarpanym ubraniu, gdyż mając obie ręce zajęte, nie mogła bronić się przed ślepcami, którzy chcieli doczepić się do tej grupki ludzi, tego żywego pociągu. Jakież byłoby zdumienie żołnierzy, gdyby ich oczom ukazał się długi sznur ślepców ciągnięty przez kobietę z obnażonymi piersiami. Pustą i płaską przestrzeń dzielącą ich od bramy oświetlał silny blask płomieni, który przyćmił delikatne światło księżyca. Żona lekarza krzyknęła, Błagam, zaklinam was na wszystko, pozwólcie nam przejść, nie strzelajcie, ale nikt nie odpowiedział, reflektor wciąż nie świecił, wokół panowała głucha cisza. Ze ściśniętym sercem zeszła po schodach, Co się dzieje, spytał mąż, ale nie odpowiedziała, nie mogła uwierzyć własnym oczom. Powoli ruszyła w stronę bramy, ciągnąc za sobą zezowatego chłopca, męża i całą resztę. Teraz nie miała wątpliwości, żołnierze odjechali albo oślepli i zabrano ich do szpitala, a może wszyscy wokół są ślepi.

Potem wszystko potoczyło się błyskawicznie. Żona lekarza krzyknęła, że są wolni, ale ledwo skończyła, z hukiem zwalił się dach w lewym skrzydle budynku, wzniecając słupy ognia. Ślepcy zaczęli w panice uciekać z ogrodu, niektórzy nie zdążyli, zostali w środku przygnieceni przez spadający strop, inni zginęli stratowani przez nacierający tłum i przez chwilę przypominali krwawą masę, zanim nagły podmuch ognia nie zmienił ich w garstkę popiołu. Drzwi szpitala rozwarły się na oścież, szaleńcy wyszli na wolność.

Kiedy ślepiec słyszy, Jesteś wolny, kiedy otwierają się przed nim drzwi więzienia i znów padają słowa, Idź, jesteś wolny, on stoi jak wryty, tuląc się ze strachu do garstki towarzyszy, boi się, bez przewodnika, bez laski i psa nie wie, dokąd iść, nie można bowiem porównać życia w znanym i w gruncie rzeczy logicznym labiryncie szpitala dla obłąkanych z chaotyczną plątaniną ulic. W miejskim labiryncie na nic zda się pamięć, która zachowuje obrazy miejsc, a nie dróg, jakimi można do nich dotrzeć. Ślepcy stoją nieruchomo przed płonącym jak pochodnia budynkiem, ich twarze owiewa rozżarzona fala powietrza, ale oni nie uciekają, czując, że jest to jedyna pewna rzecz, jaka im została po ścianach więzienia, które w gruncie rzeczy stało się ich schronieniem. Stoją, tuląc się do siebie jak stado owiec, nikt nie chce doświadczyć losu zbłąkanego baranka, bo wiedzą, że nie zjawi się pasterz, który wskaże im drogę. Ogień słabnie, księżyc znów świeci pełnym blaskiem, ludzie zaczynają się niecierpliwić, nie mogą przecież stać tak wiecznie. Wiecznie, powtarza jak echo któryś z nich. Ktoś pyta, czy to dzień, czy noc, wkrótce okazuje się, jaki jest powód tego niestosownego pytania, Może niedługo przywiozą nam jedzenie, może powstało jakieś zamieszanie, mieli przejściowe trudności, Przecież nie ma już żołnierzy, Co z tego, to o niczym nie świadczy, odeszli, bo nie byli już potrzebni, Jak to, Zwyczajnie, może skończyła się epidemia, Albo znaleźli na nią lekarstwo, To dopiero byłoby wspaniałe, Co robimy, Ja zostaję tu do rana, Skąd będziesz wiedział, że jest dzień, Poczuję na twarzy promienie słońca, A jeśli niebo będzie zachmurzone, Zaczekam tak długo, aż nadejdzie dzień. Niektórych zmogło zmęczenie i położyli się na ziemi, inni, bardziej wyczerpani, leżeli pokotem jak nieżywi, kilka osób zemdlało, ale świeże, nocne powietrze na pewno zaraz ich ocuci, choć już wiemy, że z nadejściem dnia nie wszyscy z koczujących zdołają się podnieść. Biedni ślepcy tyle już wycierpieli, wielu przypominało legendarnego maratończyka, który padł kilka metrów przed metą, znów potwierdza się prawda, że wszyscy odchodzimy z tego świata zbyt wcześnie. Byli i tacy, którzy siedząc lub leżąc, wciąż czekali z nadzieją, że żołnierze albo Czerwony Krzyż dostarczą im żywność i inne artykuły niezbędne do życia. Jedyna różnica między naiwnymi a martwymi była taka, że w przypadku pierwszych rozczarowanie przyszło o wiele później, I nawet ci, którzy wierzyli w wynalezienie lekarstwa na białą chorobę, nie wyglądali na szczęśliwych.

Żona lekarza oczekiwała świtu z innych powodów, Przekonała swych podopiecznych, że powinni zostać tu do rana, Trzeba jak najszybciej znaleźć coś do jedzenia, a w ciemnościach nie można na to liczyć, Wiesz, gdzie się znajdujemy, spytał mąż, Mniej więcej, Daleko od domu, Nie. Inni też chcieli wiedzieć, jaka odległość dzieli ich od domów, każdy podawał swój adres, a żona lekarza próbowała wszystkim odpowiedzieć. Jedynie zezowaty chłopiec zapomniał, gdzie mieszka, nic dziwnego, tak dawno rozstał się z matką. Mogli zatrzymać się u kogoś na noc, najbliżej znajdował się dom dziewczyny w ciemnych okularach, nieco dalej mieszkanie starego człowieka z czarną opaską na oku, jeszcze dalej lekarza i jego żony, najdalej dom pierwszego ślepca. Zdecydowali się na taką właśnie kolejność, poza tym dziewczyna w ciemnych okularach prosiła, by jak najszybciej zaprowadzili ją do domu. Nie wiem, co się stało z moimi rodzicami, tłumaczyła, a jej szczery niepokój przeczył rozpowszechnionej opinii o rozpadzie więzów rodzinnych, o chłodnych stosunkach między rodzicami i dziećmi, choć gdybyśmy przeprowadzili wnikliwą analizę moralności współczesnych, na pewno doszukalibyśmy się również wielu negatywnych przykładów. W nocy panował przenikliwy chłód, ze szpitala zostały tylko zgliszcza, a tlący się w popiołach żar nie wystarczył, by ogrzać zziębniętych ślepców. Siedzieli przytuleni do siebie, trzy kobiety i chłopiec w środku, po bokach mężczyźni. Wyglądali jak jeden wielki organizm, jakby razem przyszli na świat, razem żyli, oddychali i odczuwali ten sam głód. Jeden po drugim zapadali w płytki sen, lecz co chwila budził ich jakiś zbłąkany ślepiec, który nagle otrząsał się z odrętwienia, wstawał i wpadał na uśpione ciała. Jeden z tych wędrowców został z nimi, w końcu było mu wszystko jedno, czy będzie spał tu, czy tam. O świcie nad zgliszczami szpitala unosiły się jedynie wątłe nitki dymu, ale i one wkrótce zniknęły, gdyż zaczęło padać. Siąpił lekki kapuśniaczek, na początku zdawało się, że zaraz ustanie, gdyż drobne, ledwo widoczne krople deszczu parowały, zanim zdążyły dosięgnąć ziemi. Wiadomo jednak, że monotonny deszcz jest jak ogień, z czasem przybiera na sile i konia z rzędem temu, kto udowodni, że jest inaczej. Niektórzy ślepcy zachowywali się tak, jakby stracili nie tylko wzrok, ale i rozum, i z uporem maniaka twierdzili, że to z powodu deszczu nie dostarczono im żywności. Na próżno tłumaczono im, że zarówno ich hipoteza, jak i konkluzja są chybione, nie pomagały argumenty, że jest zbyt wcześnie na śniadanie. Biedni ślepcy rzucali się z płaczem na ziemię, Nie przyjadą, bo pada, nie przyjadą, bo pada, powtarzali zrozpaczeni. Gdyby ze szpitala zostało choć kilka sal, z pewnością wróciliby tam jako pacjenci.

Ślepiec, który w nocy wpadł przypadkowo na grupę żony lekarza, rano już się nie podniósł. Leżał skulony, jakby chciał zatrzymać w sobie resztki uciekającego ciepła, nie poruszył się nawet, gdy zaczęło mocniej padać. Nie żyje, stwierdziła żona lekarza, Musimy się stąd ruszyć, dopóki jeszcze mamy siłę. Wstali z trudem, zataczając się, podtrzymując nawzajem, próbując opanować zawrót głowy. Po chwili ustawili się gęsiego za swym jedynym przewodnikiem, dziewczyna w ciemnych okularach, stary człowiek z czarną opaską na oku, zezowaty chłopiec, żona pierwszego ślepca, jej mąż i na końcu lekarz. Posuwali się wzdłuż drogi prowadzącej do centrum miasta, żona lekarza chciała znaleźć schronienie dla swoich ślepców i jak najszybciej wyruszyć na poszukiwanie jedzenia. Ulice były puste, być może wszyscy jeszcze spali albo ludzi wystraszył deszcz, który wciąż przybierał na sile. Na chodnikach leżały zwały śmieci, niektóre sklepy stały otworem, jednak większość pozamykano na cztery spusty, w ciemnych pomieszczeniach nie widać było żywej duszy. Żona lekarza postanowiła zostawić swoich towarzyszy w pustym sklepie, musiała jednak zapamiętać nazwę ulicy i numer domu, by ich nie zgubić, Zostańcie tutaj, zwróciła się do dziewczyny w ciemnych okularach, podeszła do znajdującej się obok apteki i przez oszklone drzwi zajrzała do środka. Wydawało jej się, że widzi tam ludzi leżących na ziemi, więc zapukała w szybę, ktoś się poruszył, zapukała mocniej, kolejne osoby zaczęły się wolno przeciągać, jakiś człowiek wstał i odwrócił się w stronę, skąd dochodziło stukanie. Wszyscy są ślepi, pomyślała żona lekarza, ale wciąż nie rozumiała, dlaczego śpią w aptece, może to rodzina właściciela, ale przecież i oni powinni mieć własny dom, gdzie na pewno było wygodniej niż tu na twardej posadzce, a może bronili swego mienia przed rabusiami, choć to, co znajdowało się na półkach, mogło zarówno wyleczyć, jak i zabić. Odeszła cicho i zajrzała do znajdującego się obok sklepu, gdzie również leżeli ludzie. Tu było ich więcej, kobiety, mężczyźni, dzieci, niektórzy już byli na nogach i szykowali się do wyjścia. Jakiś mężczyzna podszedł do drzwi, wystawił rękę na zewnątrz i powiedział, Pada, Bardzo, padło pytanie ze środka, Tak, musimy poczekać, aż deszcz ustanie, odparł człowiek. Stał kilka kroków od żony lekarza, ale nie wyczuł jej obecności, więc gdy się odezwała, aż podskoczył przerażony. Dzień dobry, pozdrowiła ich żona lekarza, choć ludzie od dawna już nie życzyli sobie dobrego dnia, nie tylko dlatego, że dni ślepców nigdy nie są szczególnie udane, lecz również z powodu wątpliwości co do pory dnia lub nocy. Ludzie w sklepie obudzili się mniej więcej o tej samej porze tylko dlatego, że większość z nich oślepła dopiero kilka dni temu i nie stracili jeszcze poczucia czasu, pamiętali, kiedy dzień przechodzi w noc, a stan czuwania w stan spoczynku. Mężczyzna powtórzył, Pada, po czym spytał, Kim pani jest, Nie jestem tutejsza, Szuka pani jedzenia, Tak, nie jedliśmy od czterech dni, Skąd pani wie, że minęły cztery dni, Tak mi się wydaje, Jest pani sama, Nie, z mężem i paroma znajomymi, Ilu was jest,

Siedmioro, Mam nadzieję, że nie zamierzacie tu zostać, sklep jest pełen ludzi, Wiem, zatrzymaliśmy się tylko na chwilę, Skąd przyszliście, Internowano nas na początku epidemii, Ach, tak, to ta słynna kwarantanna, ale i tak nic nie dała, Dlaczego, Nas wkrótce wypuszczono, a z wami co zrobili, W szpitalu wybuchł pożar i wtedy okazało się, że zniknęły straże, które nas pilnowały, I wyszliście, Tak, wasi żołnierze byli chyba ostatnimi ludźmi, którzy stracili wzrok, wszyscy są ślepi, Jak to, wszyscy, całe miasto, cały kraj, Jeśli ktoś jeszcze widzi, nie przyznaje się do tego, Dlaczego nie jest pan w domu. Bo nie umiem do niego trafić. Nie rozumiem, A pani wie, jak trafić do domu, Ja, żona lekarza chciała odpowiedzieć, że właśnie prowadzi tam swego męża i towarzyszy, muszą tylko zjeść coś po drodze, żeby odzyskać siły, ale nagle zrozumiała, że nie może się zdradzić, przecież ślepiec nie może sam wrócić do domu, nie to co kiedyś, gdy niewidomi mogli jeszcze liczyć na pomoc przechodnia, który przeprowadzał ich przez ulicę, a gdy zabłądzili, wskazywał im właściwą drogę. Wiem tylko, że jestem daleko od domu, powiedziała wreszcie, Ale nie wie pani, jak tam wrócić, Nie, No właśnie, ze mną było tak samo, wszyscy mają podobne problemy, długo byliście w izolacji, wiele musicie się nauczyć, nie zdajecie sobie sprawy, jak łatwo stracić dom, Nie rozumiem, Ludzie trzymają się w grupach, tak jak my, wtedy łatwiej znaleźć pożywienie, poza tym to jedyny sposób, by się nie zgubić, chodzimy razem, więc nikt nie pilnuje swego dobytku, często się zdarza, że ktoś szczęśliwym trafem odnajduje dom, ale okazuje się, że jest on już zajęty przez innych ślepców, którzy stracili dach nad głową, i tak w kółko, na początku ludzie ze sobą walczyli, ale wkrótce wszyscy zrozumieli, że będąc ślepcem, nie posiada się niczego poza tym, co zdoła się wepchnąć do żołądka, Najlepiej więc zamieszkać w sklepie spożywczym, z którego można nie wychodzić, póki jest tam żywność, Ludzie, którzy się na to zdecydowali, nie mieli jednak chwili spokoju, wciąż ktoś ich nachodził, ich życie zamieniło się w koszmar, musieli barykadować wejście, ale choć zamykali sklep na wszystkie spusty, nie mogli zlikwidować zapachu jedzenia, który przyciągał rzesze wygłodniałych, chodzą słuchy, że jacyś ślepcy rozwścieczeni tym, że zamyka się przed nimi drzwi, podpalili sklep, co prawda sam tego nie widziałem, ale słyszałem, choć, o ile mi wiadomo, był to jedyny tego typu przypadek, Dlaczego nikt nie pilnuje swoich domów, Owszem, są tacy, co pilnują, ale teraz własność nie ma najmniejszego znaczenia, myślę, że przez mój dom przewinęły się już tabuny ludzi, wątpię, by kiedykolwiek udało mi się tam wrócić, poza tym wygodniej jest spać w sklepie na parterze, nie trzeba przynajmniej chodzić po piętrach, Przestało padać, zauważyła żona lekarza, Przestało, powtórzył mężczyzna. Słysząc dobrą nowinę, ludzie w sklepie zaczęli zbierać swoje rzeczy, plecaki, małe walizki, plastikowe torby, tobołki, jakby szykowali się na wyprawę, wkrótce wszyscy stali przed sklepem. Żona lekarza zauważyła, że są dobrze wyekwipowani, co prawda ubrania nie pasowały do siebie, jedni mieli za krótkie spodnie, spod których wystawały gołe kostki, inni zbyt długie i musieli podwijać nogawki, choć tym przynajmniej było ciepło. Niektórzy mężczyźni mieli na sobie nieprzemakalne płaszcze lub kurtki, dwie kobiety włożyły długie futra, nikt nie miał parasola, który mógłby stanowić zagrożenie dla oczu. Piętnastoosobowa grupa ruszyła w drogę, wkrótce na ulicy pojawili się inni, w grupach lub samotnie. Mężczyźni załatwiali swoje potrzeby pod domami lub w bramach, kobiety wolały ukryć się za opuszczonymi samochodami, deszcz rozmywał ekskrementy, które tu i ówdzie rozlewały się po chodniku.

Żona lekarza wróciła do swoich ślepców, którzy schronili się pod markizą cukierni, skąd wydobywał się zapach zjełczałej śmietany i stęchłego ciasta. Chodźmy, powiedziała, Znalazłam miejsce na nocleg, i zaprowadziła ich do sklepu, skąd właśnie wyszła piętnastoosobowa grupa niewidomych. Wewnątrz wszystko pozostało nietknięte, gdyż nie było tam ani artykułów spożywczych, ani konfekcji, tylko lodówki, małe i duże pralki, kuchenki gazowe i mikrofalowe, miksery, wyciskacze do soków, odkurzacze, cuda elektroniki, tysiąc i jeden drobiazgów, wynalazki, które kiedyś miały ułatwiać życie. W pomieszczeniu panował smród kontrastujący ze śnieżną bielą sprzętów gospodarstwa domowego. Odpocznijcie, a ja poszukam jedzenia, powiedziała żona lekarza, Nie wiem, jak długo to potrwa, nie wiem, dokąd mam iść, dlatego musicie cierpliwie czekać, na ulicy jest dużo ludzi, jeśli ktoś będzie chciał wejść, powiedzcie, że sklep jest zajęty, to chyba wystarczy, by odeszli, takie teraz panują zwyczaje, Pójdę z tobą, zaofiarował się lekarz, Nie, wolę iść sama, muszę zobaczyć, jak się teraz żyje, podobno wszyscy oślepli, No to niewiele się zmieniło, znów jesteśmy w domu wariatów, zauważył gorzko stary człowiek z czarną opaską na oku, Nieprawda, możemy iść, dokąd chcemy, możemy szukać jedzenia, nie umrzemy z głodu, spróbuję też znaleźć jakieś ubrania, nasze są całe w strzępach, miała na myśli głównie siebie, gdyż od pasa w górę była prawie naga. Pocałowała męża i nagle ogarnął ją straszliwy lęk, Pamiętaj, cokolwiek by się działo, nawet gdyby ktoś siłą próbował wedrzeć się do sklepu, a nawet gdyby ktoś chciał was wyrzucić, choć myślę, że to raczej mało prawdopodobne, nie ruszajcie się stąd, siedźcie przy drzwiach i czekajcie, aż wrócę. Przyjrzała mu się przez łzy, miała wrażenie, że opiekuje się gromadą bezbronnych dzieci, Beze mnie nie dadzą sobie rady, pomyślała, zapominając o rzeszach ślepców, którzy żyli dookoła. Może gdyby sama straciła wzrok, zrozumiałaby, że człowiek zdolny jest przyzwyczaić się do wszystkiego, a przychodzi mu to łatwo, ponieważ nader szybko przestaje zachowywać się jak człowiek, czego najlepszym przykładem był zezowaty chłopiec, który już zapomniał o matce. Wyszła na dwór, zapamiętała nazwę sklepu, ulicy, numer domu, potem sprawdziła nazwę ulicy za rogiem, nie wiedziała, jak daleko zabrnie w poszukiwaniu jedzenia, czym skończy się polowanie, czy uda jej się znaleźć coś w pobliżu, czy będzie musiała zapuścić się w drugi koniec miasta. Ulica była pusta, nie mogła nikogo spytać o drogę, poza tym wszyscy byli przecież ślepi, a ona, jedyna widząca osoba w mieście, nie znała drogi. Słońce przedarło się przez chmury i przeglądało w kałużach pomiędzy stertami śmieci, w szczelinach między płytami chodnika zauważyła malutkie źdźbła trawy. Ulice zapełniły się ludźmi. Ciekawe, jak poruszają się po mieście, zastanawiała się żona lekarza. Zwyczajnie, idą z wyciągniętymi rękami wzdłuż ścian, wpadają jedni na drugich jak mrówki na wąskiej ścieżce. Kiedy jednak dochodziło do zderzenia, nikt się nie złościł. Jakaś rodzina posuwająca się wzdłuż muru wpadła na grupę idącą z przeciwka, lecz nikt nie zaklął, nie złorzeczył, w milczeniu odsunęli się od siebie i każdy poszedł w swoją stronę. Co pewien czas zatrzymywali się, obwąchiwali wystawy sklepów w nadziei, że znajdą coś do jedzenia, w końcu zniknęli za rogiem. Po chwili pojawiła się kolejna grupa, wyglądali na zniechęconych bezowocnymi poszukiwaniami. Żona lekarza przyspieszyła kroku, nie musiała tracić czasu na obwąchiwanie witryn sklepowych. Wkrótce zrozumiała, że niełatwo będzie znaleźć pożywienie, nieliczne sklepy spożywcze, które mijała po drodze, świeciły pustkami, wyglądały jak po nalocie szarańczy.

Coraz bardziej oddalała się od miejsca, gdzie zostawiła swych podopiecznych, mijała i przecinała kolejne ulice, skrzyżowania, aleje, place, wreszcie doszła do sklepu spożywczego, który wyglądem niczym nie różnił się od innych, puste półki, rozbite szyby lad chłodniczych. W środku na czworakach buszowali ślepcy, obmacywali każdy skrawek brudnej podłogi, szukając czegokolwiek, co dałoby się zjeść, konserwy, której nie udało się otworzyć poprzednikom, kawałka rozgniecionego ziemniaka, kromki suchego chleba. Może uda mi się coś tu znaleźć, pomyślała i weszła do środka. Sklep był ogromny. Jakiś ślepiec nagle podniósł się z płaczem, szkło z potłuczonej butelki wbiło mu się w kolano. Po chwili otoczyli go zaniepokojeni towarzysze. Co się stało, dopytywali się, Kolano, skaleczyłem się w kolano, szlochał poszkodowany, Która to noga, Lewa. Jakaś ślepa kobieta ukucnęła obok zranionego ślepca, Uważajcie, może tu być więcej szkła, powiedziała i ostrożnie obmacała nogę mężczyzny, szukając odłamka, Już mam, czuję coś twardego. Jeden ze stojących ślepców roześmiał się, No to wykorzystaj okazję, jak twarde, trzeba ssać. Wszyscy wybuchnęli śmiechem, zarówno kobiety, jak i mężczyźni. Wskazującym palcem i kciukiem jednej ręki kobieta wyrwała tkwiący w kolanie kawałek szkła, nie była to operacja zbyt trudna, nawet dla ślepca, nie wymagała wielkich umiejętności. Obwiązała kolano kawałkiem szmaty, którą wyciągnęła z torby przerzuconej przez ramię, po czym ku uciesze zebranych westchnęła, Ależ miałam okazję, na co odezwał się skaleczony, Jeśli tylko zechcesz, mogę ci dać do ssania coś lepszego. Nikogo nie oburzył ten ryzykowny żart, przeciwnie, wszyscy pokładali się ze śmiechu, widocznie grupa składała się z ludzi prowadzących swobodne życie i hołdujących wolnym związkom, skaleczony człowiek i klęcząca obok niego kobieta też nie wyglądali na małżeństwo, inaczej publicznie na pewno nie pozwoliliby sobie na takie dwuznaczne dowcipy. Żona lekarza rozejrzała się wokół, szukając jedzenia, które mogło wypaść komuś podczas szamotaniny z wrogiem lub z przyjacielem, ludzie często gubią łupy w trakcie odwrotu, może znajdzie jakiś okruszek jedzenia, który aż się prosi, by ktoś go podniósł. Zmywam się, nic tu po mnie, pomyślała, używając obcego sobie żargonu, co potwierdza starą prawdę, że warunki życia w znacznej mierze wpływają na słownictwo. Wystarczy przypomnieć sobie sierżanta, który zaklął, gdy jego żołnierze wykazali niesubordynację, i od tej pory, usprawiedliwiając się okolicznościami, wiele razy dał dowód złego wychowania. Zmywam się, powtórzyła z lubością, lecz nagle zaświtała jej w głowie myśl, Przecież w dużych supermarketach są magazyny, być może i tutaj znajduje się jakaś wielka piwnica, gdzie przechowywane są zapasy żywności. Z nadzieją zaczęła szukać drzwi, które otworzyłyby jej drogę do pełnego skarbów sezamu. Wszędzie jednak drzwi były już pootwierane, panował straszliwy nieład, i wśród stert śmieci buszowali ślepcy. Wreszcie, na końcu ciemnego korytarza, gdzie ledwo docierały promienie światła, ujrzała coś, co przypominało windę towarową. Metalowe drzwi były zasunięte, lecz obok zauważyła gładkie, wahadłowe drzwi wiodące do piwnicy. Być może ślepcy dotarli do windy, zapominając, że obok zwykle znajduje się dodatkowe zejście, używane w przypadku awarii elektryczności. Pchnęła drzwi i w tej samej chwili rozpostarła się przed nią gęsta jak smoła ciemność, w której ginęły prowadzące do skarbca schody. Jednocześnie poczuła zapach jedzenia, choć wiedziała, że wszystko na pewno znajduje się w szczelnych opakowaniach. Jednak głód wyostrza powonienie i pokonuje wszelkie przeszkody, człowiek upodabnia się do psa. Szybko zawróciła i ze sterty śmieci wyciągnęła kilka toreb, które mogły przydać się do zapakowania żywności. Nie wiedziała, w jaki sposób poradzi sobie w ciemnościach. Wzruszyła ramionami, co za głupia myśl, w tym stanie skrajnego wyczerpania powinno ją bardziej martwić, czy zdoła przenieść ciężkie torby przez pół miasta. Nagle lęk ścisnął ją za gardło, co będzie, jeśli nie potrafi znaleźć drogi powrotnej do męża, zapamiętała wprawdzie nazwę ulicy, lecz tyle razy musiała kluczyć, skręcać i zawracać, że może się zgubić, poczuła paraliżujący strach, lecz po chwili mózg znów wolno zaczął pracować, oczami wyobraźni próbowała przywołać w pamięci trasę i na wyimaginowanej mapie miasta znaleźć najkrótszą drogę powrotu, jakby miała dwie pary oczu, jedną do patrzenia na plan, drugą do śledzenia drogi. Na szczęście korytarz był pusty, czuła się tak roztrzęsiona, że zapomniała zamknąć drzwi za sobą. Wróciła i ostrożnie je zamknęła, Otoczyła ją całkowita ciemność. Teraz ja też jestem ślepa, pomyślała, choć jej ślepota różniła się kolorem, zamiast olśniewającej bieli ogarnął ją mrok. Opierając się o ścianę, zaczęła powoli schodzić. Jeśli ktoś przed nią odkrył to miejsce i właśnie wchodził po schodach, musi postępować tak samo jak ludzie na ulicy, którzy dreptali za niewidzialnym ciałem towarzysza z absurdalnym strachem, że ściana zaraz zniknie, równocześnie słysząc za sobą kroki ostatniego ślepca, który ubezpieczał grupę, idąc tyłem do kierunku marszu. Chyba tracę rozum, pomyślała i miała rację, nikt o zdrowych zmysłach nie pchałby się w tę złowrogą czeluść bez nadziei na nikły choćby promień światła. Nie wiedziała, jak długo będzie musiała schodzić, łudziła się, że jak większość piwnic i ta nie jest zbyt głęboka. Zeszła jedną kondygnację w dół, Teraz już wiem, co to znaczy być ślepym, znowu schody. Zaraz zacznę krzyczeć. Kolejne stopnie, ciemność przylepia się do twarzy jak zaschnięta smoła, oczy zmieniają się w ślepe grudki ziemi. Nawet nie wiem, dokąd idę, pomyślała i poczuła, że znów paraliżuje ją strach. Jak ja potem odnajdę schody. Nagle trafiła nogą w pustkę i musiała przykucnąć, by nie stracić równowagi. Ledwo żywa ze strachu wyszeptała, Ależ tu czysto. Miała na myśli podłogę, zapomniała, że posadzka może być taka czysta. Powoli dochodziła do siebie, czuła silne skurcze w żołądku, miewała je przedtem, lecz teraz odniosła wrażenie, że jej ciało sprowadza się do tego jednego, pulsującego miejsca, jakby inne jego części bały się przypomnieć o swoim istnieniu, tylko serce dudniło jak oszalałe, serce, które zawsze niestrudzenie bije w mroku, od chwili, gdy powstaje w ciemności łona, do dnia, gdy pogrąża się w mrokach śmierci. Wciąż trzymała w zaciśniętej dłoni plastikowe torby, teraz trzeba je tylko napełnić. Spokojnie, myślała, Nie ma tu potworów ani duchów, jest tylko ciemność, a ona nie gryzie i nie bije, schody na pewno się znajdą, choćbym miała przemierzyć wzdłuż i wszerz całą tę czarną dziurę. Chciała wstać, lecz przypomniała sobie, że teraz musi zachowywać się jak ślepcy. Naśladując ich sposób poruszania się, zaczęła pełzać na czworakach, obmacując wokół ziemię. Może znajdzie półki uginające się pod ciężarem jedzenia. Co za bzdury, pomyślała, Wystarczy cokolwiek, jeśli do tej pory wytrzymali bez gotowania, to i teraz zjedzą wszystko, co da się przełknąć.

Przeszła zaledwie kilka metrów, gdy strach znów zaczął jej szeptać do ucha, że może idzie w złą stronę, prosto w paszczę niewidzialnego potwora lub w ramiona suchej zjawy, która chce wciągnąć ją do świata zmarłych, daremnie szukających spokoju, gdyż ciągle ktoś ich wskrzesza. Z rezygnacją i smutkiem pomyślała, Kto wie, może to wcale nie jest magazyn, ale podziemny garaż, zdawało jej się nawet, że czuje zapach benzyny, Jakże często w zwątpieniu wyobraźnia podsuwa nam obrazy, za pomocą których dokonujemy samozniszczenia. Nagle jej ręka natknęła się na jakiś przedmiot, lecz nie były to lepkie palce ducha ani gorący jęzor w ziejącej ogniem paszczy potwora. Poczuła zimny metal, jakby pręt ustawiony w pozycji pionowej, pomyślała, że musi to być fragment półki, może jest ich więcej, trzeba tylko po omacku znaleźć tę część magazynu, gdzie przechowywana jest żywność, Tu nic nie ma, pomyślała, czując intensywny zapach detergentów. Nie zastanawiając się, jak odnajdzie drogę powrotną, zaczęła gorączkowo przeszukiwać kolejne półki. Dotykała różnych przedmiotów, wąchała je, potrząsała nimi, były tam papierowe kartony, szklane i plastikowe butelki, puszki, pojemniki o najróżniejszych kształtach, małe flakoniki, metalowe i plastikowe tubki, worki, wkładała do torby, co tylko wpadło jej w ręce, Mam nadzieję, że wszystko to nadaje się do jedzenia, myślała rozgorączkowana. Na czworakach zbliżyła się do następnej półki i po omacku szukając jedzenia, strąciła kilka małych pudełek. Kiedy spadły na ziemię, usłyszała charakterystyczny, znajomy dźwięk. Serce uwięzło jej w gardle. Zapałki, pomyślała. Ukucnęła i trzęsącymi się rękami zaczęła przeszukiwać podłogę. Odnalazła małe pudełko, poczuła charakterystyczny zapach, potrząsnęła opakowaniem i usłyszała szelest drewnianych patyczków, wyczuła szorstkie ścianki, wysunęła pudełko i powąchała je w środku, przeciągnęła główką zapałki po chropowatym pasku i słaby płomień oświetlił wnętrze magazynu, jakby rozproszone światło gwiazdy przebiło gęstą powłokę nieba. Mój Boże, westchnęła, A jednak światło istnieje, a ja mam oczy, które widzą, błogosławiona niech będzie jasność. Po tym odkryciu wszystko poszło gładko, najpierw zapakowała zapałki, zapełniając pudełkami jedną torbę. Nie ma sensu tyle brać, mówił jej głos rozsądku, ale dawno przestała go słuchać. Wątłe płomyki zapałek wskazywały jej kolejne skarby piętrzące się na półkach. Wkrótce miała torby pełne jedzenia, z pierwszego worka musiała wszystko wyrzucić, gdyż nie było tam żywności, w innych miała mnóstwo smakołyków, za które mogłaby kupić całe miasto. Cóż z tego, że było to zwykłe jedzenie, wszyscy pamiętamy przecież króla, który chciał oddać całe królestwo za jednego konia. Gdyby teraz umierał z głodu, łatwo sobie wyobrazić, co by dał za tych kilka worków żywności, Schody muszą być tam, trzeba iść w prawo, przypomniała sobie. Przedtem jednak usiadła na ziemi i wyjęła z torby kawałek kiełbasy, kromkę ciemnego chleba, butelkę wody i bez wyrzutów sumienia zaczęła jeść. Jeśli sama się nie posilę, nie uda mi się donieść jedzenia tam, gdzie go potrzebują, jestem ich jedyną żywicielką. Skończywszy jeść, przewiesiła przez każde ramię trzy torby i z wyciągniętymi rękami posuwała się naprzód, zapalając kolejne zapałki. Doszła do schodów, z wysiłkiem zaczęła się po nich wspinać, jedzenie wciąż zalegało w żołądku, minie jeszcze trochę czasu, nim zasili osłabiony organizm i ukoi skołatane nerwy. Jedynie jej mózg pracował niestrudzenie i bez zarzutu. Co zrobię, jeśli kogoś spotkam, pomyślała, wychodząc ostrożnie na korytarz. Nikogo nie spotkała, ale nadal dręczył ją niepokój, Co ja teraz zrobię, powtarzała w duchu. Kiedy dojdzie do drzwi, będzie mogła krzyknąć z całych sił, Tam na dole jest jedzenie, trzeba tylko zejść schodami do piwnicy, mają tam wielki magazyn, idźcie, zostawiłam otwarte drzwi. Mogła, ale nie zrobiła tego. Ostrożnie zamknęła za sobą drzwi, lepiej nic nie mówić, można sobie wyobrazić, co by się stało, gdyby ślepcy rzucili się na dół jak opętani, skończyłoby się to równie tragicznie jak w szpitalu dla obłąkanych, kiedy wybuchł pożar. Ludzie pospadaliby, ginąc pod nogami zbiegającego tłumu. Co innego iść wolno, wyczuwając stopą każdy stopień, a co innego potykać się o leżące na schodach ciała. Kiedy zabraknie nam jedzenia, będę mogła tu wrócić, pomyślała i przełożyła torby do rąk. Wzięła głęboki oddech i weszła do sklepu. Nie zobaczą mnie, ale wyczują jedzenie, po co brałam tę kiełbasę, jej zapach od razu mnie zdradzi. Zacisnęła zęby i mocniej chwyciła torby, Muszę jak najszybciej przedostać się do wyjścia. Przypomniała sobie ślepca ze skaleczonym kolanem. Co będzie, jeśli i ona nastąpi na kawałek szkła, trzeba pamiętać, że wciąż była boso, nie miała czasu zajrzeć do sklepu z obuwiem, choć stało się powszechnym zwyczajem, że ślepcy wchodzili do sklepów obuwniczych, by przebierać w towarze jak w ulęgałkach. Wiedziała, że musi biec, i tak zrobiła. Najpierw próbowała omijać ślepców, nikogo nie dotykając, ale co chwila musiała zwalniać, co wystarczyło, by wyczuć silny, zdradliwy zapach kiełbasy. Wkrótce jakiś ślepiec zawoła, Kto tu je kiełbasę. Żona lekarza przestała więc przejmować się ludźmi i rzuciła się do drzwi, potrącając, popychając i kopiąc wszystkich po drodze. Jej rozpaczliwa ucieczka była ze wszech miar godna potępienia, nie można w ten sposób traktować ślepych ludzi, którzy i bez tego przeżywali gehennę.

Kiedy wybiegła na ulicę, lało jak z cebra. Dyszała ze zmęczenia i drżały jej kolana. Tym lepiej, że pada, pomyślała, Nie będzie przynajmniej czuć jedzenia. Podczas ucieczki ktoś zerwał jej z pleców ostatni kawałek postrzępionej bluzki, była teraz zupełnie naga od pasa w górę. Szła z obnażonymi, mokrymi od deszczu piersiami, a mimo to nie wyglądała jak Wolność prowadząca lud na barykady. Uginała się pod cudownie wypełnionymi torbami, które jednak w niczym nie przypominały łopoczącego na wietrze sztandaru. Z plastikowych worków, akurat na wysokości psich nosów, wydobywał się zapach. Po mieście grasowały stada tych bezpańskich, wygłodniałych czworonogów i wkrótce żona lekarza zauważyła sforę psów, która podążała za nią krok w krok. Miała nadzieję, że żaden zwierzak nie odważy się zatopić kłów w plastikowej torbie pełnej cudownych darów. Deszcz padał tak mocno, jakby nastąpiło oberwanie chmury, należało się spodziewać, że ludzie schronią się w domach, czekając na poprawę pogody. Tak się jednak nie stało. Na ulice wyległy grupy ślepców, którzy z uniesionymi głowami i otwartymi ustami łapali krople wody, wystawiali na deszcz swoje brudne i obolałe ciała, inni, bardziej przewidujący, wynosili na ulice wiadra, garnki, naczynia, czekając, aż napełnią się manną z nieba, którą dobry Bóg zesłał spragnionym ludziom. Żona lekarza nie wiedziała, że z kranów od dawna nie spłynęła nawet kropla życiodajnej wody. Jedną z wad cywilizacji jest łatwość, z jaką przyzwyczajamy się do wody, która nieprzerwanie płynie do naszych domów, mamy ją na zawołanie, zapominając, że jest to wynik pracy wielu ludzi, którzy odkręcają i zakręcają zawory, obsługują elektryczne pompy, komputery regulujące dopływ wody ze zbiorników, i że do tego wszystkiego potrzebne są oczy, których teraz brakowało. Zabrakło ich również, by zapamiętać ten niezwykły obraz, kobietę uginającą się pod ciężarem plastikowych worków, która w strumieniach deszczu brnęła przez sterty gnijących odpadków, przez kałuże ludzkich i zwierzęcych odchodów, przeciskając się między opuszczonymi samochodami i autobusami, tarasującymi zarośnięte chodniki i ulice, zręcznie omijając ślepców błąkających się z otwartymi ustami i oczami wpatrzonymi w mleczne niebo, jakby wciąż nie byli w stanie uwierzyć, że z niepozornych chmur może spaść tyle wody. Żona lekarza uważnie czytała nazwy ulic, niektóre udało jej się zapamiętać, innych nie, jednak w pewnej chwili spostrzegła, że się zgubiła. Musiałam pomylić drogę, pomyślała, zrobiła jedno okrążenie, po czym następne, ale nie poznawała już ani ulic, ani sklepów. Zrozpaczona usiadła na brudnym chodniku pokrytym czarną, błotnistą mazią, czując, że opuściły ją resztki sił, i wybuchnęła płaczem. Sfora śledzących ją psów zaczęła ostrożnie, acz bez wielkiego zainteresowania obwąchiwać torby z jedzeniem, tak jakby dawno minęła pora ich posiłku. Jeden z czworonogów polizał ją po twarzy, sprawiając wrażenie, jakby całe jego psie życie polegało na pocieszaniu strapionych. Żona lekarza pogłaskała go po mokrej sierści, po czym objęła i wybuchnęła głośnym, histerycznym płaczem. Kiedy wreszcie podniosła spuchnięte od płaczu oczy, jakby za dotknięciem czarodziejskiej różdżki wyrósł przed nią wielki plan miasta, który lokalne władze umieściły tu dla wygody turystów, mogących w ten sposób sprawdzić, gdzie się znajdują, lub w przyszłości opowiedzieć, gdzie byli. Teraz, gdy wszyscy oślepli, można by mieć za złe władzom nadmierną rozrzutność, ale wydarzenia ostatnich tygodni nauczyły ludzi cierpliwości, czas rozwiązuje wszelkie problemy, nauczyły też, że przeznaczenie musi pokonać wiele krętych ścieżek, nim dotrze do celu. Możemy się tylko domyślić, ile wysiłku kosztowało bogów wyczarowanie tej wielkiej mapy i postawienie jej przed oczami zabłąkanej kobiety. Widzisz, jesteś bliżej celu, niż ci się wydaje, po prostu poszłaś w przeciwną stronę, musisz iść tą ulicą do skweru, potem skręcić w lewo, następnie w pierwszą przecznicę w prawo i już jesteś na miejscu, nie zapomnij tylko numeru domu. Psy nie towarzyszyły jej dalej, być może coś odciągnęło ich uwagę albo nie chciały opuścić znajomej dzielnicy. Za żoną lekarza powlókł się jedynie pies, który zlizywał jej gorzkie łzy, kto wie, może on też był częścią misternego planu boskiej pomocy. Wkrótce oboje wkroczyli do znajomego sklepu, pies pocieszyciel nie zdziwił się na widok leżących na ziemi nieruchomych ciał, które wyglądały jak martwe, choć wciąż tliło się w nich życie. Przyzwyczaił się już do takiego widoku, wiedział, że gdy przyjdzie pora, prawie wszyscy ludzie wstaną. Obudźcie się, zawołała żona lekarza, Przyniosłam jedzenie. Przedtem jednak przezornie zamknęła drzwi, by nikt niepowołany jej nie usłyszał. Pierwszy podniósł głowę zezowaty chłopiec, ale był tak słaby, że nie mógł się podnieść, po chwili poruszyli się dorośli, wszystkim śniło się, że zamieniono ich w kamienie, a każdy wie, że kamienie mają głęboki sen, wystarczy przejść się po polu, by się o tym przekonać, leżą nieruchomo zagrzebane w ziemi, czekając nie wiadomo na co. Jednak magiczne słowo „jedzenie" poruszyło nawet psa pocieszyciela, który choć nie znał ludzkiej mowy, radośnie zamerdał ogonem, ten prosty gest przypomniał mu, że nie zrobił tego, co było obowiązkiem każdego szanującego się psa, a mianowicie nie otrząsnął się z wody. Dla takiego czworonoga nie ma nic prostszego, raz, dwa i wszystko wokół jest mokre, a jego sierść puszysta. Cudowna siła rozpryskujących się kropel zesłanych prosto z nieba oraz szelest plastikowych toreb otwieranych przez żonę lekarza zdjęły czar ze skamieniałych postaci. Nie wszystko pachniało apetycznie, lecz dla wygłodniałych ślepców nawet zapach czerstwej kromki chleba wydawał się cudownym aromatem. Nikt już nie spał, wszystkim trzęsły się ręce, a na twarzach pojawił się niepokój. Lekarz, podobnie jak pies pocieszyciel, w porę przypomniał sobie o swej powinności i ostrzegł zebranych, Jedzcie powoli, bo może wam zaszkodzić, Szkodzi nam głód, zauważył pierwszy ślepiec, Słuchaj pana doktora, skarciła go żona, i mężczyzna zamilkł, myśląc z niechęcią, Ten to chyba jest ślepy na umyśle. Były to słowa krzywdzące i niesprawiedliwe, lekarz cierpiał tak samo jak inni, był równie głodny i ślepy jak reszta, o czym świadczyło chociażby to, że nie widział nagich piersi swej żony. Dopiero gdy poprosiła go o sweter, wszyscy zwrócili głowy w jej stronę, ale na próżno, i tak nic nie zobaczyli, od dawna przecież byli ślepi.

W czasie posiłku żona lekarza opowiedziała o swojej wyprawie, pomijając milczeniem jedynie to, że zamknęła drzwi do magazynu, gdyż nie miała pewności, czy w tamtej chwili rzeczywiście działała w imię wyższego dobra, za to ze szczegółami opowiedziała o ślepcu, który zranił się w kolano, i skutecznie rozbawiła towarzystwo, oprócz człowieka z opaską na oku, na którego zmęczonej twarzy pojawił się jedynie blady uśmiech, i zezowatego chłopca, który był całkowicie pochłonięty jedzeniem. Pies pocieszyciel również dostał swoją porcję, za co odwdzięczył się, obszczekując gorliwie każdego przechodnia, który próbował otworzyć drzwi sklepu. Ludzie cofali się przerażeni, gdyż od dawna chodziły plotki, że po mieście grasują wściekłe psy. Wystarczy mi jedno nieszczęście, że jestem ślepy, myślał przechodzień i brał nogi za pas. Kiedy ślepcy zaspokoili pierwszy głód i odzyskali siły, żona lekarza opowiedziała im o rozmowie z mężczyzną, którego spotkała przed sklepem w czasie deszczu. Jeżeli mówił prawdę, zakończyła, czeka nas wiele niespodzianek, nasze domy i mieszkania mogły ulec zniszczeniu, być może nie uda nam się tam wejść, myślę głównie o tych osobach, które nie mają kluczy, my na przykład zgubiliśmy swoje podczas pożaru i nie ma szans, byśmy je odnaleźli w zgliszczach. Wypowiadając ostatnie słowo, wyobraziła sobie płomienie trawiące jej nożyczki, ogień, który najpierw pali zaschniętą krew, potem zniekształca i topi cienki metal, ostre końce, zmieniając je w miękką masę, aż trudno uwierzyć, że te niepozorne resztki, kupka stopionego metalu przebiła komuś gardło. W taką samą bezkształtną masę zmieniły się również jej klucze. My mamy klucze, odezwał się lekarz, z trudem wsuwając trzy palce do małej kieszonki poszarpanych spodni, z której wyjął pęk kluczy, Jakim cudem znalazły się u ciebie, przecież schowałam je do torebki, zdziwiła się jego żona, Wyjąłem je, bo bałem się, że mogą się zgubić, poza tym wolałem mieć je przy sobie, łatwiej mi było wierzyć, że kiedyś wrócimy do domu, Dobrze, że się znalazły, ale przedtem trzeba sprawdzić, czy ktoś nie wyważył drzwi, Może nic się nie stało. Na chwilę wszyscy rozmarzyli się, oglądając oczami wyobraźni znajome kąty swych mieszkań, lecz wkrótce trzeba było wrócić na ziemię i ustalić, kto ma klucze, a kto je zgubił. Pierwsza odezwała się dziewczyna w ciemnych okularach, Gdy mnie zabierali, w domu byli jeszcze rodzice, dlatego nie miałam przy sobie kluczy. Potem odezwał się stary człowiek z czarną opaską na oku, Byłem u siebie, właścicielka mieszkania, u której wynajmowałem pokój, przyszła z wiadomością, że na dole czeka dwóch sanitariuszy, nie myślałem wtedy o kluczach. Brakowało jeszcze zeznania żony pierwszego ślepca. Nie wiem, nie pamiętam, co z nimi zrobiłam, tłumaczyła się zmieszana, choć doskonale pamiętała okoliczności, w których je zgubiła. Kiedy oślepła, z płaczem wybiegła na dwór, głupi i absurdalny, choć skądinąd naturalny odruch, którego nie potrafiła opanować. Zaczęła błagać o pomoc sąsiadki, których jeszcze nie zabrano, ale one zaryglowały drzwi. Opanowana i spokojna, gdy zachorował jej mąż, teraz całkiem straciła głowę, zostawiając otwarte na oścież mieszkanie, była tak wstrząśnięta, że nawet nie poprosiła sanitariuszy, by wrócili z nią do domu, żeby mogła zamknąć drzwi. Zezowatego chłopca nikt nie pytał o klucze, biedne dziecko nie pamiętało nawet swego adresu. Żona lekarza położyła rękę na ramieniu dziewczyny w ciemnych okularach i powiedziała, Zaczniemy od ciebie, ponieważ mieszkasz najbliżej, ale przedtem musimy się przebrać i poszukać butów, nie możemy w takim stanie chodzić po ulicach. Mówiąc to, chciała wstać, ale zauważyła, że po obfitym posiłku zezowatego chłopca zmorzył sen, Dobrze, wobec tego odpoczniemy trochę, spróbujcie się zdrzemnąć, a potem zastanowimy się, co robić dalej. Zdjęła mokrą spódnicę i przytuliła się do męża, żeby się ogrzać, to samo zrobiła żona pierwszego ślepca. Kiedy przysunęła się do męża, ten zapytał, Czy to ty, lecz kobieta pochłonięta smutnymi myślami o opuszczonym domu nie odpowiedziała. Nie poprosiła też męża, by ją pocieszył, choć potrzebowała otuchy bardziej niż kiedykolwiek. Nie wiadomo, jakie uczucia kierowały dziewczyną w ciemnych okularach, ale objęła ona ramieniem starego człowieka z czarną opaską na oku i przytulona do niego zasnęła, podczas gdy on czuwał. Pies pocieszyciel ułożył się pod drzwiami, pilnując wejścia, widocznie gdy nie musiał zlizywać łez, robił się ostry i nie dawał nikomu do siebie podejść.

Wkrótce udało im się znaleźć czyste ubrania i buty, lecz wciąż nie wiedzieli, jak pozbyć się brudu, który oblepiał ich cuchnącą skorupą. Mimo to różnili się od pozostałych ślepców doborem i kolorem strojów. Choć wybór w sklepach był niewielki, bo wszystko zostało już przebrane, po raz kolejny przyszła im z pomocą widząca przewodniczka, która służyła radą, To bardziej pasuje do twoich spodni, nie możesz łączyć pasków z groszkami. Co prawda te praktyczne uwagi nie obchodziły zbytnio mężczyzn, którzy włożyliby nawet worek po kartoflach, ale dziewczyna w ciemnych okularach i żona pierwszego ślepca wciąż dopytywały się o kolory ubrań, próbując wyobrazić sobie, jak w nich wyglądają. Co do obuwia, wszyscy zgodzili się, że wygoda jest ważniejsza od wyglądu, panie zrezygnowały ze szpilek i wysokich obcasów, mokasynów i lakierków, gdyż przy obecnym stanie ulic i chodników byłoby to mało praktyczne. Najbardziej przydałyby się kalosze z wysokimi cholewami, które nie przepuszczają brudu i błota, a do tego dają się łatwo wkładać i zdejmować. Niestety trudno było dla wszystkich znaleźć odpowiedni rozmiar, na przykład zabrakło małego numeru dla zezowatego chłopca, każda para była tak duża, że stopa latała mu w środku, musiał się więc zadowolić najprostszym obuwiem sportowym. Gdyby ktoś opowiedział o tym jego matce, westchnęłaby z niedowierzaniem, mówiąc, Niesamowite, właśnie takie buty by wybrał, gdyby widział. Stary człowiek z czarną opaską na oku miał dużą stopę, więc bez wahania wybrał markowe buty do koszykówki, robione z myślą o dwumetrowych dryblasach. Wyglądał śmiesznie, jakby szedł w wielkich, białych kapciach, ale wkrótce nie różniły się one od zabrudzonego obuwia pozostałych przechodniów, bo jak to w życiu, potrzeba tylko trochę czasu, aby wszystko wróciło do normy.

Deszcz wkrótce ustał. Ślepcy przestali biegać po ulicach z otwartymi ustami, błąkali się teraz bez celu, nie wiedząc, co ze sobą począć. Było im wszystko jedno, czy chodzą, czy stoją, poza szukaniem żywności nie mieli żadnego zajęcia. Cóż innego mogli robić, nie było żadnej rozrywki, muzyki, przy której można by odpocząć, nigdy przedtem nie panowała wokół taka cisza, teatry i kina zamieniły się w noclegownie dla tych, którzy stracili dach nad głową. Gdy jeszcze działał rząd, a właściwie kilka ministerstw, w dużych salach widowiskowych organizowano kwarantanny, wierząc, że uciekając się do tych starych i wypróbowanych metod, jakimi walczono z żółtą febrą, uda się zniszczyć również białą zarazę. Po pewnym czasie jednak rząd przestał istnieć i nie trzeba było aż wywoływać pożaru, by otworzyć drzwi internowanym. Równie dramatyczna sytuacja panowała w muzeach, gdzie tłumy ludzi, a mówiąc ściślej, postacie zaludniające płótna oraz niezliczone posągi popadały w zapomnienie, gdyż nikt ich nie oglądał ani nie podziwiał. Wszędzie panował bezruch. Trudno powiedzieć, na co czekali mieszkańcy miasta, może łudzili się, że uczeni odkryją szczepionkę przeciw białej zarazie, lecz gdy okazało się, że choroba nie oszczędziła nawet naukowców, stracono nadzieję i przestano wierzyć w siłę medycyny. Nie było nikogo, kto mógłby zdrowymi oczami patrzeć przez mikroskop, laboratoria świeciły pustkami, a bakterie z nudów pożerały się nawzajem. Na początku epidemii zdrowi ludzie czuli się odpowiedzialni za swych bliskich i przyprowadzali ich do szpitali, ale wkrótce i tam wszyscy oślepli, lekarze po omacku badali pacjentów, osłuchiwali ich z przodu, z tyłu, bo choć stracili wzrok, mieli jeszcze słuch, ale na tym kończyła się ich pomoc. Wygłodniali pacjenci, którzy mogli poruszać się o własnych siłach, zaczęli uciekać ze szpitali, gdyż woleli umrzeć na ulicy lub wśród bliskich, jeśli ich jeszcze mieli, niż samotnie w szpitalu. Częstokroć byli tak osłabieni, że padali na chodnik i już się nie podnosili. Grzebano ich dopiero wtedy, gdy wokół zaczynał roznosić się fetor rozkładającego się ciała, który wskazywał ślepym przechodniom miejsce, gdzie leżały zwłoki nieszczęśnika, pod warunkiem że zmarł on na uczęszczanej ulicy. Nic dziwnego, że wszędzie było pełno psów, biegających z kawałkami mięsa w pyskach jak wygłodniałe hieny, których cętkowana sierść jeży się na widok padliny, chyłkiem przemykających się przez ulice, jakby w obawie, że ich martwe, rozszarpane zdobycze nagle powstaną i zemszczą się za niegodne atakowanie bezbronnego przeciwnika. Jak wygląda miasto, spytał stary człowiek z czarną opaską na oku, na co żona lekarza odparła, Życie wszędzie wygląda tak samo, w środku i na zewnątrz, w domach, na ulicach, w ukryciu i w miejscach publicznych, nie ma różnicy między tym, co przeszliśmy, a tym, co nas czeka, Jak zachowują się ludzie, spytała dziewczyna w ciemnych okularach, Poruszają się jak zjawy, tak przynajmniej je sobie wyobrażam, chodzą jak we śnie, jakby nie wierzyli, że świat, którego nie widzą, wciąż istnieje, Czy na ulicach jest dużo samochodów, spytał pierwszy ślepiec, który nie mógł przeboleć utraty auta, Tak, ale przypominają jedno wielkie złomowisko. Lekarz i żona pierwszego ślepca zrezygnowali z zadawania pytań, po co pytać, jeśli odpowiedzi mają być równie przygnębiające. Natomiast zezowaty chłopiec był całkowicie pochłonięty nowymi, wymarzonymi butami, nie przeszkadzało mu nawet to, że nie może ich zobaczyć. Być może dlatego nie poruszał się jak zjawa. Podobnie pies pocieszyciel nie przypominał hieny. Nie czuł zapachu padliny, tylko szedł krok w krok za jedynymi zdrowymi oczami w mieście.

Chociaż dziewczyna w ciemnych okularach mieszkała niedaleko, dla wycieńczonych siedmiodniowym postem słabych ślepców droga ciągnęła się w nieskończoność. Szli wolno, przysiadając co kilka minut na chodniku. Na nic zdał się staranny dobór kolorów i deseni, wkrótce stroje wszystkich ślepców stały się równie brudne jak wszystko dookoła. Na wąskiej uliczce, gdzie mieszkała dziewczyna w ciemnych okularach, nie stały żadne samochody, nie dość, że była jednokierunkowa, to jeszcze obowiązywał tu zakaz parkowania, poza tym w takim zaułku czasem całymi godzinami nie widywało się żywej duszy. Jaki to numer domu, spytała żona lekarza, Siedem, mieszkam na drugim piętrze po lewej stronie. Jedno z okien było otwarte, co dawniej uważano za nieomylny znak czyjejś bytności, teraz jednak nic nie było pewne. Nie warto, żebyśmy wchodzili wszyscy, powiedziała żona lekarza, Zostańcie tutaj, ja z nią pójdę. Ktoś próbował wyważyć drzwi wejściowe, zamek był wygięty, część drewnianej listwy ledwo trzymała się futryny. Milcząc, żona lekarza przepuściła dziewczynę przodem, w końcu to jej dom, była u siebie, znała tu każdy kąt. Klatka schodowa tonęła w ciemnościach, więc wszystko jedno, kto idzie pierwszy, pomyślała żona lekarza. Dziewczyna w pośpiechu zaczęła wchodzić po schodach, potykając się dwukrotnie, aż sama zaczęła się z siebie śmiać, Trudno uwierzyć, że tyle razy pokonywałam te schody z zamkniętymi oczami, i pomyśleć, że takich określeń używałam setki razy, choć czasem są one tak niedokładne i mylące, na przykład, czy iść na oślep znaczy iść z zamkniętymi oczami czy być ślepym. Na drugim piętrze drzwi po lewej stronie były zamknięte. Dziewczyna w ciemnych okularach przesunęła ręką po futrynie i znalazła dzwonek, Pamiętaj, że nie ma prądu, przypomniała jej żona lekarza i te proste słowa, zwykłe przypomnienie oczywistej rzeczy, zabrzmiały jak złowroga wróżba. Zapukała raz, drugi, trzeci, w końcu zaczęła walić pięściami w drzwi, wołając, Mamo, tatusiu, Nikt nie odpowiedział, gorzkiej prawdy nie roztkliwiają czułe słowa. Nikt nie powiedział, Kochana córeczko, nareszcie jesteś, a już straciliśmy nadzieję, że kiedykolwiek cię ujrzymy, wejdź, kochanie, a ta pani to pewnie twoja przyjaciółka, prosimy, prosimy, mamy tu bałagan, ale proszę nie zwracać uwagi. Drzwi jednak były wciąż zamknięte. Nie ma ich, wyszeptała dziewczyna w ciemnych okularach, oparła splecione ramiona o drewnianą framugę, ukryła w nich głowę i wybuchnęła płaczem, wyglądała, jakby całym zastygłym w tej pozie ciałem wołała o litość. Trudno uwierzyć, że kobieta lekkich obyczajów może okazać się istotą tak wrażliwą i rozpaczać jak każdy uczciwy człowiek po stracie bliskich, choć na pewno rację mają ci, którzy uważają, że jedno nie wyklucza drugiego. Żona lekarza chciała ją pocieszyć, ale wiedziała, że to niczego nie zmieni, wiadomo było, że prawie wszyscy opuścili swoje domy. Może zapytamy sąsiadów, zaproponowała, Jeśli oczywiście ktoś został, Dobrze, chodźmy, szepnęła dziewczyna w ciemnych okularach bez cienia nadziei w głosie. Zaczęły pukać do drzwi sąsiadów, ale i tam nikt się nie odzywał. Piętro wyżej drzwi stały otworem, oba mieszkania były splądrowane, szafy świeciły pustkami, na półkach w kuchni nie zachował się nawet okruszek chleba. Wyglądało na to, że ktoś niedawno opuścił dom, może była to grupa zbłąkanych ślepców wędrujących od drzwi do drzwi, z jednej pustki w drugą.

Zeszły na pierwsze piętro, żona lekarza zapukała do najbliższych drzwi, po dłuższej chwili ciszy z głębi mieszkania odezwał się zachrypnięty, nieufny głos, Kto tam. Dziewczyna w ciemnych okularach podeszła do drzwi, To ja, sąsiadka z drugiego piętra, szukam rodziców, może pani wie, gdzie są, co się z nimi stało. Usłyszały szuranie, drzwi otworzyły się i stanęła w nich wynędzniała, brudna staruszka, sama skóra i kości, jej twarz okalały długie, siwe, skołtunione włosy. Ostry smród pleśni i stęchlizny uderzył w nie z taką siłą, że obie kobiety odruchowo cofnęły się o krok. Staruszka miała szeroko otwarte, wyblakłe oczy, Nie wiem, co się z nimi stało, Zabrali ich dzień po tobie, wtedy jeszcze widziałam, Czy ktoś tu jeszcze został, Czasem słyszę czyjeś kroki, ale to obcy ludzie, którzy tu tylko nocują, A co się stało z pani mężem, synem i synową, Ich też zabrali, A pani pozwolili zostać, Ukryłam się, Gdzie, Nie uwierzysz, dziecko, ale w twoim mieszkaniu, Jak się pani tam dostała, Przez tylne wyjście ewakuacyjne, wybiłam szybę w oknie, weszłam i otworzyłam drzwi od środka, klucz był w zamku, Jak się pani udało samej tu przeżyć, spytała żona lekarza, A to kto, staruszka aż podskoczyła na dźwięk obcego głosu, To przyjaciółka z mojej grupy, uspokoiła ją dziewczyna w ciemnych okularach, Nie chodzi mi tylko o to, że jest pani sama, ale skąd przez ten czas brała pani jedzenie, drążyła żona lekarza, Nie jestem głupia, potrafię dać sobie radę, Nie musi pani odpowiadać, pytam przez ciekawość, Dlaczego nie, mogę odpowiedzieć, na początek przeszłam się po wszystkich mieszkaniach i wyniosłam stamtąd, co się dało, najpierw zjadałam rzeczy, które mogły się zepsuć, a resztę przechowywałam, Ma pani jeszcze coś do jedzenia, Nie, wszystko zjadłam, odparła staruszka z wyrazem niepokoju w oczach, w których od dawna nie tliło się już życie, przypominały okrągłe, szklane kulki, które ktoś wcisnął w jej zastygłą twarz. Podobne wrażenie sprawiały jej powieki, rzęsy i brwi, choć na przestrzeni wieków jedynie oczom poświęcano uwagę, opisując je na wszelkie możliwe sposoby, Co pani teraz je, spytała żona lekarza, Na ulicach rządzi śmierć, ale w domach nadal toczy się życie, odparła tajemniczo staruszka, Nie rozumiem, Wszędzie są jakieś ogródki warzywne, ludzie hodowali tu króliki, kury, są też kwiaty, chociaż tych nie da się niestety zjeść, Co pani robi, To zależy, czasem znajdę gdzieś głowę kapusty, czasem złapię królika albo kurę, Je to pani na surowo, Najpierw próbowałam rozpalać ognisko, ale z czasem przyzwyczaiłam się do surowego mięsa, liście wewnątrz kapusty są słodkie, bądźcie spokojne, z głodu wasza babcia nie umrze. Cofnęła się, ginąc niemal w ciemnościach, tylko jej białe oczy świeciły w mroku. Po chwili dodała, Jeśli chcesz, możesz przejść przez moje mieszkanie, stąd przedostaniesz się do siebie. Dziewczyna w ciemnych okularach chciała podziękować, powiedzieć, Nie trzeba, po co, nie warto, przecież nie ma tam moich rodziców, ale nagle poczuła nieodpartą chęć ujrzenia swego pokoju, Co za bzdury, zaśmiała się w duchu, Jestem ślepa i chcę zobaczyć moje mieszkanie, ale mogę przynajmniej dotknąć ścian, narzuty na łóżku, dotknąć ręką poduszki, gdzie kładłam moją biedną, skołataną głowę, pogładzić meble, może na komodzie stoi jeszcze wazon z kwiatami, chyba że staruszka strąciła go, przeszukując mieszkanie, wściekła, że nie znalazła tam nic do jedzenia. Dobrze, jeśli pani pozwoli, skorzystam z tej propozycji, powiedziała po namyśle, Bardzo pani dziękuję, Wejdź, dziecko, ale pamiętaj, że jedzenia tam nie znajdziesz, a ja sama mam tak niewiele, że dla mnie ledwo starczy, poza tym ty i tak nie wzięłabyś tego do ust, pewnie nie lubisz surowego mięsa, Proszę się nie martwić, mamy co jeść, Macie jedzenie, spytała, W takim razie w zamian za uprzejmość powinnyście mi go trochę odstąpić, Oczywiście, proszę się nie martwić, uspokoiła ją żona lekarza. Kiedy minęły korytarz, owionął je smród nie do zniesienia. Podłoga słabo oświetlonej kuchni usiana była skórami z królika, pierzem, kośćmi, w naczyniu pełnym zaschniętej krwi leżały kawałki przeżutego mięsa. Czym pani karmi kury i króliki, spytała żona lekarza, Kapustą, zielskiem, odpadkami, odparła staruszka, Jakimi odpadkami, przecież kury i króliki nie jedzą mięsa, Króliki jeszcze nie, ale kury już się na nie rzucają, zwierzęta są jak ludzie, do wszystkiego potrafią się przyzwyczaić. Staruszka poruszała się pewnie, ani razu się nie potknęła, odsunęła krzesło, które jej zawadzało, tak jakby widziała, po czym wskazała ręką wyjście ewakuacyjne, Tamtędy, uważajcie, jest ślisko i schody się chwieją, A drzwi, Wystarczy je lekko popchnąć, tu macie klucze, Ależ to moje klucze, chciała krzyknąć dziewczyna w ciemnych okularach, ale natychmiast pomyślała, że i tak na nic jej się nie przydadzą, jeśli rodzice lub ktokolwiek, kto był w ich domu, zabrał klucze od drzwi wejściowych. Nie może przecież nachodzić staruszki za każdym razem, gdy będzie chciała wejść lub wydostać się z mieszkania. Poczuła skurcz w sercu, być może ze wzruszenia, że zaraz znajdzie się w swoim domu, może na myśl, że nie zastanie w nim rodziców, a może z zupełnie innego powodu.

W kuchni panował porządek, jedynie meble pokrywała cienka warstwa kurzu, na szczęście deszcz oczyścił powietrze, na czym skorzystały także wielkie głowy kapusty i wszelka roślinność. Gdy żona lekarza wyjrzała przez okno, zobaczyła zarośnięty ogród, który przypominał miniaturową dżunglę. Ciekawe, czy są tu króliki, może nadal siedzą w klatkach i czekają, aż ślepa ręka poda im liść kapusty, a potem mimo ich rozpaczliwego wyrywania się wyciągnie je za uszy po to, aby drugą dłonią zadać śmiertelny cios, miażdżąc czaszkę i kręgosłup. Dziewczyna znała rozkład mieszkania, więc poruszała się pewnie i swobodnie jak jej sąsiadka z dołu, ani razu nie potknęła się i nie zawahała. Łóżko rodziców było niezasłane, pewnie wywlekli ich z domu o świcie. Dziewczyna rzuciła się na poduszki i wybuchnęła płaczem. Żona lekarza usiadła obok. Nie płacz, powiedziała, Cóż innego mogła wymyślić, żadne łzy nie pomogą, gdy wszystko straciło dawny sens. W pokoju dziewczyny na komodzie stały uschnięte kwiaty, woda z wazonu wyparowała. Jej dłonie po omacku błądziły po suchych płatkach, jakby chciały się upewnić, czy rzeczywiście życie jest takie kruche. Żona lekarza otworzyła okno i wyjrzała na ulicę, jej podopieczni siedzieli na chodniku i cierpliwie czekali, jedynie pies pocieszyciel zareagował na cichy dźwięk i podniósł łeb. Niebo znów zasnuło się chmurami i pociemniało, zbliżał się wieczór. Żona lekarza pomyślała, że mogą przenocować w mieszkaniu dziewczyny, choć zdawała sobie sprawę, że staruszka z dołu nie będzie zachwycona przemarszem tylu osób przez jej dom. Poczuła na ramieniu rękę dziewczyny w ciemnych okularach. Znalazłam klucze, wisiały na haku, rodzice musieli o nich zapomnieć, powiedziała. Tak więc problem sam się rozwiązał, nie musiała narażać grupy na utyskiwania sąsiadki, mogli wejść głównymi drzwiami. Pójdę po nich, powiedziała żona lekarza, Jak to dobrze, że możemy przenocować w mieszkaniu, a nie na ulicy, Może pani spać z mężem w łóżku moich rodziców, zaproponowała dziewczyna w ciemnych okularach, Później się zastanowimy, Tutaj ja decyduję, to mój dom, Masz rację, będzie, jak zechcesz, żona lekarza przytuliła dziewczynę, po czym zeszła po resztę grupy. Szli podnieceni, rozmawiając głośno, co chwila potykając się o stopnie, chociaż ostrzegła ich, że między kolejnymi podestami jest po dziesięć stopni. Można było pomyśleć, że to grupa rozbawionych gości przybyłych z wizytą. Na końcu spokojnie kroczył pies pocieszyciel, który zachowywał się tak, jakby całe życie pilnował ludzi. Dziewczyna w ciemnych okularach stała na klatce schodowej i spoglądała w dół jak gospodyni, która sprawdza, kto idzie, obcy czy swój, jeśli swój, przywita go ciepłym słowem, przecież mówi się, że przyjaciół poznaje się nawet z zamkniętymi oczami. Wejdźcie, proszę, powie, Czujcie się jak u siebie w domu. Usłyszawszy hałas, staruszka z pierwszego piętra wyjrzała przez szparę w drzwiach w obawie, że to znów jakaś banda ślepców szukających noclegu. Zwykle się nie myliła. Kto idzie, spytała. To moi znajomi, uspokoiła ją z góry dziewczyna w ciemnych okularach. Staruszka nie kryła zaskoczenia. Jak ona tam weszła, zastanawiała się, dopiero po chwili zrozumiała, że przez nieuwagę zostawiła klucze w mieszkaniu dziewczyny. Była zła na siebie, że popełniła takie głupstwo, straciła tym sposobem wyłączne prawo do mieszkania, którego od miesięcy była jedyną lokatorką. Nie mogąc inaczej wyładować złości, otworzyła szerzej drzwi i zawołała, Pamiętajcie, że obiecaliście dać mi coś do jedzenia. Jednak wszyscy byli tak zajęci, że nikt jej nie odpowiedział, żona lekarza prowadziła ślepców, a dziewczynę w ciemnych okularach całkowicie pochłonęła rola gospodyni. Staruszka krzyknęła ze złością, Słyszycie, co mówię, ale ten nagły wybuch rozjuszył psa, który rzucił się na nią, ujadając tak, że aż się zatrzęsła cała klatka schodowa. Kobieta krzyknęła przerażona, czując, że spotkała ją kara boska, i w ostatniej chwili zatrzasnęła drzwi. Co to za wiedźma, spytał stary człowiek z czarną opaską na oku. Swoją drogą, ciekawe, jak by on sam się zachował, gdyby przyszło mu żyć w samotności tyle czasu, czy pamiętałby o życzliwości i dobrych manierach.

Jedzenia mieli niewiele, tyle co zdołali przynieść w workach, wody było tak mało, że musieli oszczędzać każdą kroplę, ale na szczęście mieli światło, gdyż dziewczynie udało się znaleźć w szafce kuchennej dwie świece, które matka trzymała na wypadek awarii prądu. Żona lekarza zapaliła je głównie z myślą o sobie, innym było to obojętne, mieli tyle światła w głowach, że oślepli. Wykorzystując skromne dary losu, przyrządzili uroczystą kolację, wieczerzę, jaka zdarza się raz w życiu, gdy wszystko staje się wspólne. Zanim zasiedli do stołu, żona lekarza i dziewczyna w ciemnych okularach zeszły na dół, by spełnić obietnicę, a właściwie żądanie sąsiadki, i wręczyć jej opłatę za przejście przez zakazaną strefę. Staruszka przyjęła dary ze łzami w oczach, skarżąc się, że przeklęty pies omal jej nie pożarł. Macie chyba mnóstwo jedzenia, jeśli możecie wyżywić taką bestię, zauważyła, chcąc tą niestosowną uwagą wzbudzić w kobietach wyrzuty sumienia, by pomyślały, że nie można pozwolić biednej staruszce zginąć z głodu, podczas gdy jakiś wściekły pies obżera się smakołykami. One jednak nie podniosły świadczenia, ponieważ słusznie uznały, że w obecnych warunkach nawet to, co już dały, było na wagę złota. Staruszka, która w gruncie rzeczy nie była taką wiedźmą, na jaką wyglądała, zrozumiała, że nic nie wskóra, i skruszona przyniosła dziewczynie klucze od tylnego wejścia. Weź, to przecież twoje klucze, powiedziała, po czym zawstydzona swoim zachowaniem mruknęła pod nosem, Bardzo dziękuję. Kobiety wróciły na górę. Okazuje się, że nawet wiedźmy mają serce. Kiedyś nie była taka zła, to samotność pozbawiła ją uczuć, powiedziała bez przekonania dziewczyna w ciemnych okularach. Żona lekarza milczała. Dopiero po kolacji, gdy wszyscy udali się na spoczynek i kiedy zostały same w kuchni, jak matka i córka sprzątające po gościach, zapytała, Co masz zamiar zrobić, Nic, zostanę tu i będę czekać na rodziców, Sama, a do tego ślepa, Przyzwyczaiłam się, Do samotności też, Do niej również muszę przywyknąć, sąsiadka z dołu jakoś daje sobie radę, Chcesz skończyć tak jak ona, żywiąc się kapustą i surowym mięsem, a co dalej, poza wami nie ma tu nikogo, będziecie żyć, nienawidząc się wzajemnie, bojąc się, że jedna drugiej sprzątnie sprzed nosa posiłek, każdy liść kapusty będzie jak wyrzut sumienia, ciesz się, że nie widziałaś tej biedaczki i jej mieszkania, czułaś tylko smród, ale zapewniam cię, że nawet w szpitalu nie było tak brudno, Prędzej czy później wszyscy będziemy wyglądać tak jak ona, a potem wszyscy umrzemy, Jak na razie jeszcze żyjemy, Posłuchaj, jesteś mądrzejsza ode mnie, w porównaniu z tobą wiem niewiele, ale wydaje mi się, że my od dawna jesteśmy martwi albo, jeśli wolisz, umarliśmy, ponieważ straciliśmy wzrok, co na jedno wychodzi, Ja wciąż widzę, Masz szczęście, ty i twój mąż, ale nie wiesz, jak długo to potrwa, jeśli oślepniesz, upodobnisz się do nas, niedługo wszyscy będziemy wyglądać jak moja sąsiadka, Liczy się to, co jest teraz, jestem odpowiedzialna za to, co dzieje się dziś, a nie za to, co zdarzy się jutro, kiedy być może oślepnę, Odpowiedzialna, dlaczego, Dlatego że mam oczy, podczas gdy inni je stracili, Nie nakarmisz i nie zaopiekujesz się wszystkimi ludźmi na świecie, Powinnam przynajmniej spróbować, Wiesz, że nie dasz rady, Będę pomagać na tyle, na ile mnie stać, Wiem, że dotrzymasz słowa, gdyby nie ty, pewnie by mnie tu nie było, Dlatego nie pozwolę ci zginąć, Ale moim obowiązkiem jest zostać w domu i czekać na rodziców, chcę, żeby mnie tu zastali, jeśli wrócą, Sama powiedziałaś, jeśli wrócą, może dawno przestali być twoimi rodzicami, Nie rozumiem, Sama powiedziałaś, że sąsiadka z dołu była kiedyś dobrą kobietą, Biedaczka, To twoi rodzice są biedni, skąd wiesz, czy choroba nie zmieniła również ich uczuć, do tej pory wszyscy postępowaliśmy według zasad ustalonych przez ludzi widzących, one nas kształtowały, ślepcy czują i myślą inaczej, tracąc wzrok, nie wiemy, co i jak się w nas zmieni, sama mówisz, że staliśmy się martwi dlatego, że straciliśmy wzrok, Ale przecież ty nadal kochasz swego męża, Tak, kocham tak jak siebie samą, ale kiedy oślepnę, stanę się inną osobą, nie wiem, czy nadal będę umiała go kochać i jaka będzie ta miłość, Kiedyś też byli na świecie niewidomi, Było ich jednak znacznie mniej, i to ludzie widzący ustalali reguły gry, uczucia ludzi ślepych były nam obce, teraz jest odwrotnie, żyjemy w świecie ślepców, a to dopiero początek, na razie pamiętamy dawne czasy, ale sama dobrze wiesz, jak teraz wygląda życie, gdyby ktoś powiedział mi kiedyś, że zabiję człowieka, nigdy bym w to nie uwierzyła, a jednak to zrobiłam, Co mi radzisz, Chodź z nami, zamieszkamy razem, A reszta, Zaproponuję im to samo, ale przede wszystkim zależy mi na tobie, Dlaczego, Sama zadaję sobie to pytanie, może dlatego, że stałaś mi się bliska jak rodzona siostra, a może dlatego, że spałaś z moim mężem, Wybacz mi, To nie zbrodnia, nie musisz przepraszać, Staniemy się pasożytami żyjącymi twoim kosztem, stracisz przez nas zdrowie, Dawniej też nie brakowało pasożytów, a zdrowie do czegoś się wreszcie przyda poza utrzymywaniem mnie przy życiu, ale dość tego gadania, chodźmy spać, jutro zaczynamy nowe życie.

Nowe albo takie samo. Po przebudzeniu zezowaty chłopiec chciał iść do łazienki, miał biegunkę, coś widocznie musiało mu zaszkodzić. Okazało się jednak, że nie można tam wejść, ponieważ staruszka z pierwszego piętra korzystała z ubikacji we wszystkich opuszczonych mieszkaniach i w końcu zapchała muszle klozetowe. Tylko przez przypadek poprzedniego wieczoru nikt z siedmioosobowej grupy nie korzystał z WC, wówczas wcześniej odkryliby, w jakim stanie znajduje się łazienka. Teraz jednak wszyscy poczuli nagłą potrzebę wypróżnienia, ale zezowaty chłopiec cierpiał najbardziej, aż zwijał się z bólu. Niestety, w naszej opowieści musimy również uwzględnić nieprzyjemne, choć istotne przejawy życia bohaterów. Łatwo prowadzić uczone dysputy, gdy ciału nic nie dolega, na przykład można się rozwodzić nad tym, czy istnieje bezpośredni związek między oczami i uczuciami, zastanawiać się nad konsekwencjami utraty wzroku albo nad tym, czy odpowiedzialność jednostki zależy od dobrego wzroku, ale gdy żołądek daje o sobie znać, kiedy buntuje się ciało, a wnętrzności przeszywa ból, upodabniamy się do zwierząt. Do ogrodu, rzuciła hasło żona lekarza, i rzeczywiście było to jedyne sensowne wyjście. Gdyby wyszli później, być może spotkaliby sąsiadkę z pierwszego piętra, pamiętajmy, aby nie nazywać jej wiedźmą, w otoczeniu kur, niewidoczną wśród trzepoczących skrzydeł. Dlaczego, zapyta ktoś, ale ten, kto zadaje takie pytania, nie wie, co to kury. Żona lekarza wyprowadziła na schody skręcającego się z bólu zezowatego chłopca, lecz biedne dziecko nie mogło wytrzymać i na ostatnich stopniach nastąpiła katastrofa. Reszta ślepców po omacku schodziła ewakuacyjnymi schodami, tym razem naprawdę ratując się przed klęską. Zapomnieli o wstydzie, który do niedawna nie pozwoliłby im na tak swobodne zachowanie, i rozbiegli się po ogrodzie. Teraz stękali z wysiłku, ukrywając się po kątach. Żona lekarza nie była wyjątkiem, skulona w kącie ogrodu patrzyła na ślepców i bezgłośnie płakała. Płakała w imieniu wszystkich ludzi, gdyż ani jej mąż, ani dziewczyna w ciemnych okularach, ani stary człowiek z czarną opaską na oku, ani nawet zezowaty chłopiec, żadne z nich nie potrafiło już płakać. Widziała ich przez łzy, przycupniętych w trawie lub za głowami kapusty, gdzie zaglądały ciekawskie kury oraz pies pocieszyciel, który przyszedł za nimi. Każdy próbował podetrzeć się tym, co miał pod ręką, jedni wyrwanymi chwastami, inni ziemią, brudząc się jeszcze bardziej. Potem w milczeniu wrócili schodami ewakuacyjnymi do mieszkania, tym razem staruszka z dołu nie spytała, kim są, skąd przychodzą i dokąd idą, gdyż jeszcze smacznie spała po obfitej kolacji. Kiedy znaleźli się na górze, zapanowała cisza, nie wiedzieli, o czym rozmawiać. Dziewczyna w ciemnych okularach przerwała milczenie, mówiąc, że w takim stanie nie mogą pokazać się na ulicy. Niestety nie było wody, skończyła się też ulewa, gdyby jeszcze trwała, nie byłoby problemu, wyszliby na dwór, rozebrali się bez fałszywego wstydu i wystawili brudne ciała na dobroczynne działanie deszczu, strugi wody spływałyby po gołych karkach, piersiach i nogach, chlupotały w zagłębieniach dłoni, a oni szorowaliby każdy skrawek skóry, wody starczyłoby nawet, by napoić przygodnego przechodnia, kimkolwiek by był, a gdyby nieznajomy powodowany straszliwym pragnieniem przez przypadek spierzchniętymi ustami dotknął mokrego ciała, zamiast wyciągniętej dłoni, i zlizał ostatnią kroplę wody, kto wie, czy nie wzbudziłoby to w nim pragnienia zupełnie innego rodzaju. Dziewczyna w ciemnych okularach była obdarzona bujną wyobraźnią, która, jak wiemy, często prowadziła ją na manowce, ale pozwalała też na chwilę zapomnieć o tragicznej, beznadziejnej, a jednocześnie groteskowej sytuacji. Mimo to była jednak osobą praktyczną, czego dowiodła, przynosząc ze swego pokoju oraz z szafy rodziców stertę ręczników i prześcieradeł. Możecie tym się wytrzeć, powiedziała, Lepsze to niż nic, i miała rację. Gdy zasiedli do stołu, czuli się jak nowo narodzeni.

Podczas śniadania żona lekarza przedstawiła obecnym swój plan. Musimy zadecydować, co robimy dalej, myślę, że wszyscy mieszkańcy miasta są ślepi, a przynajmniej ślepi są ci, których widziałam, nie ma wody, prądu, nie ma niczego, wszystko stoi na głowie, Czy działa jeszcze rząd, spytał pierwszy ślepiec, Nie sądzę, a jeśli nawet, jest to rząd ślepców, którzy kierują innymi ślepcami, czyli nie ma co liczyć na dobrą organizację, Nie mamy przed sobą żadnej przyszłości, powiedział ze smutkiem stary człowiek z czarną opaską na oku, Tego nie wiem, żyć jakoś trzeba, Bez przyszłości teraźniejszość staje się bez znaczenia, to tak, jakby jej nie było, Może ludzie nauczą się żyć bez oczu, ale prawdopodobnie przestaną być ludźmi, myślę, że nikt z nas nie może nazwać się człowiekiem w takim znaczeniu, jakiego używaliśmy dawniej, ja na przykład zabiłam człowieka, Co takiego, przeraził się pierwszy ślepiec, Tak, herszta bandytów z lewego skrzydła, wbiłam mu nożyczki w gardło, Zabiłaś, żeby nas pomścić, kobiety może pomścić tylko inna kobieta, powiedziała dziewczyna w ciemnych okularach, Usprawiedliwiona zemsta jest rzeczą ludzką, gdyby ofiara nie mogła bronić się przed katem, nie byłoby na tym świecie sprawiedliwości, Ani ludzkości, dodała żona pierwszego ślepca, Wróćmy do rzeczy, przerwała te rozważania żona lekarza, Jeśli będziemy trzymać się razem, mamy szansę przetrwać, ale gdy się rozdzielimy, wchłonie nas ogromna masa ludzka i niechybnie zginiemy, Mówiłaś, że po ulicach chodzą zorganizowane grupy ślepców, zauważył lekarz, To znaczy, że pojawiła się nowa forma życia, nie musimy więc zginąć wchłonięci przez bezwolny tłum, Nie jestem pewna, czy rzeczywiście są zorganizowani, widziałam jedynie, jak razem szukali żywności i schronienia, Wróciliśmy do czasów jaskiniowców, powiedział stary człowiek z czarną opaską na oku i dodał, Z tą różnicą, że jest nas więcej, a wokół nie ma bujnej, nieokiełznanej przyrody, miliony ludzi żyją na jałowej, zniszczonej ziemi, I wszyscy są ślepi, przypomniała żona lekarza, Zorganizowane grupy rozpadną się, kiedy zabraknie wody i jedzenia, każdy uzna, że w pojedynkę ma większe szanse na przetrwanie, nie będzie musiał dzielić się z innymi, co upoluje, to jego, Przecież te grupy muszą mieć swoich przywódców, kogoś, kto wydaje rozkazy, zauważył pierwszy ślepiec, Być może, ale ci przywódcy widzą tyle samo co ich podwładni, Ty rządzisz nami dlatego, że nie jesteś ślepa, przypomniała dziewczyna w ciemnych okularach, Ja nie rządzę, tylko kieruję, jestem waszą ostatnią parą oczu, Naturalny przywódca, widzący władca w świecie niewidomych, zauważył ze smutkiem stary człowiek z czarną opaską na oku, Jeśli rzeczywiście tak uważacie, pozwólcie się nadal prowadzić moim oczom, póki jeszcze mi służą, dlatego powtarzam, że zamiast rozdzielić się i rozejść do swych domów, ona zostanie tutaj, ty pójdziesz tam, oni tam, lepiej trzymać się razem, Możecie zamieszkać u mnie, zaproponowała dziewczyna w ciemnych okularach, Nasze mieszkanie jest większe, zauważyła żona lekarza, Pod warunkiem że nikt go jeszcze nie zajął, przypomniała żona pierwszego ślepca, Sami musimy się o tym przekonać, jeśli mieszkanie będzie zajęte, wrócimy tutaj albo zamieszkamy u kogoś innego, może u was, może u ciebie, zwróciła się do starego człowieka z czarną opaską, Ja nie mam mieszkania, wynajmowałem pokój, Nie masz rodziny, spytała dziewczyna w ciemnych okularach, Nie, Ani żony, ani dzieci, ani rodzeństwa, Nikogo, Jeśli nie odszukam moich rodziców, też będę sama jak palec, Nieprawda, ja zostanę z tobą, odezwał się nieoczekiwanie zezowaty chłopiec. Nawet nie dodał, Jeśli nie znajdę mamy, nie przyszło mu do głowy, że może istnieć jakiś warunek spełnienia tej obietnicy. Na pierwszy rzut oka jego zachowanie mogło wydawać się dziwne, ale po dłuższym namyśle należy uznać je za całkiem naturalne, młodzi ludzie łatwo przystosowują się do nowych warunków, mają przed sobą całe życie. No więc na co się decydujecie, spytała żona lekarza, Idę z wami, powiedziała dziewczyna w ciemnych okularach, Proszę tylko, byś raz na tydzień przyprowadziła mnie do domu, kto wie, może wrócą moi rodzice, Chcesz zostawić klucze u sąsiadki, Nie mam wyjścia, i tak zabrała już wszystko, co mogła, Zniszczy ci mieszkanie, Wie, że żyję, więc może tego nie zrobi, My też idziemy z wami, odezwał się pierwszy ślepiec, Chcielibyśmy tylko jak najszybciej sprawdzić, co się dzieje w naszym domu, Oczywiście, Do mnie nie warto wstępować, już wam mówiłem, że mieszkam skromnie, Pójdziesz z nami, Tak, ale pod pewnym warunkiem, powiedział stary człowiek z czarną opaską. Jego słowa mogły wydawać się niestosowne w sytuacji, gdy ktoś wyświadcza mu przysługę, ale starość taka już jest, gdy godziny są policzone, człowiek próbuje przeżyć je najgodniej, jak potrafi. Pod jakim warunkiem, spytał lekarz, Powiecie mi, kiedy stanę się dla was ciężarem, a jeśli w imię przyjaźni lub z litości będziecie milczeć, mam nadzieję, że sam to w porę zauważę i zrobię, co do mnie należy, Co masz na myśli, spytała zaniepokojona dziewczyna w ciemnych okularach, Odejdę, ucieknę, zniknę, jak robiły to kiedyś stare słonie, słyszałem, że obecnie nie dożywają sędziwego wieku, Przecież nie jesteś słoniem, Nie jestem również mężczyzną, Nie możesz być mężczyzną, skoro zachowujesz się jak dziecko, zdenerwowała się dziewczyna w ciemnych okularach i w ten sposób ucięła rozmowę.

Plastikowe torby były teraz o wiele lżejsze, nic dziwnego, sąsiadka z pierwszego piętra dwa razy korzystała z zapasów, raz wieczorem, drugi rano, kiedy poprosili ją, by przechowała klucze do czasu, gdy pojawią się prawowici właściciele mieszkania. Należało ją jakoś przekupić, wiemy już, jaki miała wredny charakter. Nie zapominajmy też o psie pocieszycielu, który również korzystał z ludzkiej hojności, tylko człowiek o kamiennym sercu mógłby oprzeć się jego błagalnym spojrzeniom. Ale, ale, gdzie się podział pies, nie ma go w mieszkaniu, nie wychodził również na ulicę, pewnie jest w ogrodzie. Żona lekarza zbiegła na dół i przyłapała czworonoga, jak pożerał kurę, Rzucił się na nią tak szybko, że nie zdążyła nawet zagdakać. Gdyby staruszka z pierwszego piętra nie była ślepa i codziennie liczyła swój dobytek, lepiej nie myśleć, jak by na to zareagowała i jaki los spotkałby powierzone jej klucze. Pies rozdarty pomiędzy możliwością zakończenia zbrodniczej uczty a groźbą utraty swej pani, nie zastanawiał się długo. Zanim staruszka zdążyła zejść schodami ewakuacyjnymi do ogrodu, zaniepokojona dziwnymi odgłosami dobiegającymi z dworu, zwierzę zdążyło zakopać w pulchnej ziemi resztki kury, zacierając ślady zbrodni i odkładając na później wyrzuty sumienia, po czym radośnie pobiegło na górę za swoją panią, owiewając ciepłym oddechem fałdy spódnicy staruszki, która nawet nie domyśliła się, jak blisko był jej wróg, następnie ułożyło się u stóp żony lekarza i głośnym szczekaniem przyznało się do popełnionej zbrodni. Jego głośne ujadanie wystraszyło sąsiadkę, która dopiero teraz zdała sobie sprawę z niebezpieczeństwa, na jakie narażony został jej stan posiadania, i zadzierając głowę, krzyknęła ze schodów, Zamknijcie tego psa, inaczej zadusi mi wszystkie kury, Proszę się nie obawiać, zawołała z góry żona lekarza, Nie jest głodny, dostał swoją porcję, a poza tym zaraz wychodzimy, Wychodzicie, spytała zdziwiona staruszka, a w jej głosie zabrzmiała nuta żalu, jakby chciała powiedzieć, Jak możecie zostawić mnie tu samą, ale zamilkła urażona, czując, że jej skarga nikogo nie wzruszy. Nawet najbardziej zatwardziałe serca potrafi ścisnąć żal i stara kobieta nie była w tym wyjątkiem. Urażona nie chciała nawet otworzyć drzwi, by pożegnać się z niewdzięcznikami, którym wspaniałomyślnie pozwoliła przejść przez swoje mieszkanie. Słyszała ich kroki i rozmowy, ktoś mówił, Uważaj, nie potknij się, ktoś prosił, Połóż rękę na moim ramieniu, trzymaj się poręczy, słowa, które pobrzmiewały echem w całym mieście. Zdziwiła ją tylko uwaga kobiety, która skarżyła się, że w korytarzu jest zbyt ciemno i nie widać stopni. Podejrzane było nie tylko to, że kobieta widziała ciemność zamiast jasności, ale również uwaga, że nie widzi stopni. Co to wszystko ma znaczyć, zastanawiała się, próbując skupić myśli, ale czuła taką pustkę w głowie, że w końcu wzruszyła ramionami i powiedziała głośno, Pewnie się przesłyszałam. Kiedy żona lekarza wyszła na ulicę, zdała sobie sprawę ze swej nieostrożności, musi bardziej uważać na to, co mówi, Nie poruszam się jak ślepcy, ale przynajmniej muszę mówić jak oni, pomyślała.

Kiedy wyszli na ulicę, ustawiła swych podopiecznych w dwóch rzędach po trzy osoby. W pierwszym stał jej mąż, dziewczyna w ciemnych okularach, a pomiędzy nimi zezowaty chłopiec. W drugim rzędzie znaleźli się stary człowiek z czarną opaską na oku i pierwszy ślepiec, a między nimi jego żona. Chciała mieć ich blisko siebie, nie tak jak przedtem, kiedy szli gęsiego i w każdej chwili mogli się zgubić, wystarczyło, by minęli liczniejszą lub bardziej agresywną grupę ślepców, którzy niczym wielki parowiec na morzu przecięliby na pół tę niepozorną barkę, historia zna wiele takich przypadków, kiedy tonęły roztrzaskane statki, ginęli ludzie, ich rozpaczliwe krzyki zagłuszał szum fal, a niewzruszony parowiec płynął dalej, nieświadom dokonanych zniszczeń. Podobnie rzecz miała się ze ślepcami, którzy mogli się zgubić przy lada okazji, jeden tu, drugi tam, zatonąć w morzu niewidomych lub odpłynąć jak fala nie znająca celu swej podróży. Żona lekarza nie wiedziała, komu najpierw podać rękę, mężowi czy zezowatemu chłopcu, a może dziewczynie w ciemnych okularach albo ślepym małżonkom, Stary człowiek z czarną opaską na oku był już daleko na drodze do cmentarzyska słoni. Przede wszystkim musi jednak obwiązać całą grupę liną z prześcieradeł, którą przygotowała w nocy, kiedy wszyscy spali. Nie trzymajcie się liny zbyt kurczowo, cokolwiek się stanie, nie puszczajcie jej, pamiętajcie, że nie możecie puścić liny. Musieli zachować między sobą odstępy, ale jednocześnie iść tak, by czuć bliskość drugiej osoby i mieć z nią stały kontakt. Tylko jeden ślepiec nie musiał przejmować się tymi nowymi problemami związanymi z taktyką przemarszu. Był nim zezowaty chłopiec, którego dorośli chronili ze wszystkich stron. Żaden ze ślepców nie zapytał, jak pływają po bezkresnym morzu inni ludzie, czy także obwiązują się liną lub stosują równie wymyślne sztuczki, by nie wypaść z grupy. Odpowiedź byłaby prosta, poza nielicznymi przypadkami, kiedy z nieznanych nam powodów ślepcy stosowali bardziej przemyślne metody przemieszczania się, większość poruszała się po mieście bezładnie, zdając się na łaskę i niełaskę morskich prądów. Dlatego wciąż ktoś się gubił, bezradni ludzie dawali się porwać wielkiej fali, niepewni, czy masa wody ich pochłonie, czy odrzuci. Ulegając sile sentymentalnych przyzwyczajeń, sąsiadka z pierwszego piętra ukradkiem uchyliła okno, lecz na ulicy panowała cisza, widocznie intruzi opuścili już ten bezludny zaułek. Należało przypuszczać, że staruszce kamień spadnie z serca, bo nie będzie musiała się z nikim dzielić żywym inwentarzem, ale o dziwo z jej ślepych oczu spłynęły dwie łzy i po raz pierwszy zadała sobie pytanie, czy warto dalej żyć. Nie umiała na nie odpowiedzieć, ale przecież odpowiedź nie przychodzi na zawołanie, jedynym rozwiązaniem jest cierpliwie czekać.

Dom, w którym wynajmował pokój stary człowiek z czarną opaską na oku, znajdował się kilkanaście przecznic dalej, lecz wszyscy zgodnie uznali, że darują sobie tę wizytę, nie było tam jedzenia, ubrań nie potrzebowali, a książki stały się teraz bezużyteczne. Na ulicach roiło się od ślepców poszukujących pożywienia. Plądrowali sklepy, wychodząc na ogół z pustymi rękami, po czym naradzali się, dokąd pójść, czy zostać w tej dzielnicy, czy ryzykować eskapadę do innej części miasta. Bez wody, prądu i gazu nie można było gotować, gdyż groziło to pożarem, nie mówiąc o tym, że do przygotowania przyzwoitej strawy, która smakiem choć trochę przypominałaby dawne posiłki, potrzebne były przyprawy, sól i olej. Gdyby przynajmniej znalazły się jakieś warzywa, można by je zagotować albo wrzucić do wrzątku kawałek mięsa, poza kurami i królikami chodziły przecież po mieście psy i koty, może udałoby się coś złapać. Niestety, były to tylko marzenia, gdyż nauczone doświadczeniem zwierzęta stały się nieufne i nawet oswojone czworonogi łączyły się w grupy i polowały na polujących, mając tę przewagę, że widziały, dzięki czemu potrafiły zarówno uciekać, jak i skutecznie atakować. Dlatego też w zaistniałych okolicznościach najbardziej poszukiwanym jedzeniem stały się konserwy. Po pierwsze, nadawały się do natychmiastowego spożycia i nie trzeba było ich gotować, po drugie miały poręczne opakowania i łatwo dawały się przenosić. Co prawda na każdej puszce znajdowała się data ważności, która określała termin przydatności produktu do spożycia, po którym konsumpcja stawała się nieprzyjemna, wręcz ryzykowna, ale człowiek potrafi przyzwyczaić się do wielu rzeczy. Wkrótce po mieście zaczęło krążyć powiedzenie oparte na starym przysłowiu, Czego oczy nie widzą, tego sercu nie żal, które przewrotnie zamieniono na bardziej pasujące do nowych okoliczności, Czego oczy nie widzą, tego żołądek nie czuje, co oznaczało, że da się przełknąć każde świństwo. Idąca przodem żona lekarza zastanawiała się, jak podzielić resztę żywności, czy wystarczy jej na jeden posiłek. Nie brała pod uwagę psa, który świetnie sam dawał sobie radę i najadł się do syta rano, wbijając ostre kły w szyję bezbronnej kury, odbierając jej tym samym głos i życie. Pomyślała, że jeśli nikt nie splądrował ich domu, powinna tam znaleźć trochę konserw. Nie było tego wiele, tyle, ile potrzebowało bezdzietne małżeństwo, ale zawsze mogły się przydać. Musiała pamiętać, że jest ich siedmioro, więc i te zasoby szybko stopnieją, nawet jeśli będzie wydzielać głodowe porcje. Jutro muszę wrócić do podziemnego magazynu, pomyślała, choć nie wiedziała jeszcze, czy pójdzie sama, czy poprosi męża lub pierwszego ślepca, który jest młodszy i ma więcej sił, by jej towarzyszył, ktoś musi pomóc jej dźwigać torby. Chodziło też o szybkie zebranie jak największej ilości jedzenia i sprawne wycofanie się z zatłoczonego sklepu. Sterty śmieci na ulicach stawały się coraz większe, ulewne deszcze sprawiły, że ludzkie odchody rozlewały się cuchnącymi kałużami. Wszędzie wokół kobiety i mężczyźni publicznie załatwiali swoje potrzeby, pozostawiając zarówno ślady o rzadkiej konsystencji świadczące o biegunce, jak i ekskrementy przypominające gęstością pastę do butów. Powietrze wchłaniało fetor brudnych ulic, a smród przybierał formę gęstej mgły, przez którą trudno było się przedrzeć. Na otoczonym drzewami placu, gdzie pośrodku stał pomnik, kilka psów pożerało ludzkie zwłoki. Biedak musiał umrzeć kilka minut wcześniej, gdyż jego ciało jeszcze nie zdążyło zesztywnieć i psy z łatwością odrywały od kości kawałki mięsa. Samotny kruk skakał w pobliżu, czekając na dogodną chwilę, by uszczknąć coś z tej uczty. Żona lekarza szybko odwróciła głowę, lecz za późno. Jej ciałem wstrząsnął skurcz, zwymiotowała raz, drugi, trzeci, jakby to ją szarpała sfora rozwścieczonych psów, przeszył ją dreszcz bezgranicznej rezygnacji. Tu doszłam i tu chcę umrzeć, pomyślała. Co ci jest, spytał zaniepokojony mąż, opasani liną, wystraszeni ślepcy otoczyli ją ciasnym kręgiem. Co ci się stało, zaszkodziło ci jedzenie, spytał znów lekarz, Może było nieświeże, Ja nic nie czuję, Ani ja. Na szczęście byli ślepi, słyszeli tylko szczekanie podnieconych zwierząt i żałosne krakanie samotnego ptaka, gdyż w zamieszaniu któryś pies, przez nieuwagę, bez złych zamiarów ugryzł go w skrzydło. Żona lekarza wiedziała, że musi coś powiedzieć, Przepraszam, ale nie mogłam się powstrzymać, sfora psów zjada zdechłego kundla, Czy to nasz piesek, spytał zezowaty chłopiec, Nie, nasz piesek, jak go nazywasz, jest zdrowy. Rzeczywiście, wierny stróż szedł za nimi krok w krok, trzymając się jednak w pewnej odległości. Zjadł kurę, więc nie jest głodny, zauważył pierwszy ślepiec, Już ci lepiej, spytał lekarz, Tak, chodźmy, A nasz piesek, znów zapytał zezowaty chłopiec, To nie jest nasz piesek, po prostu za nami idzie, może zechce zostać z innymi psami, to jego przyjaciele, kiedyś wałęsał się z nimi po mieście, Muszę się załatwić, jęknął nagle chłopiec, Teraz, Tak, boli mnie brzuszek, dłużej nie wytrzymam. Nie było innej rady, chłopiec musiał ukucnąć tam, gdzie stał. Żona lekarza znów zwymiotowała. Po kilku minutach ruszyli w dalszą drogę. Kiedy przeszli przez plac i znaleźli się w cieniu drzew, żona lekarza obejrzała się za siebie. Zewsząd nadciągały wygłodniałe psy, wybuchła walka o resztki uczty. Nawet pies pocieszyciel, który rano najadł się do syta, nie mógł się powstrzymać, zawrócił i z nosem przy ziemi pobiegł do ujadającej sfory czworonogów. Jak widać, uległ sile przyzwyczajenia, gdyż wystarczyło jedno spojrzenie, by znaleźć cel, do którego prowadził ślad.

Szli dalej, pozostawiając za sobą dom starego człowieka z czarną opaską na oku. Doszli do długiej i szerokiej ulicy, gdzie po obu stronach ciągnęły się szeregi luksusowych kamienic. Mijali drogie, duże i wygodne samochody, w których spali ludzie. Jakaś wielka limuzyna przekształciła się w prawdziwą rezydencję, jej obecni lokatorzy wychodzili prawdopodobnie z założenia, że łatwiej jest dostać się do samochodu niż do domu. Mieszkańcy limuzyny musieli robić to samo co ślepcy podczas kwarantanny, czyli idąc ulicą po omacku, liczyli auta. Dwadzieścia siedem po prawej stronie, już jestem w domu, mówił lokator luksusowego wozu. Limuzyna stała przed wejściem do banku. Parę dni wcześniej przyjechał nią na cotygodniowe zebranie przewodniczący rady nadzorczej banku. Miało to być pierwsze walne zgromadzenie po ogłoszeniu epidemii. Widocznie nikt nie pomyślał, by na czas zebrania odstawić samochód do podziemnego garażu. Kierowca limuzyny oślepł, gdy przewodniczący rady jak zwykle wchodził do budynku głównym wejściem. Zdołał tylko krzyknąć, mówimy oczywiście o szoferze, ale przewodniczący już go nie słyszał. Ściślej mówiąc, nie było to walne zgromadzenie, ponieważ w ciągu poprzedzających je kilku dni oślepła większość członków rady. Tego dnia miano poruszyć sprawę reorganizacji rady w razie oślepnięcia wszystkich jej członków oraz ich zastępców. Jednak przewodniczący nie zdążył otworzyć zebrania, ponieważ przedtem sam stracił wzrok. Nie udało mu się nawet dotrzeć na dziesiąte piętro, gdzie miało odbyć się spotkanie, bo kiedy w towarzystwie asesora wjeżdżał na górę, winda stanęła między dziewiątym a dziesiątym piętrem. Okazało się, że w całym budynku zgasło światło, a ponieważ nieszczęścia chodzą parami, jednocześnie z awarią prądu oślepli pracownicy banku odpowiedzialni za działanie urządzeń elektrycznych oraz człowiek obsługujący ręcznie stary generator, który od dawna nadawał się do wymiany. Tak więc z powodu przestarzałej instalacji winda z asesorem i przewodniczącym rady utknęła między piętrami, a po chwili oślepł asesor. Przewodniczący stracił wzrok godzinę później. Tego dnia oślepła większość pracowników banku, nie zdołano oczywiście usunąć awarii prądu i było wielce prawdopodobne, że martwi mężczyźni uwięzieni w windzie nadal tam pozostali, choć swoją drogą mieli szczęście, gdyż stalowy grobowiec, jeśli można tak nazwać windę, chronił ich przed sforą krwiożerczych psów.

Oczywiście nie wiemy, co zdarzyło się naprawdę, gdyż jedynymi świadkami tego wydarzenia były puste samochody, toteż wielu może powątpiewać w prawdziwość naszej relacji, słusznie twierdząc, że ponieważ nikt tego nie widział, niemożliwe jest przekazanie prawdziwej wersji wydarzeń. Jedynym wytłumaczeniem może być argument, że tak jak w przypadku stworzenia świata też nikogo tam nie było, a wszyscy dokładnie wiedzą, co się stało. Ciekawe, co się dzieje z bankami, zastanawiała się żona lekarza. Nie miała szczególnego powodu do niepokoju, choć trzymała w banku większość swoich oszczędności. Zadała to pytanie z czystej ciekawości, tak po prostu, nie oczekując odpowiedzi, nawet takiej, jakiej udziela się w przypadku pytań o stworzenie świata, a która brzmi następująco, Na początku Bóg stworzył niebo i ziemię, ziemia zaś była bezładem i pustkowiem, ciemność była nad powierzchnią wód, a duch Boży unosił się nad wodami. Jednak zamiast tego dał się słyszeć głos starego człowieka z czarną opaską na oku, Pamiętam, co się wtedy działo, wówczas jeszcze widziałem na jedno oko, na początku był chaos, ludzie bali się, że oślepną i stracą pieniądze, w panice zaczęli wycofywać z banku wszystkie oszczędności, wiadomo, chcieli zapewnić sobie bezpieczną przyszłość, jeśli ktoś wychodzi z założenia, że nie wróci do pracy, jedynym rozwiązaniem jest korzystać z tego, co nagromadził przez lata dobrobytu i trafnych inwestycji, zakładając, że taki człowiek rzeczywiście był przewidujący i zbierał grosz do grosza, Z powodu tego nagłego szturmu klientów w ciągu dwudziestu czterech godzin najważniejsze banki w kraju musiały ogłosić bankructwo, rząd apelował o spokój i odwoływał się do odpowiedzialności obywatelskiej, a w wydanym oświadczeniu solennie obiecywał podjęcie odpowiednich kroków w związku z nieszczęściem, które spadło na naród, lecz to nie uspokoiło ludzi, przede wszystkim z powodu rozprzestrzeniającej się zarazy, ale również dlatego, że zdrowi obywatele myśleli tylko o tym, jak uratować swoje oszczędności, tak więc prędzej czy później banki musiały zostać zamknięte, a nawet jeśli nie zbankrutowały, otoczono je policją, ale to niewiele pomogło, gdyż wśród protestujących tłumów znajdowali się również policjanci w cywilu, którzy tak jak inni krzyczeli, że nie pozwolą, by ich krwawica poszła na marne, niektórzy nawet dezerterowali, zawiadamiając przełożonych o swym rzekomym oślepnięciu, aby jako zwykli obywatele dołączyć do manifestujących, ich koledzy na służbie też wkrótce mieli dosyć straszenia naładowaną bronią uczciwych ludzi i udawali, że mają kłopoty ze wzrokiem, oni też mieli pieniądze ulokowane w bankach i stracili nadzieję na ich odzyskanie, a mimo to oskarżano ich o spiskowanie z obecnym rządem, najgorsze jednak dopiero miało nadejść, rozwścieczone i zrozpaczone tłumy ślepców i widzących zaatakowały banki, nie mogli przecież zwyczajnie podejść do okienka i poprosić o zrealizowanie czeku lub powiedzieć urzędnikowi, Chcę zlikwidować moje konto, jedynym wyjściem było rzucić się na zdeponowane w kasach pieniądze, ograbić sejfy, które przypadkiem pozostały otwarte, schować do kieszeni sakiewkę z monetami do wydawania reszty, taką, jakich używały nasze babcie, trudno opisać, co się działo, zarówno w wielkich luksusowych wnętrzach pokrytych dywanami, jak i w skromnych holach filii banków, wszędzie rozgrywały się dantejskie sceny, nie mówiąc o dewastacji bankomatów, które ogołocono ze wszystkiego, a na ekranach niektórych maszyn pojawiło się groteskowe zdanie, Dziękujemy za skorzystanie z usług naszego banku. W gruncie rzeczy maszyny są bardzo głupie, a właściwie ich głupota obnaża niekompetencję ludzi, w każdym razie cały system bankowy załamał się w mgnieniu oka, padł jak domek z kart, i to nie dlatego, że pieniądze straciły wartość, wręcz przeciwnie, każdy, kto je miał, nie zamierzał wypuścić ich z rąk, usprawiedliwiając się niepewną przyszłością, ta sama myśl przyświecała zapewne ślepcom, którzy zabarykadowali się w podziemiach kilku banków, gdzie znajdowały się sejfy, czekając, aż stanie się cud i pancerne stalowe drzwi otworzą się na oścież, udostępniając im drogę do skarbów, wychodzili stamtąd jedynie po jedzenie, wodę i w celu załatwienia potrzeb fizjologicznych, potem wracali na posterunek, każdy wypowiadał hasło, jednocześnie pokazując dłonią ustalony znak, co miało utrudnić wstęp intruzom, żyli w całkowitych ciemnościach, ale nikomu to nie przeszkadzało, gdyż otaczała ich świetlista biel. Podczas fascynującej opowieści starego człowieka o upadku banków ślepcy przeszli prawie pół miasta. Co pewien czas przystawali, by zezowaty chłopiec mógł ulżyć swym cierpieniom. Opowieść starego człowieka była fascynująca, a sam narrator potrafił w sugestywny sposób opisać straszliwe wydarzenia, lecz należało przypuszczać, że jego relacja była nieco przesadzona, szczególnie ostatni fragment o ślepcach żyjących w podziemiach banków, nie znał przecież ich hasła i nie mógł widzieć gestów, jakie wykonywali. Mimo to jego opowieść pozwala nam wyobrazić sobie, jak to mogło wyglądać.

O zmierzchu dotarli wreszcie do domu lekarza i jego żony. Okolica nie różniła się od reszty miasta, wszędzie było pełno brudu i śmieci, bandy ślepców wałęsały się po ulicach i po raz pierwszy, być może, zawdzięczali to szczęśliwemu zbiegowi okoliczności, ujrzeli dwa wielkie szczury, których nie ważył się tknąć żaden zabłąkany kot. Gryzonie były ogromne i na pewno bardzo agresywne. Pies pocieszyciel rzucił na nie spojrzenie pełne obrzydzenia, jakby żył w innym świecie, jakby z czworonoga przekształcił się w istotę ludzką. Znajome miejsca nie wzruszyły żony lekarza, nie powiedziała, zwyczajem większości ludzi, No proszę, jak ten czas szybko leci, jeszcze tak niedawno żyliśmy tu szczęśliwie. Wręcz przeciwnie, była przygnębiona, gdyż podświadomie wierzyła, że jej ulica okaże się czysta, wysprzątana i lśniąca, że jej sąsiedzi utracą wprawdzie wzrok, ale pozostaną dobrymi ludźmi. Jakaż byłam głupia, powiedziała na głos, Dlaczego, o czym mówisz, spytał mąż, Nic, nic, o niczym ważnym, Jak ten czas szybko leci, ciekawe, jak wygląda nasze mieszkanie, westchnął lekarz, Zaraz się przekonamy. Wyczerpani, z trudem wchodzili po schodach, zatrzymując się na kolejnych piętrach. Mieszkamy na samej górze, ostrzegła ślepców żona lekarza. Każdy szedł samodzielnie, pies pocieszyciel czasem ich wyprzedzał, czasem szedł z tyłu, jakby całe życie spędził, pilnując stada owiec, i teraz również uważnie śledził każdy krok ludzi. Prawie wszędzie drzwi były otwarte, z mieszkań dobiegały głosy, wszędzie panował ten sam straszliwy smród, którego odurzające wyziewy zatruwały powietrze na klatce schodowej. Dwa razy w drzwiach pojawili się ślepcy, wyglądając na zewnątrz niewidzącymi oczami. Kto tam, pytali. Za drugim razem żona lekarza poznała jednego z sąsiadów, towarzyszył mu jakiś obcy człowiek. Kiedyś tu mieszkaliśmy, powiedziała, nie wdając się w szczegóły. Po wyrazie twarzy znajomego ślepca zorientowała się, że rozpoznał jej głos, lecz nie powiedział, Ach, tak, to żona pana doktora. Może później, gdy bezpiecznie wycofa się do pokoju, oznajmi kompanom, Wrócili ci z piątego piętra. Kiedy zasapani wdrapali się na piąte piętro, żona lekarza zauważyła, że drzwi są zamknięte, choć ktoś próbował je wyłamać. Lekarz wyjął ze swej nowej kurtki klucze i zamachał nimi w powietrzu, czekając, aż żona je odbierze. Ona jednak ujęła go delikatnie za nadgarstek i skierowała jego dłoń do zamka w drzwiach.

mieszczenia. Kiedyś rzuciliby się do otwierania okien, wołając, Trzeba przewietrzyć mieszkanie, ale teraz należałoby zabić je deskami, by nie wpuścić do środka straszliwego fetoru z ulicy. Żona pierwszego ślepca wyszeptała, Wszystko pobrudzimy. Rzeczywiście, buty mieli umazane błotem i odchodami, raj wkrótce mógł przekształcić się w piekło, w którym, jak twierdzą mądre głowy, panuje morowe powietrze, straszliwy smród, cuchnie pleśnią, zgnilizną i to jest największą męką dla potępionych dusz, a nie rozpalone do białości obcęgi, smoła w kotłach oraz inne narzędzia tortur wywodzące się z kuchni lub kuźni. Od niepamiętnych czasów panie domu witały gości słowami, Wejdźcie, proszę, śmiało, nie zdejmujcie butów, wszystko się posprząta. Jednak nasza gospodyni, podobnie jak jej przyjaciele, dobrze wiedziała, że w świecie, w którym żyli, wszystko mogło stać się tylko brudniejsze, dlatego poprosiła wszystkich o zdjęcie butów i pozostawienie ich na klatce schodowej. Co prawda mieli również brudne stopy, ale jednak bez porównania czyściejsze od zabrudzonego obuwia, a to wszystko dzięki zapobiegliwości dziewczyny w ciemnych okularach, która rozdała im ręczniki i prześcieradła, by mogli się wytrzeć. Nieśmiało weszli do środka, żona lekarza zaś wrzuciła brudne buty do plastikowego worka w nadziei, że w wolnej chwili uda jej się wyszorować je na balkonie, co na pewno nie pogorszy stanu i zapachu otoczenia. Niebo znów pociemniało, zasnuły je gęste chmury, Przydałoby się trochę deszczu, westchnęła żona lekarza. Zostawiła worek na balkonie i zdecydowanym, pewnym krokiem wróciła do mieszkania. Zastała swych podopiecznych w pokoju, stali w milczeniu, gdyż mimo znużenia bali się usiąść, by nie pobrudzić krzeseł. Jedynie lekarz w skupieniu gładził meble, jakby robił pierwsze porządki po powrocie do domu, zostawiając na nich ślady rąk. Żona lekarza kazała im się rozebrać, Nie możecie zostać w tych ubraniach, są równie brudne jak buty, Mamy się rozebrać tutaj, przy wszystkich, pierwszy ślepiec nie krył wzburzenia, Tak nie można, Jeśli chcecie, mogę każdego z was zaprowadzić do innego pokoju, odpowiedziała z ironicznym uśmiechem, Nie będziecie musieli się wstydzić, Mnie to zupełnie nie przeszkadza, odezwała się żona pierwszego ślepca, Tylko ty wiesz, jak wyglądam nago, a nawet jeśli zapomniałeś, to i tak widziałeś mnie w gorszym stanie, mój mąż ma słabą pamięć, zwróciła się do innych, Nie rozumiem, po co przypominać przykre rzeczy, odburknął pierwszy ślepiec, Gdybyś był kobietą i musiał przeżyć to, co my, nie gadałbyś takich głupstw, powiedziała dziewczyna w ciemnych okularach, rozbierając zezowatego chłopca. Lekarz i stary człowiek z czarną opaską na oku nadzy już od pasa w górę zaczęli rozpinać spodnie. Czy mogę oprzeć się na twoim ramieniu, muszę zdjąć spodnie, spytał lekarza stary człowiek z czarną opaską na oku. Wyglądali zabawnie, a jednocześnie żałośnie, tak wychudzeni i brudni, że litość chwytała za serce. Lekarz zachwiał się i obaj runęli na ziemię, ale na szczęście nic im się nie stało i po chwili wybuchnęli śmiechem. Siedzieli na podłodze utytłani od stóp do głów ulicznym szlamem, z przyrodzeniem zwisającym między nogami, z owłosieniem przyprószonym siwizną, oto, co zostało z powagi i godności szacownego starca i wykształconego lekarza. Pani domu pomogła im wstać, niebawem zapadnie noc i nikt już nie będzie musiał się wstydzić. Ciekawe, czy są w domu świece, pomyślała i przypomniała sobie, że ma dwie stare lampy, jedną naftową ze szklanym kloszem, drugą oliwną z trzema otworami w podstawie. Zostało mi trochę oliwy, muszę tylko znaleźć knot, gdzie też go schowałam, zastanawiała się gorączkowo, Na dzisiaj powinno starczyć, jutro przejdę się po sklepach chemicznych, na pewno znajdę tam naftę, trudniej będzie z konserwami, po czym dodała, Szczególnie jeśli będę szukać ich w drogeriach. Uśmiechnęła się do siebie, myśląc, że nie jest tak źle, skoro nadal potrafi się z siebie śmiać. Dziewczyna w ciemnych okularach rozbierała się tak powoli, jakby miała na sobie kilka warstw ubrań. Kiedy już wydawało się, że za chwilę zrzuci z siebie ostatnią rzecz, pojawiała się kolejna szmatka, czyżby nagle stała się taka wstydliwa. Gdyby jednak żona lekarza podeszła bliżej, mimo brudu pokrywającego policzki dziewczyny, zauważyłaby na jej twarzy rumieniec wstydu. Trudno zrozumieć kobiety, jedna oblewa się rumieńcem, choć kiedyś szła do łóżka z każdym napotkanym mężczyzną, a druga stała się tak wyrozumiała, że gdyby dostrzegła zakłopotanie przyjaciółki, najspokojniej w świecie szepnęłaby jej do ucha, Nie wstydź się, on cię nie widzi, mając oczywiście na myśli swego męża. Pamiętamy przecież, jak ta bezwstydnica zaciągnęła go do łóżka. Cóż, każda kobieta to zagadka. Może był też inny powód, może któryś z pozostałych nagich mężczyzn i ją przyjął do swego łóżka.

Żona lekarza pozbierała rozrzucone ubrania, spodnie, koszule, jedną marynarkę, swetry, bluzki oraz brudną i lepką bieliznę, której nie odświeżyłoby żadne pranie. Zrobiła z nich tobołek i powiedziała, Poczekajcie, zaraz wracam. Wyszła na balkon i położyła rzeczy obok worka z butami, po czym sama zdjęła ubranie, wpatrując się w ciemne miasto pod ciężkim niebem. Żadnego okna nie rozświetlał choćby słaby płomień świecy, fasady kamienic pozostały czarne i niewzruszone, to nie było miasto, lecz masa smoły, która zastygając, przybierała kształty domów, dachów i kominów. Wszystko było martwe i tonęło w ciemnościach. Na balkonie pojawił się pies pocieszyciel, którego zaniepokoiło zniknięcie żony lekarza. Jednak tym razem nie musiał zlizywać łez z policzków swej pani, gdyż jej rozpacz nie uzewnętrzniała się i oczy pozostały suche. Kobieta poczuła chłód i przypomniała sobie o bezradnych ślepcach, których zostawiła w salonie, pewnie wciąż czekali na kolejne instrukcje. Wróciła do mieszkania i w zapadającym mroku ujrzała przed sobą anonimowe, bezpłciowe postacie, niewyraźne plamy, ginące w mroku cienie. Jestem przewrażliwiona, pomyślała, Zapomniałam, że oni widzą inaczej, dla nich nie ma ciemności, toną w morzu mleka, ich ciała wypełnia oślepiająca biel. Westchnęła i powiedziała na głos, Zapalę lampę, teraz jestem równie ślepa jak wy, Czy jest już prąd, spytał zezowaty chłopiec, Nie, ale mam lampę oliwną, Co to takiego, spytał znów chłopiec, Potem ci pokażę. W jednej z plastikowych toreb znalazła zapałki, poszła do kuchni i wyjęła z szafki butelkę z odrobiną oliwy, nie potrzebowała jej wiele, urwała kawałek ścierki na knot i wróciła do pokoju. Spojrzała na staroświecką lampę i pomyślała, że po raz pierwszy do czegoś się przyda, choć pewnie nikt nie wyobrażał sobie, w jakich okolicznościach przejdzie chrzest bojowy, ani ludzie, ani zwierzęta, ani nawet lampy, nikt nie przypuszczał, jaki spotka ich los. Kiedy zapaliła knot, z trzech otworów zaczęły wydobywać się słabe, drżące płomyki, chwilami wydłużały się, sycząc, jakby chciały uciec w mroczną noc, to znów kurczyły się, zmieniając w małe, ogniste kule światła. Teraz lepiej, powiedziała żona lekarza, Zaraz przyniosę czyste ubrania, Zabrudzimy je, przypomniała jej dziewczyna w ciemnych okularach, która podobnie jak żona pierwszego ślepca wstydliwie zakrywała piersi i łono. Żona lekarza zastanawiała się, czy to przed nią się tak zakrywają, czy przed płomieniem lampy, który je oświetla. Lepiej mieć czyste ubranie na brudnym ciele niż odwrotnie, powiedziała. Wzięła lampę i poszła do szafy po czyste ubrania. Wróciła po chwili, niosąc stertę ubrań, spodnie, piżamy, fartuchy, spódnice, bluzki, sukienki, koszule, wszystko, co mogło się przydać do okrycia wynędzniałych ciał. Ślepcy różnili się wzrostem, ale przymusowy post sprawił, że wyglądali niemal jak rodzeństwo. Pomogła im się ubrać, zezowaty chłopiec dostał plażowe szorty lekarza, które nawet jemu ujęły kilka lat. Wreszcie możemy usiąść, westchnęła z ulgą żona pierwszego ślepca, Możesz nas zaprowadzić na miejsca, zwróciła się do żony lekarza, Nie znamy rozkładu mieszkania.

Salon wyglądał zwyczajnie, na środku stał mały stolik, po bokach kanapy, każdy bez trudu znalazł dla siebie miejsce. Po jednej stronie usiedli lekarz z żoną oraz stary człowiek z czarną opaską na oku, na drugiej sofie usadowili się dziewczyna w ciemnych okularach i zezowaty chłopiec, na trzeciej zaś pierwszy ślepiec i jego żona. Wszyscy byli wyczerpani. Chłopiec położył głowę na kolanach dziewczyny i natychmiast zasnął, zapominając o tajemniczej lampie. Siedzieli przez godzinę, napawając się nieoczekiwanym szczęściem, w słabym świetle nie było widać brudu na ich twarzach. Ktoś walczył ze snem, inni wpatrywali się błyszczącymi oczami w przestrzeń, pierwszy ślepiec ujął swoją żonę za rękę gestem charakterystycznym w chwilach, gdy odprężając ciało, osiągamy stan wewnętrznego wyciszenia. Zaraz przygotuję kolację, powiedziała żona lekarza, Ale przedtem chciałabym, żebyśmy ustalili reguły naszego współżycia, nie bójcie się, nie zacznę przemawiać jak sierżant, dla każdego znajdzie się miejsce do spania, mamy dwie sypialnie z małżeńskim łożem, reszta może spać tutaj, każdy na swojej kanapie, jutro poszukam jedzenia, skończyły nam się zapasy, chciałabym, żeby mi ktoś pomógł nieść torby, chodzi również o to, byście poznali drogę do domu, ulice i skrzyżowania, jeśli zachoruję albo oślepnę, co może wydarzyć się w każdej chwili, musicie nauczyć się samodzielności, jeszcze jedna sprawa, na balkonie stoi wiadro, do którego możecie się załatwiać, wiem, że z przykrością wychodzi się na dwór, szczególnie kiedy jest zimno i pada deszcz, ale powinniśmy dbać o czystość, nie zapominajmy o tym, jak wyglądało nasze życie podczas kwarantanny, straciliśmy resztki godności, upadliśmy tak nisko, że staliśmy się obojętni na to, co nas otacza, tu też może dojść do podobnej sytuacji, jednak o ile w szpitalu mogliśmy się usprawiedliwiać panującymi warunkami, o tyle tutaj odpowiadamy za siebie, możemy wybierać między dobrem a złem, tylko proszę, nie pytajcie, co jest dobre, a co złe, gdy ślepota była jeszcze rzadką chorobą, ludzie potrafili dokonywać wyborów, dobro i zło to dwa słowa określające nasz stosunek do innych, a nie to, co dzieje się w nas samych, tutaj trudno już w cokolwiek wierzyć, przepraszam za to przemówienie o moralności, ale nie wiecie, nie możecie wiedzieć, co to znaczy widzieć w świecie ślepców, nie jestem waszą królową ani wybranką losu, jestem zwykłym człowiekiem, który widocznie urodził się po to, by dać świadectwo tych wszystkich okropności, wy czujecie to, co się wokół dzieje, ale ja to również widzę, to tyle, a teraz chodźmy coś zjeść. Nikt nie zadawał pytań, tylko lekarz powiedział cicho, Jeśli kiedykolwiek odzyskam wzrok, będę z większą uwagą zaglądał ludziom w oczy, szukając w nich duszy, Duszy, spytał stary człowiek z czarną opaską na oku, Duszy, stanu ducha, nieważne. Nagle odezwała się dziewczyna w ciemnych okularach, Każdy z nas nosi w sobie coś, czego nie można nazwać, ale co stanowi prawdę o nas samych. Wszystkich zaskoczyła ta uwaga, która padła z ust niewykształconej, prostej kobiety.

Żona lekarza przygotowała z nędznych resztek kolację i pomogła ślepcom zasiąść do stołu, przypominając, Jedzcie powoli, to najlepszy sposób, żeby oszukać żołądek. Pies pocieszyciel nie pojawił się na kolacji, widocznie odzwyczaił się od jedzenia, a poza tym uznał, że po porannej uczcie nie byłby mile widziany, nie chciał też swej płaczącej pani, która była dla niego jedyną liczącą się osobą w tym gronie, odejmować od ust strawy. Lampa oliwna cierpliwie czekała na prezentację, którą żona lekarza obiecała zezowatemu chłopcu. Daj mi ręce, powiedziała kobieta, gdy skończyli jeść, po czym wolno naprowadziła jego dłonie na lampę. Tu, jak widzisz, jest okrągła podstawa, tu część, na której osadzony jest klosz, tutaj wlewa się oliwę, uważaj, możesz się sparzyć, a tu są trzy otwory, raz, dwa, trzy, z nich wydobywa się płomień, tu jest knot, który można zrobić ze szmatki, jego koniec zanurzony jest w oliwie, wystarczy go zapalić i już mamy płomień, oczywiście, dopóki nie skończy się oliwa, Lampa daje słabe światło, ale wystarczy, by widzieć, Ja nie widzę, Kiedyś znów będziesz widział, podaruję ci wtedy tę lampę, Jakiego jest koloru, Widziałeś kiedyś mosiądz, Nie wiem, nie pamiętam, co to jest mosiądz, Żółty metal, Aha, chłopiec zamyślił się. Pewnie zaraz zapyta o matkę, pomyślała żona lekarza, ale pomyliła się. Chłopiec poprosił tylko o wodę, ponieważ bardzo chciało mu się pić, Musisz wytrzymać do jutra, nie mamy wody, lecz po chwili przypomniała sobie, że w zbiorniku nad muszlą klozetową znajdowało się jeszcze około pięciu litrów życiodajnej wody, z pewnością nie była gorsza od tej, jaką pili w szpitalu. Idąc ciemnym korytarzem, czuła się jak niewidoma. Po omacku przeszła do łazienki, podniosła klapę zbiornika i włożyła do niego palce, nie widziała wody, lecz poczuła jej chłód, zanurzyła szklankę, i tak oto ludzkość zatoczyła krąg i powróciła do swych brudnych, prymitywnych źródeł. Kiedy żona lekarza wróciła do jadalni, ślepcy wciąż siedzieli na swoich miejscach, a lampa oświetlała twarze wpatrzone w jej migocący płomień, zdawało się, że szepce im do ucha, Patrzcie, tu jestem, nasyćcie oczy moim światłem, bo niedługo zgasnę. Żona lekarza podniosła szklankę do ust zezowatego chłopca, Masz, pij, powiedziała, Powoli, nie spiesz się, poczuj jej smak, szklanka wody to teraz prawdziwy rarytas. Nie zwracała się do niego ani do nikogo przy stole, opowiadała całemu światu o cudzie, jakim jest szklanka życiodajnej wody. Gdzie ją znalazłaś, spytał mąż, Czy to woda deszczowa, Nie, wzięłam ją z rezerwuaru, Mieliśmy w domu jeszcze jedną butelkę wody mineralnej, Rzeczywiście, zawołała, Jakże mogłam zapomnieć, jedna była pełna, z drugiej wypiliśmy połowę, wspaniale, nie pij tego więcej, zwróciła się do chłopca, Za chwilę napijemy się czystej, źródlanej wody, chwyciła lampę i pobiegła do kuchni. Po chwili wróciła z butelką, migocący płomień lampy oświetlał jej krystaliczną zawartość, bezcenny skarb. Potem przyniosła szklanki, najlepsze, jakie miała, z prawdziwego kryształu, i wolno, celebrując każdy ruch, napełniła je, mówiąc, Pijmy. Drżące ręce odnalazły szklanki i niepewnie podniosły je do ust. Pijmy, powtórzyła żona lekarza. Na środku stołu świeciła lampa oliwna, która wyglądała jak słońce otoczone mgławicą gwiazd. Gdy odstawili puste szklanki, dziewczyna w ciemnych okularach i stary człowiek płakali.

Noc mieli niespokojną. Spali płytkim snem, jeden dręczący koszmar przechodził w drugi, z każdego zakamarka podświadomości wypełzały okruchy świeżych wspomnień, nowe sekrety, nowe pragnienia. Ślepcy ciężko wzdychali i szeptali przez sen, To nie moje koszmary, lecz sen odpowiadał, Jeszcze nie znasz swoich koszmarów. Tym sposobem dziewczyna w ciemnych okularach dowiedziała się, kim naprawdę był stary człowiek śpiący tuż obok niej, i tym sposobem on nabrał przekonania, że poznał historię życia dziewczyny, chociaż podobny sen nie zawsze otwiera te same drzwi. O świcie zaczęło padać. Zacinający deszcz z siłą uderzył w szybę, która wydała głuchy dźwięk. Żona lekarza otworzyła oczy, szepnęła, Ale pada, i znów je zamknęła. W pokoju panował mrok. Można jeszcze pospać, pomyślała. Poczuła jednak dziwny niepokój, jakby czekało na nią jakieś zadanie. Zdawało jej się, że deszcz powtarza monotonnie, Wstań, nie śpij, choć nie miała pojęcia, co przyniesie nowy dzień. Ostrożnie, by nie obudzić męża, wyszła z sypialni. Przechodząc przez salon, stanęła na chwilę, by przyjrzeć się śpiącym na kanapach ślepcom, potem poszła do kuchni, gdzie najbardziej słychać było ulewę. Rękawem fartucha przetarła zaparowaną szybę i wyjrzała na dwór. Niebo wyglądało jak jedna wielka, kłębiąca się chmura, z której leją się strumienie wody. Na balkonie leżała sterta brudnych ubrań i plastikowy worek z butami, które należało umyć. Pranie. Resztki snu rozproszyła konieczność wypełnienia nowego zadania. Otworzyła drzwi, wyszła na balkon i po chwili była mokra od stóp do głowy, jakby stanęła pod wodospadem. Muszę to wykorzystać, pomyślała. Wróciła do kuchni i zebrała po cichu brudne naczynia oraz garnki, wszystko, co można było opłukać w deszczu, który zacinał ostro, targany podmuchami wiatru, przypominając wielką, szeleszczącą miotłę omiatającą dachy domów. Wyniosła talerze i garnki na balkon, po czym ustawiła je wzdłuż ściany. Wreszcie miała wystarczająco dużo wody, by zrobić pranie i wyszorować cuchnące buty. Żeby tylko nie przestało padać, powtarzała w duchu, gorączkowo szukając w kuchni mydła, detergentów, szczotek, które pozwoliłyby choć trochę zmyć cuchnący brud, jaki osadził się na ich duszach. Na ciele, poprawiła na głos swą metafizyczną myśl, Czy to nie jedno i to samo. Chcąc przekonać się o słuszności tych słów oraz powiązać to, co zostało powiedziane, z tym, co zostało pomyślane, zrzuciła z siebie mokry fartuch i wystawiwszy nagie ciało na czułe głaskanie, to znów na bezlitosne smaganie deszczu, zabrała się do prania. Ulewa była tak silna, że nie usłyszała kroków na balkonie. To dziewczyna w ciemnych okularach i żona pierwszego ślepca wyszły na dwór, wiedzione przeczuciem, intuicją, głosem wewnętrznym, który kazał im opuścić łóżka. Trudno dociec, czy te same szepty wskazały im drogę na balkon, tego się nie dowiemy, odpowiedzi może być wiele. Pomóżcie mi, krzyknęła żona lekarza, gdy je zobaczyła, Jak mamy pomóc, skoro nie widzimy, spytała żona pierwszego ślepca, Najpierw zdejmijcie ubrania, będzie mniej do suszenia, Ale my nie widzimy, powtórzyła żona pierwszego ślepca, Nieważne, na pewno na coś się przydamy, odezwała się dziewczyna w ciemnych okularach, Pranie skończę później, na razie wyczyściłam to, co było najbrudniejsze, powiedziała żona lekarza, A teraz do roboty, jesteśmy jedyną kobietą na świecie, która ma sześć rąk i parę zdrowych oczu. Być może w oknach naprzeciwko stali ślepcy z czołami przylepionymi do zimnych szyb, mężczyźni i kobiety, którzy zbudzeni odgłosami szalejącej wichury wdychali zimne powietrze mijającej nocy, wspominając czasy, gdy widzącymi oczami obserwowali deszczowe niebo. Na pewno jednak nie przypuszczali, że po balkonie biegają trzy nagie kobiety, nagusieńkie jak je Pan Bóg stworzył, które jak obłąkane, bo nie można inaczej nazwać kogoś, kto na golasa i do tego w takim stanie paraduje pod nosem sąsiadów, nawet jeśli są ślepi, tańczyły w deszczu, są rzeczy, których nie wypada robić, strugi wody spływają im po piersiach, toczą się wolno i giną w gęstwinie włosów łonowych, cienkimi strużkami leją się po udach. Może zbyt surowo je oceniamy, być może jest to najpiękniejsza i najwznioślejsza scena, która wydarzyła się w tym mieście. Z balkonu spływa pachnący dywan piany, który kusi i wzywa, któż nie chciałby zanurzyć się w tej bieli, umyć ciała i oczyścić duszy, stać się naprawdę nagim. Na szczęście widzi nas tylko Pan Bóg, zauważyła żona pierwszego ślepca, która pomimo tylu rozczarowań i bolesnych doświadczeń wciąż wierzyła, że Bóg nie oślepł. Myślę, że on też nas nie widzi, niebo jest nazbyt zachmurzone, odparła żona lekarza, Za to ja was widzę, Czy bardzo zbrzydłam, spytała dziewczyna w ciemnych okularach, Jesteś chuda i brudna, ale nigdy nie będziesz brzydka, A ja, spytała żona pierwszego ślepca, Ty też jesteś brudna i wychudzona, nie tak piękna jak ona, ale o wiele ładniejsza ode mnie, To ty jesteś piękna, powiedziała dziewczyna w ciemnych okularach, Skąd wiesz, skoro nigdy mnie nie widziałaś, Śniłaś mi się dwa razy, Kiedy, Ostatnio dziś w nocy, Miałaś ładny sen, bo poczułaś się pewnie i byłaś spokojna, marzyłaś o swoim domu, to normalne po tym, co przeszliśmy, w twoim śnie byłam domem, a żeby mnie wyśnić, musiałabyś mnie zobaczyć, więc wymyśliłaś sobie piękną twarz, Ja też uważam, że jesteś piękna, a nigdy mi się nie śniłaś, wtrąciła żona pierwszego ślepca, Jak widać ślepota jest dobrodziejstwem dla brzydkich, Nie jesteś brzydka, Nie, ale mam parę zmarszczek tu i tam, Ile masz lat, spytała dziewczyna w ciemnych okularach, Niedługo skończę pięćdziesiąt, Jak moja mama, A ona, Co ona, Czy nadal jest ładna, Kiedyś wyglądała lepiej, Widzisz, wszystkich czeka to samo, nikomu nie ubywa lat, Ty jesteś inna, powiedziała żona pierwszego ślepca. Mowa ludzka jest jak przebranie, ukrywa to, co istotne, słowa łączą się i błądzą, bez celu, lecz nagle, dzięki trzem, czterem wyrazom lub same z siebie, odnajdują wyjście, wystarczy jakiś zaimek osobowy, przysłówek, czasownik, jeden przymiotnik i już bezkształtna masa słów zyskuje siłę, wypływa na powierzchnię, objawia wzruszeniem na twarzy, w oczach, nadaje kształt uczuciom, bywa, że dają o sobie znać nadwerężone nerwy, które znoszą wiele, znoszą wszystko, jak odbijająca ciosy zbroja, ale do czasu. Żona lekarza ma nerwy ze stali, lecz i na nią przychodzi czas, stoi naga, drżąca i zalewa się łzami z powodu jakiegoś zaimka, przysłówka, czasownika, jednego przymiotnika, które są tylko częściami mowy, umownym podziałem gramatycznym, pozostałe dwie kobiety, tamte kobiety, również zaczynają szlochać i obejmują się nawzajem jak w modlitewnym uniesieniu, trzy nagie gracje tańczące w strugach deszczu. Są to jednak chwile, które nie mogą trwać wiecznie, kobiety mokną już od ponad godziny i za parę minut poczują chłód. Zimno mi, odzywa się dziewczyna w ciemnych okularach. Nie da się bardziej wyczyścić ubrań, natomiast buty lśnią jak nigdy, teraz tylko trzeba umyć cuchnące ciała. Kobiety wcierają pianę we włosy, szorują sobie nawzajem plecy, śmieją się tak, jak kiedyś śmiały się w ogrodzie dziewczynki grające w ciuciubabkę, w odległych czasach, gdy jeszcze widziały. Wstaje dzień, przez pochmurne ramię poranka nieśmiało wygląda słońce, ale znów kryje się za chmurami, deszcz robi się coraz słabszy. Praczki wracają do kuchni, wycierają się ręcznikami, które żona lekarza przyniosła z szafki w łazience. Ich skóra nieprzyjemnie pachnie detergentem, ale trudno, przecież nie mają mydła, jak się mówi, na bezrybiu i rak ryba, choć tu wszyscy czują się tak, jakby niczego im nie brakowało, być może dlatego, że potrafią mądrze gospodarować tym, co mają. W końcu jednak trzeba się ubrać, raj był na balkonie, nie tu. Fartuch żony lekarza jest całkiem mokry, dlatego kobieta wkłada sukienkę w kwiatki i wygląda w niej przepięknie.

Kiedy wróciły do salonu, zastały starego człowieka z czarną opaską siedzącego na kanapie z opuszczoną głową i rękami splecionymi na karku. Chude palce ginęły w siwych, cienkich strąkach włosów, które opadały mu na szyję. Siedział nieruchomo, jakby całą siłą woli chciał zatrzymać uciekające myśli lub odwrotnie, wyrzucić je wszystkie z siebie. Mimo to usłyszał, jak wchodziły, wiedział, co robiły, wiedział, że były nagie, i to nie dlatego, że cudem odzyskał wzrok i jak starcy podglądał nie jedną, lecz trzy kąpiące się Zuzanny, nie, nadal był ślepy. Stanął jedynie za kuchennymi drzwiami i przysłuchiwał się ich rozmowie, wsłuchiwał w ich śmiech, plusk wody, szelest deszczu, wdychał zapach detergentów, a gdy wrócił do pokoju, nie mógł się nadziwić, że na świecie wciąż tętni życie, i zastanawiał się, czy nadal wolno mu z niego korzystać. Kobiety umyły się, powiedziała żona lekarza, Teraz kolej na mężczyzn, Nadal pada, spytał stary człowiek z czarną opaską, Tak, na balkonie stoją miski z wodą, Wolałbym umyć się w łazience, w balii, odparł, akcentując ostatnie słowo, jakby w ten sposób chciał podkreślić swój podeszły wiek, przypomnieć, że w jego czasach ludzie kąpali się w balii, a nie w wannie.

Po chwili namysłu dodał, Jeśli, oczywiście, pozwolisz, Nie pobrudzę ci mieszkania, postaram się nie zamoczyć podłogi, Jak wolisz, przyniosę miskę, odparła żona lekarza, Pomogę ci, Nie trzeba, Chciałbym się na coś przydać, nie jestem inwalidą, No dobrze, chodźmy. Wciągnęła do środka miskę z wodą i nakierowując na nią ręce starego człowieka, powiedziała, Trzymaj, teraz, i razem podnieśli naczynie. Dobrze, że jesteś, bez ciebie nie dałabym sobie rady, Znasz to przysłowie, Jakie przysłowie, Praca starca funta kłaków warta, lecz głupi ten, co nią pogardza, Wydaje mi się, że brzmi ono nieco inaczej, Wiem, tam gdzie powiedziałem starzec, powinno być dziecko, zamiast pogardza powinno być nie nagradza, ale przysłów nie można powtarzać w nieskończoność w tej samej formie, jeśli sens ich ma pozostać ten sam, trzeba je dostosowywać do życia, Ale z ciebie filozof, Bzdury, jestem po prostu starym człowiekiem. Przelali wodę do wanny i żona lekarza przypomniała sobie, że jednak ma w szafce kostkę mydła. Dała je staremu człowiekowi. Weź, będziesz ładnie pachniał, ładniej od nas, możesz mydlić się do woli, w sklepach nie ma jedzenia, ale mydła jest pod dostatkiem, Dziękuję, Uważaj, nie poślizgnij się, poproszę mojego męża, żeby ci pomógł, Nie, dziękuję, wolę umyć się sam, Jak chcesz, daj mi rękę, masz tu maszynkę i pędzel, gdybyś chciał się ogolić, Dziękuję. Kiedy żona lekarza wyszła, stary człowiek z czarną opaską na oku zdjął piżamę, którą dostał poprzedniego wieczoru, po czym ostrożnie wszedł do wanny. Woda była zimna, a do tego ledwo zakrywała dno, nie było porównania z radosnym tańcem roześmianych kobiet w strugach deszczu. Stary człowiek ukląkł i sprawdził, ile jest wody, potem nabrał jej w dłonie i chlusnął na pierś. Była tak lodowata, że na chwilę zaparło mu dech, ale chcąc mieć to już za sobą, oblał się cały. Zacisnął zęby, żeby nie krzyknąć, w końcu powoli, dokładnie namydlił ciało, ramiona, pierś, brzuch, podbrzusze, przyrodzenie, pachwiny. Wyglądam gorzej niż zwierzę, pomyślał, szorując chude uda, kolana, pięty, zdzierając skorupę brudu, która przylgnęła do niego jak druga skóra. Poczekał chwilę, by mydło wniknęło w zaschłą warstwę nieczystości. Przypomniał sobie, że musi umyć głowę, podniósł ręce, by zdjąć opaskę, Ty też potrzebujesz mydła, mruknął pod nosem i wrzucił ją do wody. Czuł, że jego ciało powoli się rozgrzewa, zamoczył głowę i umył włosy. Wyglądał jak bałwan z piany, cały biały w morzu mleka, w którym nikt go nie znajdzie, ale mylił się, nagle poczuł na plecach czyjeś ręce zgarniające pianę z jego ramion i piersi, powoli, okrężnymi ruchami zmywające brud, jakby dokładnością próbowały nadrobić niedociągnięcia wynikające ze ślepoty. Stary człowiek chciał spytać, Kim jesteś, ale nie mógł wydobyć z siebie głosu, a jego ciało przeszył dreszcz, choć nie czuł zimna. Kobiece ręce okrężnymi ruchami wcierały pianę w jego ciało. Nie powiedziała, Jestem żoną lekarza, albo, Jestem żoną pierwszego ślepca, Jestem dziewczyną w ciemnych okularach. W pewnej chwili dłonie cofnęły się, dały się słyszeć czyjeś kroki, dźwięk zamykanych drzwi i zapadła cisza. Stary człowiek z czarną opaską na oku został sam, wciąż klęczał w wannie, jakby błagał kogoś lub coś o litość, cały drżał. Kto to był, zastanawiał się gorączkowo, Na pewno żona lekarza, jedyna widząca osoba, nasza ostoja, żywicielka, ta, która potrafi dyskretnie pomagać i wspierać. To podpowiadał mu rozum, ale stary człowiek dawno przestał wierzyć rozumowi. Wciąż nie mógł opanować drżenia rąk, nie wiedział, czy trzęsie się z zimna, czy z emocji. Znalazł opaskę na dnie wanny, wycisnął z niej wodę, wygładził i zawiązał wokół głowy, gdy miał ją na sobie, nie czuł się taki nagi. Kiedy czysty i pachnący wszedł do salonu, żona lekarza zauważyła, Oto porządnie ogolony i umyty mężczyzna, po czym dodała głosem osoby, która nagle przypomniała sobie o karygodnym zaniedbaniu, jakiego się dopuściła, Jaka szkoda, pewnie nie mogłeś umyć sobie pleców. Stary człowiek z czarną opaską na oku nie odpowiedział, tylko w duchu przyznał sobie rację, nie warto wierzyć rozumowi.

Resztki zapasów dostały się zezowatemu chłopcu. Dorośli musieli poczekać na kolejną dostawę żywności. W spiżarni znalazło się jeszcze kilka słoików kompotu, suszone owoce, cukier, parę herbatników, stare tosty, ale obiecali sobie, że to wszystko zostawią na czarną godzinę i że póki się da, dzień w dzień będą zdobywać swój chleb powszedni. Jedynie niekorzystny zbieg okoliczności mógł sprawić, że wrócą z pustymi rękami, wtedy będą musieli zadowolić się dwoma herbatnikami i łyżeczką kompotu. Mamy truskawkowy lub brzoskwiniowy, co kto woli, do tego kilka orzechów, a na koniec deser, szklanka wody. Żona pierwszego ślepca zgłosiła się na ochotnika, chciała pomóc w zdobywaniu żywności, uważała, że jej mąż nie da sobie rady i że we dwoje bardziej się przydadzą. Dodała również, że jeśli to możliwe, chciałaby wstąpić do swego mieszkania, które znajduje się w tej samej dzielnicy, może opuścili je już nieproszeni goście albo zamieszkali tam krewni sąsiadów, którzy przyjechali ze wsi, uciekając przed epidemią, bo wiadomo, że w mieście człowiek zawsze sobie jakoś poradzi. Wyszli we troje ubrani w to, co na chybił trafił wyjęli z szafy, gdyż ich własne rzeczy jeszcze nie wyschły. Niebo wciąż było zachmurzone, ale przestało padać. Gwałtowna ulewa zmyła ze stromych ulic śmieci, które piętrzyły się teraz w dole, odsłaniając czyste, wymyte chodniki. Miejmy nadzieję, że znów zacznie padać, nie daj Boże, żeby teraz wyszło słońce, zauważyła żona lekarza, Wszędzie czuć zgniliznę, Umyliśmy się i dlatego zwracamy uwagę na przykre zapachy, powiedziała żona pierwszego ślepca, którą skwapliwie poparł mąż, chociaż od zimnej kąpieli nabawił się przeziębienia. Na ulice wyległy tłumy ślepców, ludzie mogli wreszcie swobodnie poruszać się po czystych chodnikach i załatwiać swoje naturalne potrzeby, które wciąż odczuwali, mimo iż marnie jedli i pili. Wszędzie wałęsały się psy węszące z nosami przy ziemi. Czasem zanurkowały w stercie śmieci, jeden z nich właśnie wydobył zdechłego szczura, który utopił się w czasie deszczu, rzecz niebywała, świadcząca o sile ostatniej ulewy. Być może szczur dał się zaskoczyć burzy w złym miejscu i nie zdążył wykorzystać swych znanych umiejętności pływackich. Pies pocieszyciel trzymał się z dala od starych kompanów, z którymi niegdyś wypuszczał się na łowy. On już dokonał swego życiowego wyboru, choć nie czekał też na resztki z pańskiego stołu. Już coś złapał i pracowicie przeżuwał, sterty śmieci kryją w sobie niewyobrażalne skarby, wystarczy tylko zanurkować. To samo będą musieli zrobić również pierwszy ślepiec i jego żona, oni także będą musieli zanurkować w morzu mleka i odnaleźć drogę powrotną do domu. Poznali już cztery skrzyżowania wokół domu, w którym teraz mieszkali, cztery rogi ulic, które mają im służyć jako punkty odniesienia. Ślepców nie obchodzi, czy to wschód, zachód, północ czy południe, potrzebują drogowskazów, które rozpoznają ich ręce i pozwolą obrać właściwą drogę. Dawniej, gdy niewidomych było jeszcze niewielu, używali oni białych lasek, którymi stukali o ziemię i dotykali ścian budynków, jakby za pomocą tajnego kodu odnajdywali właściwą drogę. Teraz jednak, gdy oślepł cały świat, wśród ciągłych hałasów, ciągłego stukania i pukania, laska stałaby się całkowicie bezużyteczna, nie mówiąc o tym, że jej biel zginęłaby w świetlistej jasności. Jak wiemy, psy znajdowały się w lepszej sytuacji, co prawda miały słaby wzrok, ale za to instynkt i wspaniały węch pozwalały im bezbłędnie trafiać do celu. Pies pocieszyciel podniósł nogę i zaznaczył róg ulicy, by w razie potrzeby trafić tu bez trudu. Żona lekarza rozglądała się pilnie, szukając sklepów spożywczych, by móc zapełnić pustą spiżarnię. Pomimo spustoszenia od czasu do czasu w starych, małych sklepikach dało się zauważyć jakiś worek fasoli lub grochu, gdyż rośliny strączkowe nie cieszyły się powodzeniem, wiadomo, że trzeba je gotować, a do tego potrzebna jest woda, obecnie najbardziej poszukiwany towar w mieście. Wybór w sklepach wyraźnie zmalał. A jednak, ziarnko do ziarnka, uzbiera się miarka. Żona lekarza nie przywiązywała wielkiej wagi do przysłów, musiała jednak coś zapamiętać z ludowych mądrości, gdyż napełniła fasolą i grochem dwie plastikowe torby. Pomyślała, że ugotuje je w wodzie, w której się moczyły i którą po ugotowaniu wypiją zamiast zupy. Jak widać, nie tylko w przyrodzie nic nie ginie, zawsze coś da się wykorzystać.

Trudno zrozumieć, dlaczego dźwigali ciężkie worki z fasolą, mając taki szmat drogi do przebycia, mieszkanie pierwszego ślepca i jego żony znajdowało się daleko, ale widocznie człowiek najedzony nigdy nie pojmie głodnego. W domu wszystko się przyda, mawiała babka żony lekarza, nie dodając jednak, że czasem trzeba przemierzyć pół świata, by to coś zdobyć, a to właśnie czyniła nasza trójka, wybierając najdłuższą z możliwych dróg. Gdzie jesteśmy, spytał pierwszy ślepiec, a żona lekarza dokładnie opisała mu miejsce, gdzie się znajdowali, Tutaj straciłem wzrok, stałem na światłach, Tak, zgadza się, to chyba jest to skrzyżowanie, Nie do wiary, szepnął, Wolę nie przypominać sobie, co przeżyłem zamknięty w samochodzie, kiedy ludzie tłukli pięściami w okna, a ja nie mogłem nic zrobić, tylko krzyczałem, że jestem ślepy, a potem pojawił się ten złodziej, który odwiózł mnie do domu, Biedny człowiek, westchnęła żona pierwszego ślepca, Już nigdy nie ukradnie samochodu, Tak bardzo boimy się śmierci, że nawet usprawiedliwiamy zmarłych, powiedziała żona lekarza, To tak, jakbyśmy prosili o wybaczenie, zanim przyjdzie nasza kolej, A ja wciąż mam wrażenie, że śnię, westchnęła żona pierwszego ślepca, Śnię, że oślepłam, Kiedy czekałem w domu na twój powrót, czułem to samo, wyznał pierwszy ślepiec. Minęli skrzyżowanie, gdzie wydarzył się opisany wypadek, teraz wspinali się stromymi, wąskimi uliczkami, gubiąc się w labiryncie miasta. Żona lekarza słabo znała te okolice, lecz pierwszy ślepiec szedł pewnie, ani razu nie zbaczając z trasy, ona czytała mu nazwy ulic, on wydawał polecenia, Teraz w lewo, teraz w prawo, w końcu powiedział, Jesteśmy na miejscu, dom jest po lewej stronie, mniej więcej w połowie ulicy, Jaki numer, spytała żona lekarza, lecz nie pamiętał. Niemożliwe, żebym zapomniał, po prostu wyleciało mi z głowy. Nie wróżyło to niczego dobrego, jeśli ludzie zapominają, gdzie jest ich dom, to co będzie dalej. Na szczęście w wyprawie brała udział również jego żona. Słyszymy teraz jej głos, który bez wahania recytuje adres. Dzięki temu uniknęli błądzenia od domu do domu i obmacywania każdych drzwi. Był to desperacki pomysł pierwszego ślepca, który wierzył, że dom w magiczny sposób przyciągnie jego ręce, że dotykiem rozpozna kawałek metalu, drewno, raz, dwa, trzy i już mamy obraz wyczarowany z kawałków wyobraźni. Weszli na klatkę schodową, Żona lekarza szła pierwsza, Na którym piętrze mieszkacie, spytała, Na trzecim, odparł bez wahania pierwszy ślepiec, na szczęście z jego pamięcią nie było tak źle, jak przypuszczał, to normalne, że niektóre rzeczy się zapomina, inne zostają w pamięci. Pamiętał na przykład, jak wchodził tymi drzwiami, kiedy stracił wzrok. Na którym piętrze pan mieszka, spytał wtedy człowiek, który potem ukradł mu samochód, Na trzecim, odparł, Jedyną różnicą było to, że tym razem nie jechali windą, lecz szli niewidocznymi schodami, które tonęły jednocześnie w mroku i w roziskrzonej bieli, w jednych oczach była ciemność, w drugich oślepiające słońce, a może blask dopalającej się świecy. Żona lekarza szybko przyzwyczaiła się do ciemności, po drodze zderzyli się z dwiema schodzącymi kobietami. Być może też mieszkały wyżej, na trzecim piętrze, ale nikt już nie zadawał pytań, nawet sąsiedzi nie byli tacy wścibscy jak dawniej.

Drzwi były zamknięte. Co teraz zrobimy, spytała żona lekarza, Spróbuję jeszcze raz, powiedział pierwszy ślepiec i zapukał do drzwi, raz, drugi, trzeci, Nikogo nie ma, powiedziało któreś z nich, ale w tym samym momencie drzwi się uchyliły. Nie ma się co dziwić, że tak długo to trwało, trudno wymagać od ślepca, aby błyskawicznie zareagował na czyjeś stukanie. Kto tam, o co chodzi, spytał mężczyzna, który stanął w progu. Wyglądał na osobę wykształconą i kulturalną. Kiedyś tu mieszkałem, odezwał się były właściciel, Ach tak, odparł krótko mężczyzna, po czym zapytał, Czy jest pan sam, Nie, jest ze mną żona i nasza przyjaciółka, Dlaczego mam wierzyć, że to pańskie mieszkanie, Łatwo to udowodnić, odezwała się żona pierwszego ślepca, Mogę dokładnie opisać, co znajduje się w środku. Człowiek milczał przez chwilę, po czym powiedział, Proszę wejść. Żona lekarza przepuściła ślepców, tym razem nie potrzebowali przewodniczki. Jestem sam, moi znajomi wyszli zdobyć coś do jedzenia, nieznajomy zawahał się, Powinienem chyba powiedzieć znajome, lecz pewnie zabrzmiałoby to podejrzanie, przerwał i po chwili dodał, Ale uważam, że powinni państwo o tym wiedzieć, Co pan ma na myśli, odezwała się żona lekarza, Mówię o mojej żonie i dwóch córkach, Dlaczego rodzaj rzeczownika ma dla pana takie znaczenie, Bo jestem pisarzem, a dla pisarza słowa są bardzo ważne. Pierwszy ślepiec poczuł się wyróżniony, Patrzcie państwo, pisarz w moim domu. Korciło go, by zapytać, jak się nazywa, ale bał się, że popełni nietakt. Może nawet znał to nazwisko albo nawet czytał jego książkę. Kiedy zastanawiał się, jakie pytanie wypada mu zadać, jego żona spytała wprost, Jak się pan nazywa, Ślepcy nie mają imion i nazwisk, ja to mój głos, reszta nie ma znaczenia, Ale kiedyś pisał pan książki i figuruje na nich pańskie nazwisko, zauważyła żona lekarza, Skoro nikt ich nie czyta, to tak, jakby nie istniały. Pierwszy ślepiec poczuł, że temat rozmowy zaczyna odbiegać od spraw, które go najbardziej interesowały. Jak pan się tu znalazł, spytał, Zwyczajnie, nie mieszkam już w swoim domu, zajęli go obcy ludzie, na nic zdały się perswazje, mało brakowało, a zrzuciliby nas ze schodów, Mieszkał pan daleko stąd, Nie, Próbował pan tam wracać, spytała żona lekarza, Przecież ludzie przemieszczają się z miejsca na miejsce, Próbowałem jeszcze dwukrotnie, Nadal tam są, Tak, Co pan teraz zrobi, to my jesteśmy właścicielami tego mieszkania, przypomniał pierwszy ślepiec, Czy wyrzuci nas pan za drzwi, Nie ten wiek i nie to zdrowie, ale nawet gdybym miał siłę, nie odwołałbym się do tak drastycznych metod, pisarz uczy się cierpliwości, jest mu ona niezbędna przy pisaniu książek, Opuści pan nasze mieszkanie czy nie, Tak, jeśli nie ma innego wyjścia, Myślę, że nie ma, A może mieszkają państwo razem z przyjaciółmi, zaczął ostrożnie pisarz. Żona lekarza domyśliła się, do czego zmierza. Tak jest, Jeśli państwo pozwolą, chciałbym coś zaproponować, Słuchamy, Proponuję, żeby zostało po staremu, w tej chwili wszyscy mamy dach nad głową, obiecuję, że będę sprawdzał, co się dzieje w moim domu, jeśli się zwolni, wrócę do siebie, a gdy się wyprowadzę, państwo wprowadzicie się tutaj, Nie podoba mi się ten pomysł, Wiem, że się panu nie podoba, ale podejrzewam, że drugie rozwiązanie jeszcze mniej pana zadowoli, Mianowicie, Mogą się państwo wprowadzić, nawet w tej chwili, Teraz, Tak, będziemy mieszkać razem, Nie ma mowy, przerwała mu żona pierwszego ślepca, Na razie niech wszystko zostanie po staremu, a potem się zastanowimy, Mam jeszcze jeden pomysł, powiedział pisarz, Jaki, spytał pierwszy ślepiec, Możecie nas traktować jak swoich gości, Nie, na razie niczego nie zmieniajmy, powtórzyła żona pierwszego ślepca, Zostaniemy u naszej przyjaciółki, chyba nie muszę pytać, czy się zgodzisz, zwróciła się do żony lekarza, Dobrze wiesz, że się zgadzam, Dziękuję państwu, powiedział pisarz, Prawdę mówiąc, od dawna przypuszczałem, że zjawią się prawowici właściciele mieszkania, To naturalne, że pan tu zamieszkał, kiedy jest się ślepym, ogranicza się swoje potrzeby do tego, co w danej chwili znajduje się pod ręką, zauważyła żona lekarza, Jak państwo przeżyli pierwszy okres epidemii, Trzy dni temu wyszliśmy ze szpitala, byliśmy internowani, Ach, to ta słynna kwarantanna, Tak, było to ciężkie przeżycie, Bardzo ciężkie, wtrąciła żona pierwszego ślepca, Pan jest pisarzem i jak przed chwilą pan powiedział, zna się na słowach, więc na pewno pan wie, że przymiotniki są bezużyteczne, zauważyła spokojnie żona lekarza, Gdy na przykład ktoś zabije człowieka, wystarczy powiedzieć to zwyczajnie, zabił człowieka, gdyż czyn ten sam w sobie jest przerażający i nie potrzebuje przymiotników, Czy to znaczy, że mamy za dużo słów, To znaczy, że mamy za mało uczuć, A może przestaliśmy je nazywać, I dlatego je tracimy, Proszę mi opowiedzieć, jak wyglądało życie podczas kwarantanny, Po co, Jestem pisarzem, Trudno zrozumieć coś, czego się nie widziało, Pisarz jest zwykłym człowiekiem, nie może być wszędzie naraz i wszystkiego przeżywać, musi pytać i używać wyobraźni, Kiedyś panu opowiem, może napisze pan o tym książkę, Już zacząłem, Przecież jest pan ślepy, Ślepcy też mogą pisać, Zdążył pan nauczyć się brajla, Skądże znowu, No to jak pan pisze, spytał pierwszy ślepiec, Zaraz to państwu zademonstruję, pisarz wstał z krzesła, wyszedł, a po chwili wrócił z kartką papieru i długopisem, Oto ostatnie zdanie, które napisałem, My nie widzimy, powiedziała żona pierwszego ślepca, Ja też, To jak pan pisze, spytała żona lekarza, widząc gęsto zapisaną kartkę, na której widać było zlewające się linie, To proste, uśmiechnął się pisarz, Za pomocą palców, kładę papier na niezbyt twardej powierzchni, choćby na pliku innych kartek, a potem piszę, Jak może pan pisać, spytał pierwszy ślepiec, Długopis to bardzo przydatne narzędzie, nawet dla ślepego pisarza, co prawda nie mogę przeczytać tego, co napisałem, ale wiem, gdzie skończyłem, z łatwością wyczuwam wklęśnięcia na papierze, i tak powoli zapełniam całą kartkę, próbując zachować odstęp między liniami, to bardzo proste, Czasem linie się zlewają, zauważyła żona lekarza, delikatnie biorąc od pisarza kartkę papieru, Skąd pani wie, Widzę, Jak to, odzyskała pani wzrok, kiedy, spytał zaskoczony, Jestem chyba jedyną osobą, która nigdy go nie straciła, Jak to możliwe, Nie wiem, pewnie nie ma na to żadnego wyjaśnienia, Czyli widziała pani to wszystko, co się zdarzyło podczas epidemii, Niestety, nie miałam innego wyjścia, Ilu was internowano, Około trzystu, Jak długo was trzymali, Od wybuchu epidemii, Wyszliśmy dopiero trzy dni temu, tak jak panu mówiłam, A ja byłem pierwszą ofiarą choroby, odezwał się pierwszy ślepiec, To musiało być straszliwe przeżycie, Znowu to samo określenie, zauważyła żona lekarza, Przepraszam, pewnie wszystko, co napisałem do tej pory, to wierutna bzdura, zacząłem pisać, kiedy oślepła moja rodzina, O czym pan pisał, O tym, co przeszliśmy, o życiu, Każdy powinien mówić o własnych doświadczeniach, a jeśli nie wie, pyta innych, Właśnie to zrobiłem, A ja panu odpowiem, nie wiem kiedy, ale obiecuję, że tu wrócę, odparła żona lekarza, wręczając pisarzowi zapisaną kartkę, Nie pogniewa się pan, jeśli poproszę, żeby mi pan pokazał swój warsztat pracy, Ależ oczywiście, że nie, Czy my też możemy tam pójść, spytała żona pierwszego ślepca, To przecież wasz dom, powiedział krótko pisarz, Ja tu jestem tylko gościem. Zaprowadził ich do sypialni, gdzie stało małe biurko, a na nim lampa naftowa. Słabe światło wpadające przez okno wydobywało z mroku kolejne przedmioty, po lewej stronie leżał czysty papier, po prawej zapisane strony przyszłej książki, w środku w połowie zapisana kartka. Obok lampy leżały dwa nowe długopisy. Tu pracuję, powiedział pisarz. Mogę zobaczyć, spytała żona lekarza i nie czekając na odpowiedź, wzięła do ręki zapisane kartki. Było ich około dwudziestu, rzuciła okiem na nierówne, chwiejne pismo, na słowa wyryte ślepą ręką w papierowej bieli. Jestem tu gościem, powiedział przed chwilą pisarz, a to, co teraz oglądała, było śladem jego krótkiej bytności. Położyła mu rękę na ramieniu, a on ujął jej dłoń

Dwa dni później lekarz zwierzył się żonie, że chciałby sprawdzić, w jakim stanie znajduje się jego gabinet. Co prawda nie ma to teraz znaczenia, ale może kiedyś ludzie odzyskają wzrok i moja aparatura okaże się jeszcze przydatna do badań, chyba nic nie zginęło, Możemy iść w każdej chwili, Jeśli nie macie nic przeciwko temu, pójdę z wami, a przy okazji chciałabym sprawdzić, co się dzieje u mnie w domu, poprosiła dziewczyna w ciemnych okularach, Nie przypuszczam, żeby wrócili moi rodzice, ale to mi poprawi samopoczucie, Dobrze, po drodze wstąpimy do ciebie, uspokoiła ją żona lekarza. Więcej chętnych do wyprawy w rodzinne strony nie było. Pierwszy ślepiec i jego żona wiedzieli, że na razie nie mają po co wracać do domu, w podobnej sytuacji, choć z innych powodów, znajdował się stary człowiek z czarną opaską na oku, a zezowaty chłopiec nadal nie mógł sobie przypomnieć, gdzie mieszkał. Niebo było bezchmurne, wyglądało na to, że ulewne deszcze już nie wrócą, słabe promienie słońca ogrzewały twarz. Nie wyobrażam sobie, jak będziemy żyć, gdy nadejdą upały, powiedział ponuro lekarz, Wszystko zacznie gnić, Na ulicach jest pełno zdechłych zwierząt, czasem nawet ludzkich zwłok, kto wie, ilu mieszkańców na zawsze utknęło w swoich domach, najgorsze jest to, że nie jesteśmy zorganizowani, ludzie powinni się organizować, w domach, na swoich ulicach, w dzielnicach, Masz na myśli nowy rząd, spytała żona lekarza, Jakąkolwiek organizację, nasze ciało również działa według ustalonych reguł, żyje dopóty, dopóki funkcjonuje jego system, a śmierć nie jest niczym innym jak dezorganizacją systemu, Jak wyobrażasz sobie funkcjonowanie ślepego społeczeństwa, Poprzez organizację, porządkowanie życia jest pierwszym krokiem do odzyskania wzroku, Może masz rację, ale jak dotąd ta epidemia przyniosła nam tylko śmierć i cierpienie, a moje oczy są równie bezużyteczne jak twój gabinet, Nie zapominaj, że dzięki nim żyjemy, zauważyła dziewczyna w ciemnych okularach, Gdybym była ślepa, też byśmy przetrwali, świat jest pełen ślepców, którzy jakoś sobie radzą, A ja myślę, że wszyscy umrzemy, to tylko kwestia czasu, To zawsze była kwestia czasu, powiedział lekarz, Ale dotąd ludzie nie umierali z powodu utraty wzroku, nie ma chyba gorszego sposobu umierania, Śmierć przychodzi w różny sposób, chorujemy, giniemy w wypadkach, w wyniku fatalnego splotu okoliczności, A teraz zaczniemy umierać z powodu ślepoty, czyli będziemy umierać na raka i ślepotę jednocześnie, na gruźlicę i ślepotę, na AIDS i ślepotę, na zawał i ślepotę, choroby będą różne, ale tak naprawdę zabije nas ślepota, Nikt nie jest nieśmiertelny, nie wymkniemy się śmierci, ale powinniśmy przynajmniej próbować walczyć ze ślepotą, powiedziała żona lekarza, W jaki sposób, jeśli jest to konkretna i realna choroba, spytał lekarz, Nie wiem, odparła żona lekarza, Ani ja, powiedziała dziewczyna w ciemnych okularach.

Nie musieli wyważać drzwi, bez przeszkód weszli do środka, mieli bowiem klucze, które zostawili w domu, gdy przyjechała po nich karetka. Jesteśmy w poczekalni, powiedziała żona lekarza, Tu siedziałam, uśmiechnęła się dziewczyna w ciemnych okularach, Sen trwa, choć nie wiem który, czy to sen o tym, jak przyśniło mi się, że oślepłam w poczekalni, czy o tym, że zawsze byłam ślepa i przyszłam do lekarza, żeby wyleczyć zapalenie spojówek, które nie miało nic wspólnego ze ślepotą, Kwarantanna nie była snem, zauważyła żona lekarza, Owszem, tak jak nie śniło nam się, że zostałyśmy zgwałcone, przypomniała dziewczyna, A ja naprawdę przebiłam człowiekowi gardło, Zaprowadź mnie do gabinetu, przerwał lekarz, Mogę iść sam, ale wolałbym, żebyś ze mną poszła. Drzwi były otwarte. Ktoś tu wszystko poprzewracał, powiedziała żona lekarza, Papiery leżą na podłodze, nie widzę szafki z kartami pacjentów, Myślę, że wzięli ją ludzie z ministerstwa, przyszli po dane pacjentów i żeby nie tracić czasu, zabrali ze sobą całą szafkę, Pewnie masz rację, A co z aparaturą, Na pierwszy rzut oka wygląda, że jest w porządku, Przynajmniej coś ocalało, westchnął lekarz. Z wyciągniętymi rękami podszedł do stolika, gdzie leżało pudełko ze szkłami, pogładził ręką oftalmoskop, biurko, potem zwrócił się do dziewczyny w ciemnych okularach, Teraz wiem, co masz na myśli, mówiąc, że czujesz się jak we śnie. Usiadł za biurkiem i położył ręce na zakurzonym, szklanym blacie. Uśmiechnął się ironicznie i dodał ze smutkiem, jakby zwracał się do pacjenta siedzącego naprzeciwko, Przykro mi, panie doktorze, ale pana przypadek jest beznadziejny, proszę przyjąć przyjacielską radę, nasi przodkowie mawiali, że najlepszym lekarstwem na chorobę jest czas, Przestań, krzyknęła żona lekarza, Wybacz, ale czuję się, jakbym wrócił do miejsca, gdzie kiedyś dokonywałem cudów, a teraz odebrano mi czarodziejską moc, Największym cudem będzie, jeśli uda nam się przetrwać, powiedziała jego żona, Dzień po dniu musimy chwytać okruchy życia, jakby to nie my, ale samo życie oślepło i potrzebowało przewodnika, powiedziała i z zadumą dodała, Kto wie, może ta moc, która tchnęła w nas życie, teraz sama oddała się nam w opiekę, Mówisz, jakbyś była ślepa, zauważyła dziewczyna w ciemnych okularach, Masz rację, oślepiła mnie wasza choroba, może gdybym nie była jedyną widzącą osobą, widziałabym lepiej, Obawiam się, że jesteś jak świadek szukający sądu, przed który cię wezwano, ale nie wiesz, dokąd iść, przed kim i kiedy masz zeznawać, zauważył lekarz, Koniec jest już bliski, zgnilizna toczy świat, mnożą się choroby, brakuje wody, jedzenie staje się trucizną, tak brzmiałoby moje pierwsze zdanie, powiedziała żona lekarza, A drugie, spytała dziewczyna w ciemnych okularach, Spójrzmy prawdzie w oczy, Nie możemy, przecież jesteśmy ślepi, zdziwił się lekarz, Pewien mądry człowiek powiedział, że największym ślepcem jest ten, kto nie chce przejrzeć, Ależ ja chcę, zawołała dziewczyna w ciemnych okularach, To nie wystarczy, jedyna zmiana polegałaby na tym, że nie byłabyś tą najgorszą ślepą osobą, Dość tego gadania, Chodźmy, nic tu po nas, przerwał lekarz.

Idąc do domu dziewczyny w ciemnych okularach, weszli na plac, gdzie grupki ślepców przysłuchiwały się przemówieniom innych ślepców, na pierwszy rzut oka niesprawiających wrażenia niewidomych, twarze mówców zwrócone były w kierunku słuchaczy, ci zaś patrzyli w skupieniu w stronę, skąd dobiegał głos. Zewsząd padały przepowiednie o końcu świata, mówiono o odkupieniu poprzez skruchę, o wizji dnia siódmego, o anielskim posłańcu, o kosmicznym kataklizmie, o tym, że zgaśnie słońce, o duchowości plemiennej, o życiodajnym soku mandragory, o maści tygrysiej, o zaletach znaków zodiaku, o kierunkach wiatrów, o słodkiej woni księżyca, o powrocie sił ciemności, o mocy egzorcyzmów, o śladach stóp, o różoukrzyżowaniu, o czystości limfy, o krwi czarnego kota, o uśpionej mocy cienia, o wzburzonych wodach, o słuszności ludożerstwa, o bezbolesnej kastracji, boskich tatuażach, dobrowolnym oślepnięciu, o myśli tajemnej, o tym, co wklęsłe, wypukłe, poziome, pionowe, pochyłe, skupione i rozproszone, o tym, co nieuchwytne, o wycinaniu strun głosowych, o śmierci słów. Nie słyszę, by ktoś tu mówił o organizacji, zauważyła żona lekarza, Może o tym dyskutują na innym placu, odparł jej mąż, Na ulicach przybywa zwłok, powiedziała żona lekarza, To nasz duch walki ściele się trupem, sama mówiłaś, że koniec jest bliski, niedługo zabraknie wody, szerzą się choroby, a jedzenie staje się trucizną, przypomniał lekarz, Może wśród tych trupów są moi rodzice, odezwała się cichym głosem dziewczyna w ciemnych okularach, Mijam ich i nic nie widzę, Ludzie zawsze przechodzili obojętnie obok zmarłych, powiedziała żona lekarza.

Znajoma uliczka, przy której mieszkała dziewczyna w ciemnych okularach, wydawała się jeszcze bardziej opuszczona niż przedtem. Przy wejściu natknęli się na ciało martwej kobiety do połowy rozszarpane przez zdziczałe zwierzęta. Na szczęście tym razem nie towarzyszył im pies pocieszyciel, na pewno miałby ochotę zatopić w nim ostre zęby i musieliby odciągać go od zwłok, To twoja sąsiadka z pierwszego piętra, powiedziała żona lekarza, Kto, gdzie, spytał jej mąż, Leży przy wejściu, nie czujesz, Biedaczka, szepnęła dziewczyna w ciemnych okularach, Po co wychodziła na ulicę, przecież nigdy tego nie robiła, Być może wyszła na spotkanie śmierci, nie mogła znieść myśli, że w takiej chwili będzie sama, skazując swoje ciało na powolny rozkład, powiedział lekarz, Nie dostaniemy się do mojego mieszkania, nie mamy kluczy, Może czekają na ciebie rodzice, przypomniał jej lekarz, Wątpię, Masz rację, rzuciła krótko żona lekarza, A klucze są tutaj. Na ziemi, w zagłębieniu zesztywniałej dłoni błyszczał jasny, metalowy przedmiot. Może to jej klucze, zmartwiła się dziewczyna w ciemnych okularach, Nie sądzę, po co miałaby iść na spotkanie śmierci z własnymi kluczami, Przecież nie wyniosła ich dla mnie, i tak bym ich nie zauważyła, jestem ślepa, sądzisz, że chciała mi je oddać, Nie wiem, co zamierzała z nimi zrobić, może miała nadzieję, że odzyskasz wzrok, może wzbudziło jej podejrzenia to, że z taką łatwością poruszaliśmy się po mieszkaniu, może usłyszała, jak narzekałam, że nic nie widzę, albo po prostu trawiła ją gorączka, straciła zdolność logicznego myślenia, pamiętała tylko, że musi oddać ci klucze, śmierć zaskoczyła ją w progu, nim zdążyła wyjść na ulicę. Żona lekarza wyjęła z ręki zmarłej klucze, oddała je dziewczynie w ciemnych okularach i spytała, Co robimy, zostawiamy ją tutaj, Nie możemy pochować jej na ulicy, bo nie mamy odpowiednich narzędzi, by podważyć płyty chodnika, zauważył lekarz, Jest jeszcze ogród, Tak, ale wtedy trzeba by ją wciągnąć na drugie piętro i potem zwlec schodami ewakuacyjnymi w dół, Nie ma innego wyjścia, Damy radę, spytała dziewczyna w ciemnych okularach, Nie chodzi o to, czy damy radę, ale czy pozwolimy jej tu zostać, Nie pozwolimy, powiedział zdecydowanym tonem lekarz, A więc musimy dać sobie radę. Tak też się stało, choć z wielkim trudem, ale udało im się wciągnąć ciało po schodach, i to nie dlatego, że tyle ważyło, ponieważ już za życia kobieta była wychudzona, a reszty dokonały wygłodniałe psy i koty. Jednak ciało było tak zesztywniałe, że z trudem pokonywali zakręty na schodach i mimo niewielkiej odległości cztery razy musieli odpoczywać. Jednak ani hałas, jaki czynili, ani straszliwy fetor rozkładającego się ciała nie wywabił na klatkę żywego ducha. Tak jak przypuszczałam, moich rodziców nie ma, powiedziała ze smutkiem dziewczyna w ciemnych okularach. Kiedy dotarli na drugie piętro, całkiem opadli z sił, a musieli jeszcze przejść przez mieszkanie i zejść do ogrodu, ale z pomocą wszystkich świętych, którzy, jak wiemy, chętniej schodzą na dół, niż pną się w górę, poszło im to o wiele szybciej, stopnie były szersze, jak przystało na schody do nieba, a ciało wydawało się lżejsze. Trzeba było jednak uważać, by nie wypuścić go z rąk, łoskot byłby niemiłosierny, nie mówiąc o bólu, który podobno po śmierci bardziej doskwiera niż za życia.

Ulewne deszcze sprawiły, że ogród przypominał dziewiczą puszczę, szalejący podczas burzy wiatr przywiał mnóstwo polnych chwastów. Biegające samopas króliki nie musiały troszczyć się o pożywienie, nowy jadłospis bez wody zaakceptowały również kury. Usiedli na ziemi wyczerpani, dysząc ze zmęczenia, odpoczywali obok zwłok sąsiadki. Żona lekarza musiała wciąż odganiać od nich króliki i kury, pierwsze przybiegały wiedzione ciekawością, nerwowo poruszając małymi noskami, drugie szykując do ataku ostre dzioby. Zanim twoja sąsiadka wyszła na ulicę, zdążyła wypuścić z klatki króliki, zauważyła żona lekarza, Nie chciała, żeby zdechły z głodu, Jak widać, trudność nie polega na życiu z bliźnimi, lecz na ich zrozumieniu, powiedział cicho lekarz. Dziewczyna w ciemnych okularach wycierała ręce o pęk wyrwanych chwastów, sama była sobie winna, nie uważała, chwytając rozszarpane ciało, tak to jest, gdy się nie ma oczu. Trzeba znaleźć łopatę albo motykę, westchnął lekarz, a jego słowa zabrzmiały dziwnie znajomo, tak oto zamyka się magiczny krąg, słowa powtarzają się w podobnych okolicznościach, najpierw złodziej, teraz kobieta, która chciała ukraść klucze. Gdy ją zakopią, zatrą się wszelkie różnice między nimi, chyba że ktoś zachowa ich w pamięci. Żona lekarza udała się do mieszkania dziewczyny po czyste prześcieradło, lecz musiała zadowolić się mniej zabrudzonymi ręcznikami. Gdy zeszła na dół, kury ucztowały już przy zwłokach staruszki, a króliki skubały świeżą trawę. Owinęła ciało i zaczęła szukać łopaty, wreszcie znalazła ją w szopie z narzędziami. Sama się tym zajmę, powiedziała, Ziemia jest wilgotna, łatwo da się wykopać grób, odpocznijcie. Wybrała miejsce, gdzie nie było grubych korzeni, które zwykle trzeba wycinać ostrym brzegiem łopaty, a jest to zajęcie uciążliwe, gdyż jak wiadomo, korzenie są giętkie i w ucieczce przed śmiertelnym ciosem gilotyny kryją się w pulchnej ziemi. Nikt nie zwrócił uwagi na ślepców, którzy powychodzili na balkony okolicznych domów, żona lekarza zawzięcie kopała grób, jej mąż zaś i dziewczyna w ciemnych okularach od dawna nie mieli pożytku ze swych oczu. Była to garstka wycieńczonych kobiet i mężczyzn, których zwabiły odgłosy kopania, gdyż nawet jeśli ziemia nie jest twarda, raz po raz motyka napotyka na kamień i słychać szczęk metalu. Wyglądali jak duchy zmarłych, które ciekawość przyciągnęła do świeżej mogiły. Żona lekarza skończyła kopać, wyprostowała się, otarła pot z czoła, a gdy chciała rozmasować krzyż, spostrzegła tę upiorną asystę. Nie namyślając się, pod wpływem emocji, krzyknęła do nich, jakby wołała do wszystkich ślepców świata, Ona powstanie, Zauważmy, że nie powiedziała, Ona zmartwychwstanie, jakby bała się użyć zbyt mocnego sformułowania, choć w słowniku oba te wyrazy uważane są za bliskoznaczne, a nawet za synonimy. Przerażeni ślepcy wycofali się do swych ciemnych domów, nie rozumiejąc, skąd te dziwne słowa, widocznie nie byli na nie przygotowani, gdyż nie bywali na wielkim placu, gdzie głoszono różne proroctwa. By podkreślić wagę swoich słów, żona lekarza powinna była wrzucić do grobu głowę modliszki i martwego skorpiona. Dlaczego powiedziałaś powstanie, do kogo mówiłaś, spytał lekarz, Do ślepców, którzy wyszli na dwór, przestraszyłam się i dlatego krzyknęłam, Ale dlaczego użyłaś takich dziwnych słów, Nie wiem, wymknęło mi się, Może powinnaś pójść na plac i nauczać, Rzeczywiście, wygłosić kazanie o króliczym zębie i kurzym dziobie, ale dosyć tych głupstw, pomóżcie mi, chwyć tu, o tak, uważaj, nie zepchnij mnie do grobu, dobrze, weź ją za nogi, ja chwycę z tej strony, powoli, powoli, spuszczajcie, jeszcze, jeszcze. Wykopała głęboki grób w obawie przed kurami, które rozgrzebując ziemię, mogłyby natrafić na ciało. No, nareszcie, westchnęła i zaczęła zasypywać dół, po czym wyrównała ziemię i usypała kopczyk. Zrobiła to wszystko tak sprawnie, jakby całe życie była grabarzem. Wreszcie wyrwała rosnący w rogu mały krzak róży i posadziła go na grobie, tam gdzie spoczywała głowa zmarłej. Czy ona na pewno powstanie, spytała dziewczyna w ciemnych okularach, Ona już nie, odparła żona lekarza, Ale ci, co jeszcze żyją, powinni powstać, uwolnić się od siebie, a widzę, że tego nie robią, Przecież wiesz, że jesteśmy na wpół martwi, przerwał jej lekarz, Ale i na wpół żywi, odparła i poszła do szopy, by schować łopatę. Gdy wróciła, rozejrzała się dookoła, jakby chciała sprawdzić, czy wszystko jest w porządku. W jakim porządku, zadała sobie w duchu pytanie, W takim porządku, zgodnie z którym umarli są z umarłymi, żywi z żywymi, a kury i króliki żywią się jednym, samymi będąc pożywieniem drugich. Chciałabym zostawić jakąś wiadomość rodzicom, odezwała się dziewczyna w ciemnych okularach, Żeby wiedzieli, że żyję, dodała niepewnie, Nie chcę pozbawiać cię złudzeń, ale najpierw musieliby dotrzeć do domu, a to mało prawdopodobne, powiedział lekarz, Pamiętaj, że gdybyśmy nie mieli przewodnika, nigdy byśmy tu nie trafili, Ma pan rację, nawet nie mam pewności, czy żyją, ale mimo to powinnam zostawić jakiś ślad mojej obecności, inaczej będę czuła się tak, jakbym ich opuściła, Co chcesz im zostawić, spytała żona lekarza, Coś, co rozpoznają dotykiem, odparła dziewczyna w ciemnych okularach, Problem w tym, że nie ma już we mnie nic, co przypominałoby osobę, którą dawniej byłam. Żona lekarza spojrzała na dziewczynę, siedziała skulona na schodach ewakuacyjnych, z rękami na kolanach. Spojrzała na jej piękną, zatroskaną twarz i spływające na ramiona włosy. Wiem, co możesz im zostawić, powiedziała i szybko pobiegła do mieszkania, by po chwili wrócić z nożyczkami i sznurkiem. Co chcesz zrobić, spytała z niepokojem dziewczyna, słysząc szczęk nożyczek. Kiedy twoi rodzice wrócą i znajdą na drzwiach pukiel włosów, nie będą mieli wątpliwości, do kogo należy, prawda, spytała żona lekarza, Zaraz się rozpłaczę, szepnęła dziewczyna w ciemnych okularach i łzy popłynęły jej z oczu. Ukryła twarz w dłoniach, rozpacz, tęsknota, wzruszający pomysł żony lekarza, wszystko to spowodowało mętlik w jej głowie. Po chwili ze zdziwieniem stwierdziła, że jej myśli, błądzące po nieznanych ścieżkach, doprowadziły ją do zmarłej sąsiadki, że płacze również z żalu za starą wiedźmą, obrzydliwą staruchą żywiącą się surowym mięsem, która skostniałą ręką zwróciła jej klucze. Co za czasy, westchnęła żona lekarza, Świat stoi na głowie, to, co dawniej było symbolem śmierci, teraz stało się oznaką życia. A wszystko to dzięki twoim rękom, powiedział lekarz, Owszem, mój drogi, potrzeba jest matką wynalazków, ale nie czas na filozofowanie, podajcie mi ręce i wracajmy do żywych. Dziewczyna w ciemnych okularach sama zawiesiła pukiel włosów na klamce drzwi. Myślisz, że je zauważą, spytała, Klamka w drzwiach jest jak wyciągnięta dłoń, odparła żona lekarza i tym dziwnym zdaniem zakończyli swą wizytę.

Tego wieczoru żona lekarza znów czytała ślepcom na głos, była to jedyna forma rozrywki, na jaką mogli sobie pozwolić. Wielka szkoda, że lekarz nie grał na skrzypcach, słuchaliby teraz słodkich dźwięków w swoim czystym królestwie na piątym piętrze, a sąsiedzi wzdychaliby z zazdrości, Ci to mają życie, a może wierzą, że uciekną przed nieszczęściem, kpiąc z cudzych cierpień. Niestety, jedyną dostępną muzyką był potok słów, który cichym szmerem wylewał się z książek. Nawet gdyby ciekawość zwabiła kogoś pod drzwi, usłyszałby tylko monotonny szept, długą nić dźwięków, która wije się w nieskończoność, gdyż wszystkie książki są nieskończone jak świat, który opisują. Późnym wieczorem, gdy skończyli lekturę, stary człowiek z czarną opaską na oku westchnął, Widzicie, do czego doprowadziła nas choroba, możemy tylko słuchać, Ja się nie skarżę, mogłabym tak siedzieć i słuchać przez całe życie, odparła dziewczyna w ciemnych okularach, Ja też nie narzekam, mówię tylko o tym, co zrobiła z nas choroba, możemy tylko słuchać opowieści o dawnych czasach, na szczęście jest wśród nas ktoś, kto może czytać nam te historie, ale wolę nie myśleć, co się stanie, jeśli i te oczy kiedyś zgasną, zerwie się ostatnia nić, która łączy nas ze światem, oddalimy się od siebie jak przedmioty zagubione w przestrzeni, ślepi jak nigdy dotąd, A ja wciąż wierzę, że nadejdą lepsze czasy, powiedziała dziewczyna w ciemnych okularach, Wierzę, że spotkam rodziców, wierzę, że ten chłopiec odnajdzie swoją matkę, Zapomniałaś o naszej wspólnej nadziei, O jakiej nadziei, Że odzyskamy wzrok, Czasem nadzieja graniczy z obłędem, A ja ci mówię, że gdyby nie ta głupia nadzieja, nie chciałoby mi się żyć, No to powiedz, w co tak bardzo wierzysz, Że odzyskam wzrok, To już wiemy, w co jeszcze wierzysz, Nie powiem, Dlaczego, To nie twoja sprawa, Skąd wiesz, czy znasz mnie na tyle, by decydować za mnie, co powinnam wiedzieć, a czego nie, Uspokój się, nie chciałem cię urazić, Wszyscy mężczyźni są tacy sami, myślą, że skoro wyszli z brzucha kobiety, to wszystko o niej wiedzą, O kobietach wiem niewiele, o tobie nic, a co do mężczyzn, mój czas już dawno minął, jestem tylko jednookim, ślepym starcem, Czy to jedyne obelgi, jakie możesz na swój temat wymyślić, Skądże znowu, nie masz pojęcia, jak z wiekiem wydłuża się lista obelg, Jestem młodsza, a mimo to też miałabym się czym pochwalić, Tak naprawdę nie zrobiłaś jeszcze niczego złego, Skąd ta pewność, przecież nigdy ze mną nie mieszkałeś, Nie mieszkałem, Dlaczego takim tonem powtarzasz moje słowa, Jakim tonem, Właśnie takim, Powiedziałem tylko, że rzeczywiście nigdy z tobą nie mieszkałem, Chodzi mi o ton, jakim to powiedziałeś, nie udawaj, że nie rozumiesz, Proszę, przestań, Nie przestanę, chcę wiedzieć, No dobrze, mam pewne pragnienie, którego wolałbym ci nie zdradzać, Mianowicie, Wiąże się ono z ostatnim określeniem na mojej czarnej liście, Jakim, mów jaśniej, nie lubię zagadek, Nie mogę pokonać w sobie straszliwego pragnienia, byśmy nigdy nie odzyskali wzroku, Dlaczego, Bo nadal chciałbym tak żyć, Chciałbyś żyć razem z nami, a może ze mną, Proszę, nie pytaj, Darowałabym ci odpowiedź, gdybyś był mężczyzną, ale sam powiedziałeś, że jesteś starcem, a starzec to człowiek, który wiele przeżył i dlatego ma odwagę stawić czoło prawdzie, odpowiedz, Tak, chciałbym żyć z tobą, Dlaczego, Chcesz mnie zmusić, żebym odpowiedział ci przy wszystkich, Robiliśmy w ich obecności większe świństwa i bardziej upokarzające rzeczy, na pewno nic gorszego nas nie spotka, Dobrze, jeśli nalegasz, odpowiem, dlatego, że czuję się jeszcze mężczyzną i podobasz mi się, Tak trudno było wydusić z siebie słowa miłości, W moim wieku człowiek boi się ośmieszyć, Nie jesteś śmieszny, Proszę, zapomnij o tym, co powiedziałem, Nie mam zamiaru zapomnieć, ani tobie na to nie pozwolę, To jakiś obłęd, najpierw zmuszasz mnie do publicznych oświadczyn, a teraz, A teraz moja kolej, Żebyś nie żałowała tego, co powiesz, pamiętaj o czarnej liście, Nie obchodzi mnie, czy jutro będę się wstydziła swojej szczerości czy nie, Przestań, Ty chcesz być ze mną, ale i ja chcę być z tobą, Zwariowałaś, Od dziś zaczniemy żyć jak małżeństwo, nawet jeśli będziemy musieli opuścić naszych przyjaciół, dwoje ślepców widzi więcej niż jeden, To jakieś szaleństwo, przecież ty mnie nawet nie lubisz, To nie ma znaczenia, nigdy nikogo nie lubiłam, chodziłam z mężczyznami do łóżka, nic ponadto, Sama widzisz, Co, Przed chwilą obiecałaś, że będziesz szczera, więc powiedz przynajmniej, czy mnie lubisz, Lubię cię na tyle, by z tobą być, nikomu przedtem tego nie powiedziałam, Gdybyś nie oślepła, mnie też byś tego nie powiedziała, jestem stary, siwy, prawie łysy, zamiast jednego oka mam dziurę, a drugie przysłania mi bielmo, Kobieta, którą wtedy byłam, nigdy by tego nie powiedziała, to prawda,

Następnego dnia żona lekarza, leżąc jeszcze w łóżku, przypomniała sobie o jedzeniu. Kończą nam się zapasy, powiedziała do męża, Trzeba znowu iść do tego podziemnego magazynu, na który natrafiłam pierwszego dnia, jeśli nikt dotąd go nie odkrył, wyniesiemy stamtąd tyle jedzenia, że starczy na dwa tygodnie, Pójdę z tobą, może namówimy jeszcze dwie osoby, Wolę iść tylko z tobą, będzie nam łatwiej, nie zgubimy się, Jak długo starczy ci sił, by opiekować się sześcioma bezsilnymi osobami. Na razie jakoś się trzymam, ale masz rację, jestem coraz słabsza, czasem chciałabym oślepnąć, żeby stać się jedną z was i nie mieć tylu obowiązków, Przyzwyczailiśmy się do twojej pomocy, gdyby ciebie zabrakło, stalibyśmy się podwójnie ślepi, dzięki twoim oczom nie czujemy się tak bezradni, Postaram się was nie zawieść, nic więcej nie mogę obiecać, Może nadejdzie taki dzień, kiedy zrozumiemy, że zbliża się koniec, wtedy trzeba będzie znaleźć w sobie odwagę, by usunąć się z życia, jak to powiedział kiedyś tamten człowiek, O kim mówisz, O naszym szczęściarzu, Myślę, że dziś by tego nie powtórzył, nic tak nie zmienia ludzi jak nowa nadzieja, Oby jej tylko nie stracił, Czuję w twoim głosie niechęć, Niechęć, Tak jakby ci coś odebrano, Masz na myśli tę noc, którą spędziłem z dziewczyną, Tak, Pamiętaj, że to ona wciągnęła mnie do łóżka, Mylisz się, to ty do niej poszedłeś, Jesteś pewna, Jeszcze nie oślepłam, A ja przysiągłbym, że na odwrót, Nieprawda, To dziwne, jak pamięć nas zawodzi, Ależ to zupełnie proste, łatwiej zapamiętujemy to, co dostajemy w darze, niż to, co zdobywamy, Żadne z nas nie dążyło potem do zbliżenia, Nie musieliście, macie wspomnienia, Jesteś zazdrosna, Nie, nie jestem zazdrosna ani teraz, ani przedtem, tamtej nocy czułam tylko litość, również wobec siebie, dlatego że nie byłam wam potrzebna, Ile mamy wody, Mało. Podczas nader skromnego śniadania wśród dwuznacznych uśmiechów padło kilka żartobliwych uwag na temat miłosnych igraszek z ostatniej nocy. Obecność zezowatego chłopca sprawiła jednak, że były one dość powściągliwe, chociaż podczas kwarantanny biedne dziecko było świadkiem niejednej skandalicznej sceny. Potem żona lekarza wyszła z mężem po żywność. Tym razem towarzyszył im pies pocieszyciel, któremu znudziło się siedzenie w domu.

Stan ulic pogarszał się z godziny na godzinę, jakby śmieci mnożyły się w nocy, a z sąsiedniego, niedotkniętego zarazą, normalnego kraju zwożono tu po kryjomu wszelkie odpadki. Gdybyśmy nie byli na ziemi ślepców, ujrzelibyśmy wielkie widma ciężarówek wyłaniające się z białych mroków, wozy pełne śmieci, nieczystości, odpadów chemicznych, popiołu, spalonych resztek, oleistych mazi, stert papieru, kości, butelek, wnętrzności, zużytych baterii, kawałków plastiku. Szkoda, że nie było tam resztek jedzenia, choćby skórki pomarańczy, która pozwoliłaby oszukać głód w oczekiwaniu na lepsze dni, które nigdy nie nadchodzą. Było wcześnie rano, lecz dzień zapowiadał się upalnie. Ponad ogromnym wysypiskiem śmieci unosiła się chmura morowego powietrza. Niewiele brakuje, a wkrótce wybuchnie nowa epidemia, zauważył ponuro lekarz, Tym razem nikogo nie oszczędzi, jesteśmy zupełnie bezbronni, Jak nie deszcz, to wichura, zauważyła jego żona, Gorzej, deszcz przynajmniej zaspokaja pragnienie, a wiatr oczyszcza powietrze. Pies pocieszyciel niespokojnie obwąchiwał chodnik wokół sterty śmieci, może wcześniej zagrzebał tam smakowitą zdobycz, której nie mógł teraz odnaleźć. Gdyby nie żona lekarza, przerylby całe wysypisko, lecz płacząca pani zaraz zniknie za rogiem, a jego obowiązkiem jest chodzić za nią krok w krok, nigdy nie wiadomo, kiedy trzeba będzie znów zlizywać jej łzy. Z trudem przedzierali się przez miasto. Podczas ulewy potężne strumienie wody zepchnęły wraki samochodów ze stromych uliczek, tworzyły one teraz prawdziwe barykady, auta poroztrzaskiwały się o mury domów, porozbijały wystawy sklepowe, chodniki usłane były szkłem. Między dwoma samochodami tkwiły zmiażdżone, rozkładające się zwłoki mężczyzny. Żona lekarza szybko spuściła wzrok. Pies pocieszyciel podszedł bliżej, lecz nawet i jego śmierć zaczęła peszyć, zrobił jeszcze dwa kroki, nagle sierść mu się zjeżyła na grzbiecie i wydał z siebie przeraźliwy skowyt. Biedny pies, tak bardzo zżył się z ludźmi, że zaczął cierpieć jak oni. Znów przeszli przez plac, gdzie grupy ślepców słuchały przepowiedni niewidomych proroków. Na pierwszy rzut oka nie wyglądali na niewidomych, rozognione twarze mówców zwrócone były w stronę słuchaczy. Mówiono o podstawowych systemach organizacji społecznej, o własności prywatnej, o kursach walut, o wolnym rynku, o giełdzie, podatkach, odsetkach, o uwłaszczeniu i zawłaszczeniu, o produkcji, o dystrybucji, o konsumpcji, o podaży i popycie, o bogactwie i ubóstwie, o komunikacji, o represjonowaniu i zbytniej pobłażliwości, o grach losowych, o więziennictwie, o kodeksie karnym, o kodeksie cywilnym i kodeksie drogowym, o słownikach i książkach telefonicznych, o domach publicznych, o przemyśle zbrojeniowym, o armii, o cmentarzach, o policji, o kontrabandzie i narkotykach, o czarnym rynku, o badaniach nad nowymi lekami, o hazardzie, o kosztach leczenia i pogrzebów, o wymiarze sprawiedliwości, o pożyczkach, o partiach politycznych, o wyborach, parlamentach, rządach, o myśli tajemnej, o tym, co wklęsłe, wypukłe, poziome, pionowe, pochyłe, skupione, rozproszone, o tym, co nieuchwytne, o wycinaniu strun głosowych, o powolnej śmierci słowa. Słyszysz, mówią o organizacji, powiedziała żona lekarza, Zauważyłem, odparł lekarz i zamilkł. Szli dalej, żona lekarza zatrzymała się na rogu ulicy przed mapą miasta jak wędrowiec przed drewnianym drogowskazem. Znajdowali się blisko sklepu z podziemnym magazynem, gdzieś tutaj upadła zrozpaczona, gdy wydało się jej, że zgubiła drogę, tędy szła, uginając się pod ciężarem worków w cudowny sposób napełnionych żywnością. Wtedy pojawił się pies, który ją pocieszył, a teraz ten sam pies warczał na zbliżającą się grupę psów, jakby je ostrzegał, Mnie nie nabierzecie, zejdźcie z drogi. Najpierw w lewo, potem w prawo i już widać wejście do sklepu. Tylko wejście, Nie, stoi cały budynek, ale zadziwiające, że nie widać wchodzących i wychodzących z niego ludzi, którzy jak mrówki przewijają się przez wielkie supermarkety, żyjące z tej ogromnej masy ludzkiej. Żona lekarza od razu pomyślała o najgorszym. Przyszliśmy za późno, powiedziała, Pewnie nie znajdziemy tam nawet jednego herbatnika, Dlaczego, Nie widzę ludzi, Może jeszcze nie dowiedzieli się o magazynie, Miejmy nadzieję. Stali na chodniku naprzeciwko wejścia do sklepu. Obok przy krawężniku zatrzymali się trzej ślepcy, wyglądali, jakby czekali na zielone światło. Żona lekarza nie zwróciła uwagi na dziwnie spięte twarze ślepców, kiedy usłyszeli tę rozmowę, jakby nagle sparaliżował ich strach. Jeden z nich otworzył usta, jakby chciał coś powiedzieć, ale po chwili z rezygnacją wzruszył ramionami. Zapewne pomyślał, że to nie jego sprawa. Kiedy żona lekarza przechodziła z mężem przez ulicę, drugi ślepiec zaczął się głośno zastanawiać, Ciekawe, dlaczego mówiła, że nie widzi ludzi, Dawne przyzwyczajenia, odparł trzeci ślepiec, Przed chwilą, kiedy się potknąłem, sam krzyknąłeś, patrz, jak idziesz, z nią jest tak samo, trudno zmienić stare nawyki, Na litość boską, przestań, zdenerwował się pierwszy ślepiec, Ile razy już to słyszałem.

Słońce wdzierało się do środka, oświetlając przestronne wnętrze sklepu. Niemal wszystkie półki były poprzewracane, podłoga zarzucona śmieciami i kawałkami szkła, wszędzie walały się puste opakowania. Dziwne, zauważyła żona lekarza, Nawet jeśli nie ma tu już nic do jedzenia, powinni tu mieszkać jacyś ludzie, Rzeczywiście, to podejrzane, zgodził się lekarz. Pies pocieszyciel zaczął skamleć i znów sierść mu się zjeżyła. Czuję dziwny zapach, szepnęła, Wszędzie śmierdzi, powiedział obojętnie mąż, Nie, to coś innego, jakby coś gniło, Przyjrzyj się, może leżą tu czyjeś zwłoki, Nie, chyba nie, Widocznie ci się przywidziało. Pies znów zaskowyczał. Co mu jest, spytał lekarz, Wygląda na zdenerwowanego, Co robimy, Idźmy dalej, jeśli natkniemy się na jakieś ciało, przejdziemy obok, przyzwyczailiśmy się do śmierci, Mnie jest łatwiej, bo nie widzę. Poszli w kierunku korytarza, z którego prowadziły schody do piwnicy. Pies pocieszyciel szedł za nimi, lecz co chwila przystawał niepewny, jakby chciał ich powstrzymać, jednak wierność wobec pani okazała się silniejsza od strachu. Gdy żona lekarza otworzyła drzwi na korytarz, smród stał się nie do zniesienia, Rzeczywiście, straszny tu smród, powiedział lekarz, Zostań tutaj, pójdę sprawdzić. Zaczęła powoli iść, ginąc w mroku wąskiego korytarza, pies pocieszyciel nie odstępował jej na krok, choć ze strachu przylgnął brzuchem do ziemi. Przesiąknięte odorem zgnilizny powietrze zdawało się mieć konsystencję gęstej mazi. W połowie drogi żona lekarza zwymiotowała. Co tam się mogło stać, pomyślała rozgorączkowana i znów poczuła skurcz w żołądku. Z tym powtarzającym się jak echo pytaniem doszła do metalowych drzwi, wiodących do piwnicy. Wyczerpana wymiotami nie zauważyła wcześniej słabego światła w głębi korytarza. Kiedy podeszła bliżej, przez szparę w drzwiach do piwnicy ujrzała migocące płomyki. Znów chwyciły ją gwałtowne torsje. Upadła na psa, który zawył przeraźliwie, a jego zwierzęcy skowyt spotęgowany echem zdawał się trwać w nieskończoność, był jak lament zmarłych, których stosy leżały na schodach do piwnicy. Słysząc wymioty, kaszel i krzyk, lekarz niemal biegiem ruszył przed siebie. Potykał się, padał, potem znów zrywał i biegł dalej, aż wreszcie chwycił żonę w ramiona. Co się stało, zawołał drżącym głosem, ale ona tylko powtarzała, Zabierz mnie stąd, proszę, zabierz mnie stąd. Po raz pierwszy od wybuchu epidemii to on musiał prowadzić żonę, nieważne gdzie, byle jak najdalej od drzwi i migocących płomyków, których nie mogły ujrzeć jego ślepe oczy. Kiedy znaleźli się poza obrębem korytarza, kobieta pod wpływem nagromadzonych emocji wybuchnęła histerycznym płaczem. Takich łez nie da się zlizać, mogą je ukoić jedynie czas i znużenie. Zrozumiał to pies, który z rezygnacją lizał dłoń swojej rozpaczającej pani.

Na miłość boską, co się stało, powtórzył lekarz, Uspokój się, powiedz, co zobaczyłaś, Ciała, wykrztusiła przez łzy, Czyje ciała, ale nie była w stanie dalej mówić. Kiedy się wreszcie uspokoiła, powtórzyła, Tam są ciała, Co zobaczyłaś, kiedy otworzyłaś drzwi, spytał lekarz, Nie wiem, przez szparę w drzwiach zobaczyłam w powietrzu małe płomyki, były tam, tańczyły tuż za drzwiami, To widocznie płonął metan, który powstaje podczas rozkładu ciał, Pewnie tak, Ale jak do tego doszło, Prawdopodobnie ludzie dowiedzieli się o magazynie i chcąc się do niego dostać, pospadali ze schodów, pamiętam, jak ostrożnie musiałam iść, by się nie poślizgnąć, wystarczyło, by potknął się jeden człowiek, a pociągnął za sobą całą resztę, pewnie nawet nie zdążyli zejść na dół, a jeśli komuś się to udało, to i tak nie mógł wrócić, bo schody były zapchane ludźmi, Powiedziałaś, że drzwi były przymknięte, Tak, widocznie musieli zrobić to inni ślepcy, zamienili piwnicę w wielki grób, to wszystko moja wina, kiedy wybiegałam z torbami, domyślili się, skąd wracam, i hurmem ruszyli po jedzenie, Cały czas odejmujemy coś komuś od ust, by przetrwać, jeśli zabieramy za dużo, przyczyniamy się do czyjejś śmierci, wszyscy jesteśmy winni, Nie najlepsza to pociecha, Nie pozwolę, żebyś obwiniała się za każdy nieszczęśliwy wypadek, i tak ledwo sobie radzisz z wykarmieniem sześciu darmozjadów, Gdybym nie musiała ciebie karmić, nie miałabym po co żyć, Nieprawda, żyłabyś dla pozostałych, którzy tam na ciebie czekają, Ale jak to długo potrwa, Myślę, że wkrótce, kiedy nie będzie już co jeść, trzeba będzie szukać pożywienia na wsi, będziemy zrywać owoce z drzew, zabijać wszystko, co się rusza, chyba że wcześniej zjedzą nas psy i koty. Pies pocieszyciel pozostał niewzruszony, nie miał z tym nic wspólnego, w końcu nie darmo stał się pocieszycielem ludzkich serc.

Żona lekarza ledwo powłóczyła nogami, po ataku płaczu opuściły ją resztki sił. Gdy chwiejnym krokiem wychodzili ze sklepu, ona drżąca, on ślepy, nie wiadomo było, kto kogo podtrzymuje. Od oślepiającego światła zakręciło jej się w głowie. Przez chwilę miała wrażenie, że traci wzrok, lecz było to tylko krótkotrwałe osłabienie, nawet nie zdążyła upaść. Czuła, że szybko musi się położyć, zamknąć oczy i kilka razy głęboko odetchnąć, potrzebowała chwili spokoju, wiedziała, że wtedy odzyska siły, musi je odzyskać, plastikowe torby nadal pozostawały puste. Nie chciała jednak leżeć w ulicznym brudzie, a już na pewno nie miała ochoty wracać do sklepu. Rozejrzała się wokół. Nieco dalej, po drugiej stronie ulicy znajdował się kościół. Z pewnością było tam pełno ludzi, jak wszędzie, ale to miejsce nadawało się do wypoczynku, przynajmniej kiedyś. Muszę odpocząć, z trudem wyszeptała do męża, Zaprowadź mnie tam, Dokąd, Tam, przepraszam, prowadź mnie, a ja będę mówić, Dokąd chcesz iść, Do kościoła, jeśli poleżę tam przez chwilę, zaraz odzyskam siły, No to chodźmy. Musieli jeszcze pokonać sześć stopni, na które żona lekarza wspięła się ostatkiem sił, jednocześnie prowadząc męża. Na szczęście drzwi były otwarte na oścież, bo nawet najprostsze, lekkie drzwi chroniące wnętrze przed wiatrem stanowiłyby dla niej przeszkodę nie do pokonania. Pies pocieszyciel stanął niezdecydowany w progu. Mimo swobody, z jaką w ostatnich miesiącach poruszał się po mieście, miał głęboko zakodowany strach przed świętymi miejscami, do których przed wiekami zabroniono mu wchodzić, co być może spowodował inny, genetycznie uwarunkowany odruch, który kazał mu znaczyć każdy nowy teren. Na nic jednak zdały się zakazy i nakazy respektowane przez jego przodków, których odwaga posuwała się najwyżej do lizania krwawiących ran świętych mężów, zanim jeszcze poznał i uznał ich świat, okazując w ten sposób najbardziej bezinteresowną miłość, wiemy przecież, że nie każdy skatowany biedak zostaje obwołany świętym, choćby miał tysiąc ran na ciele i duszy, do której psi język wszak nie dociera. A jednak pies pocieszyciel odważył się w końcu przekroczyć próg świętego miejsca, przecież drzwi były otwarte, nikt ich nie pilnował, a najważniejsze, że do środka weszła jego płacząca pani, choć trudno uwierzyć, że miała jeszcze siłę, by wejść tam na własnych nogach, szepcząc mężowi do ucha, Trzymaj mnie, trzymaj. Kościół był przepełniony, nie dałoby się tu wetknąć nawet szpilki, a właściwie nie było skrawka podłogi, gdzie można by złożyć głowę. Jednak i tym razem pies pocieszyciel okazał się prawdziwym przyjacielem. Wystarczyło kilka cichych warknięć, by tłum rozstąpił się i pozwolił żonie lekarza osunąć się bez sił na twardą posadzkę, po raz pierwszy jej ciało uległo słabości, a oczy zgasły. Lekarz wziął ją za rękę i zbadał puls, na szczęście był mocny i równy, tylko nieco zwolniony, potem okulista spróbował podnieść żonę, gdyż leżała w złej pozycji, mogło nastąpić niedokrwienie mózgu, należało więc pobudzić krążenie. Najlepiej byłoby gdzieś ją posadzić, umieścić głowę między nogami i zaufać sile przyciągania ziemskiego. Po kilku nieudanych próbach zdołał ją podnieść, minęło jednak parę minut, nim odetchnęła głęboko, lekko się poruszyła i zaczęła odzyskiwać przytomność. Poleż jeszcze chwilę w tej pozycji, powiedział mąż, ale ona czuła się już dobrze, zniknęły zawroty głowy, przez przymknięte powieki widziała płyty posadzki, które lśniły wyczyszczone szorstką sierścią psa pocieszyciela, wystarczyło, by zwierzę trzy razy wytarło brzuchem podłogę, a brud prawie zniknął. Podniosła głowę, spojrzała na strzeliste kolumny, na wysokie sklepienia i poczuła, że krew zaczyna swobodnie krążyć po jej ciele. Już mi lepiej, szepnęła, ale niemal w tej samej chwili przeraziła się, że zawroty głowy ustąpiły miejsca halucynacjom, nie mogła uwierzyć, że to, co widzi, jest jawą, a nie snem. Ujrzała przed sobą ukrzyżowanego człowieka z białą opaską na oczach, obok kobietę z sercem przebitym siedmioma sztyletami, której oczy również zasłaniała biała przepaska, ale nie tylko oni mieli zasłonięte oczy, na wszystkich obrazach w kościele oczy świętych zakrywała gruba warstwa białej farby, a na głowach rzeźb zawiązane były chustki. Na jednym obrazie kobieta uczyła córkę czytać, obie miały zamazane oczy, na innym widać było mężczyznę z otwartą księgą i małego chłopca, obaj mieli zawiązane oczy, gdzie indziej starzec z długą brodą ściskał w dłoni trzy klucze, on też miał oczy zamazane białą farbą, dalej wyłaniał się z mroku mężczyzna przebity tysiącem strzał, i on miał zasłonięte oczy, była też kobieta z płonącym kagankiem, jej oczy również zakrywała biała przepaska, mężczyzna z ranami na dłoniach, stopach i piersiach, z opaską na oczach, inny człowiek z lwem, też z zasłoniętymi oczami, podobnie rzecz się miała z mężczyzną i barankiem oraz z człowiekiem i orłem, ich oczy zakrywał pas bieli, był też mężczyzna przebijający włócznią leżącą na ziemi postać z rogami i kozimi racicami, człowiek z wagą, oni także mieli opaski na oczach, łysy starzec z białą lilią, mężczyzna wsparty na mieczu, niewiasta z gołębiem, człowiek z dwoma krukami, wszyscy oni mieli zasłonięte oczy. Tylko jedna kobieta nie miała białej opaski, gdyż jej oczy spoczywały na srebrnej tacy. Nie uwierzysz, wyszeptała żona lekarza, Wszystkie obrazy w kościele mają zasłonięte oczy, Jak to, dlaczego, Skąd mogę wiedzieć, może to dzieło jakiegoś szaleńca, którego opuściła wiara, gdy pojął, że i on także straci wzrok, może zrobił to sam ksiądz, doszedł do wniosku, że jeśli ślepcy nie widzą swoich świętych, to i święci nie powinni oglądać ślepców, Obrazy nie patrzą, Nieprawda, patrzą oczami tych, którzy je oglądają, teraz ślepota ogarnęła wszystkich, Poza tobą, Ja też coraz gorzej widzę, choć nie tracę wzroku, z dnia na dzień staję się coraz bardziej ślepa, gdyż nikt mnie nie widzi, Sądzisz, że zrobił to ksiądz, To tylko przypuszczenia, Myślę, że to jedyne sensowne rozwiązanie, jedyne, które pozwala nam zachować resztki godności w nieszczęściu, które nas spotkało, powiedział lekarz i dodał, Wyobrażam sobie tego człowieka, który przekracza próg świątyni, uciekając przed światem ślepców i mając świadomość, że i on wkrótce oślepnie, wyobrażam sobie ten pusty kościół, zamknięte drzwi, śmiertelną ciszę, mogę sobie wyobrazić, jak patrzy na rzeźby, idzie od jednej do drugiej i zawiązuje chustki, wystarczą dwa supły i już opaska trzyma się na głowie, podchodzi do ołtarzy i szybkim ruchem pędzla zamazuje oczy świętym, by wtrącić ich w gęstą, nieprzeniknioną biel, ten ksiądz był chyba największym, a równocześnie najsprawiedliwszym i najbardziej ludzkim bluźniercą w historii, odważył się powiedzieć światu, że Bóg nie zasługuje na to, by patrzeć. Nim zdążyła odpowiedzieć, usłyszała obok czyjś głos, Co to za rozmowy, kim jesteście, Jesteśmy zwykłymi ślepcami jak wszyscy, odparła, Mówiłaś, że widzisz, To z przyzwyczajenia, ile razy trzeba to tłumaczyć, Dlaczego mówicie, że obrazy nie mają oczu, Bo to prawda, Skąd wiesz, przecież jesteś ślepa, Ty też się możesz przekonać, podejdź i dotknij, ślepcy widzą rękami, Dlaczego to zrobiłaś, Pomyślałam, że jeśli upadliśmy tak nisko, to tylko dlatego, że poza nami ktoś jeszcze oślepł, A ta historia z księdzem, który zamalował oczy świętym, dobrze go znałem i wiem, że nie dopuściłby się takiego czynu, Nigdy nie wiadomo, do czego jesteśmy zdolni, trzeba pamiętać, że czas wszystko zmienia, wystarczy tylko poczekać, czas to siła kierująca naszymi losami, to gracz, który siedzi po drugiej stronie stołu, trzymając w ręku wszystkie karty, podczas gdy nam pozostaje tylko wymyślanie kart z własnym życiem, Nie wolno mówić w kościele o hazardzie, to grzech, Wstań, podnieś ręce i sam się przekonaj, jeśli nie wierzysz, Przysięgniesz, że obrazy mają zamalowane oczy, A jaka przysięga cię przekona, Przysięgnij na swoje oczy, Przysięgam po dwakroć, na moje i twoje oczy, A jednak to prawda. Rozmowie tej przysłuchiwali się siedzący obok ślepcy i nie trzeba było czekać nawet na przysięgę, żeby niezwykła wiadomość błyskawicznie rozniosła się po kościele, przekazywana z ust do ust. Szmer ludzkich głosów, początkowo ledwo słyszalny, z każdą chwilą narastał, zmieniając się w niespokojny gwar, znów w szmer niedowierzania, wreszcie w straszliwą wrzawę. Niestety w tłumie ślepców znajdowało się wielu obdarzonych wybujałą wyobraźnią, przesądnych wiernych. Nie mogli znieść myśli, że święci na obrazach są ślepi, a ich przepełnione miłosierdziem, umęczone oczy przestały już kontemplować cokolwiek poza własną ślepotą. To było tak, jakby ktoś powiedział ludziom, że otaczają ich zjawy zmarłych. W kościele rozległ się krzyk, najpierw jeden, potem drugi, po chwili strach ogarnął wszystkich i ludzie w panice zaczęli pchać się do wyjścia, a niejednokrotnie mogliśmy się już przekonać o tym, że w strachu nogi biegną szybciej od myśli, gubią się w szalonym pędzie, szczególnie wtedy, gdy przerażony człowiek nie widzi. Ślepiec pada, strach szepce mu do ucha, Wstań, bo zaraz cię zadepczą, ale mimo najszczerszych chęci biedak nie może oderwać się od ziemi, przygnieciony ciężarem innych. Mając przed oczami taki groteskowy widok, niełatwo opanować śmiech, ciała szukają rąk i próbują wyswobodzić się z plątaniny nóg, by uciec jak najdalej. Sześć stopni prowadzących do wejścia może stać się prawdziwą przepaścią dla przerażonych ślepców, ale na szczęście nie jest wysoko, poza tym dzięki częstym upadkom ciało staje się odporne na ból, a samo zderzenie z ziemią jest dla niewidomego wybawieniem. Nie ruszę się stąd, myśli taki ślepiec i czasem niestety są to jego ostatnie słowa. Niejednokrotnie mogliśmy się też przekonać, że zawsze znajdą się ludzie, którzy tylko czyhają na okazję, by wykorzystać cudze nieszczęście, ale jak świat światem tak było i będzie, wiedzieli o tym już przodkowie naszych przodków. Uciekający w panice ludzie zostawili swój skromny dobytek, a kiedy strach minął i zaczęli wracać, próbując po omacku odnaleźć swoje skarby, ustalić, co moje, a co twoje, okazało się, że zniknęły wszystkie ich skromne zapasy żywności. Kto wie, może ta cała gadanina o oślepionych świętych to zwykła prowokacja tej podstępnej kobiety, niektórzy zdolni są do największych podłości, knują intrygi tylko po to, by ograbić ślepych ludzi z resztek jedzenia. Prawdziwym winowajcą okazał się jednak pies pocieszyciel. Widząc pusty kościół, zaczął węszyć i nie tracąc czasu, wziął się do dzieła, co dla zwierzęcia jest rzeczą w pełni naturalną. Za jego przykładem poszli lekarz i jego żona, którzy bez wyrzutów sumienia wkrótce opuścili kościół z torbami wypełnionymi jedzeniem. Będą jednak mieli szczęście, jeśli uda im się spożytkować choćby połowę z tego, co zdobyli, większość bowiem rzeczy nie nadawała się już do spożycia. Trudno zrozumieć, jak ludzie mogli jeść takie świństwa, widocznie, nawet gdy nieszczęście dotyka wszystkich, niektórzy cierpią bardziej od innych.

Opowieść o wydarzeniach dnia przygnębiła i zaskoczyła przyjaciół, każdy na swój sposób przeżywał te jakże różne historie, pomimo że oszczędzono im drastycznego opisu odkrycia, jakiego żona lekarza dokonała w magazynie sklepu. Być może brakowało jej słów, by opisać strach i grozę sytuacji, gdy przez szparę w drzwiach ujrzała tańczące płomyki oświetlające schody wiodące do innego świata. Sam opis obrazów i rzeźb z zasłoniętymi oczami wystarczająco poruszył słuchaczy i podsycił ich wyobraźnię. Pierwszy ślepiec i jego żona byli wstrząśnięci, czyn anonimowego śmiałka uznali za świętokradztwo. Wierzyli, że ślepota była wynikiem niezbadanych wyroków losu, nie karą, lecz nieszczęściem, że ludzkość nigdy nie była wolna od cierpień, ale to nie powód, by zamazywać święte obrazy, to czyn niewybaczalny, tym bardziej jeśli dokonała go ręka księdza. Stary człowiek z czarną opaską na oku był innego zdania. Rozumiem wasze oburzenie, ale podobna rzecz mogła się wydarzyć na przykład w muzeum, gdzie wszystkie rzeźby są ślepe, i to nie dlatego, że artysta nie miał ochoty męczyć się dalej z kamieniem, ktoś mógłby obwiązać im oczy, by jeszcze bardziej podkreślić ich ślepotę, zwróćcie uwagę, że ja też noszę opaskę, ale dotąd nikomu nie kojarzyła się ona ze ślepotą, raczej z czymś romantycznym, zakończył, śmiejąc się ze swego spostrzeżenia. Dziewczyna w ciemnych okularach wyraziła jedynie nadzieję, że nigdy nie będzie musiała oglądać tej przeklętej kolekcji obrazów, i bez tego ma dość koszmarów. Kolacja składała się z nędznych resztek, lecz nie udało im się zdobyć nic lepszego. Żona lekarza usprawiedliwiała się, mówiąc, że coraz trudniej o pożywienie, i dodała, że jedyną szansą na przetrwanie jest opuszczenie miasta, może na wsi uda się zdobyć świeżą żywność, na pewno są tam kozy i krowy. Możemy je przecież hodować, będziemy mieli mleko, będziemy mogli czerpać wodę ze studni, gotować, musimy tylko znaleźć jakieś dobre miejsce. Każdy wyraził swoją opinię na ten temat, jedni byli zachwyceni, inni pełni obaw, jednak wszyscy przyznawali, że sytuacja zmusza ich do opuszczenia miasta. Najbardziej ucieszył się zezowaty chłopiec, który być może przypomniał sobie jakieś szczęśliwe wakacje spędzone na wsi. Po posiłku jak zwykle poszli spać, robili tak niezmiennie od czasów kwarantanny, gdyż nauczyli się, że leżąc, łatwiej znieść głód. W nocy nikt nie domagał się jedzenia, tylko zezowaty chłopiec dostał coś na pocieszenie i oszukanie żołądka. Nikt jednak nie mógł zasnąć i żona lekarza zaczęła czytać, by dostarczyć im przynajmniej strawy duchowej, choć osłabiony z niedożywienia organizm utrudniał słuchaczom koncentrację. Nie miało to nic wspólnego z nudą, po prostu umysł stawał się leniwy, tkwił w stanie odrętwienia, które można było porównać do snu zimowego zwierząt, żegnających się ze światem aż do nadejścia wiosny. Dlatego słuchaczom często opadały powieki i jedynie oczami duszy śledzili zawiłe wątki. Dopiero jakiś głośniejszy odgłos przerywający monotonię czytania wyrywał ich z odrętwienia, czasem był to głuchy dźwięk zamykanej książki, żona lekarza była zbyt delikatną osobą, by bardziej dosadnie dać im do zrozumienia, że przyłapała ich na drzemce.

Tym razem zdawało się, że błogi sen obezwładnił najpierw pierwszego ślepca, jednak tylko pozornie, gdyż w rzeczywistości przymknął oczy po to, by lepiej wsłuchać się w treść czytanej książki, ale też, by oddać się rozważaniom na temat przyszłego życia na wsi. Myśl o konieczności opuszczenia miasta nie dawała mu spokoju, ponieważ oznaczało to oddalenie od domu. Choć dziki lokator okupujący jego mieszkanie okazał się miłym i kulturalnym człowiekiem, należało mieć go na oku i pojawiać się tam od czasu do czasu. Niezbitym dowodem czuwania pierwszego ślepca była świetlista biel w jego oczach, którą mógł zgasić jedynie sen, choć co do tego nie mamy pewności, gdyż nikt jeszcze nie zdołał jednocześnie śnić i pozostawać na jawie. Kiedy zdawało mu się, że rozwikłał trapiący go problem, nagle pod powiekami ujrzał ciemność. A jednak zasnąłem, pomyślał, Nie, to niemożliwe, nadal słyszę głos żony lekarza, kaszel zezowatego chłopca. Nagle ogarnął go paniczny lęk, pomyślał, że z jednej ślepoty wpadł w drugą, że przedtem żył w oślepiającej jasności, a teraz został wtrącony w mrok. Jęknął przerażony. Co ci jest, szepnęła żona, na co on odparł bez namysłu, wciąż zaciskając powieki, Jestem ślepy, jakby ogłosił wielką sensację. Objęła go czule i szepnęła, Wiem, wszyscy jesteśmy ślepi, nic na to nie poradzimy, Ale ja widzę ciemność, w pierwszej chwili miałem wrażenie, że zasnąłem, ale przecież rozmawiam z tobą, Lepiej będzie, jeśli naprawdę się zdrzemniesz i przestaniesz o tym myśleć. Jej rada jeszcze bardziej go zirytowała, siedzi tu sparaliżowany strachem, a ona mówi mu, by poszedł spać. Zezłościła go tak bardzo, że chciał krzyknąć, otworzył oczy i przejrzał. Ja widzę, widzę, zawołał. Pierwszy okrzyk zabrzmiał niepewnie, jakby nie dowierzał swemu odkryciu, lecz drugi nabrał mocy, a trzeci był już czysty i wyraźny. Ja widzę, widzę. Zerwał się z krzesła jak opętany i zaczął ściskać i całować swą żonę, po czym podbiegł do żony lekarza, którą zobaczył po raz pierwszy w życiu, a mimo to nie miał wątpliwości, że to ona. Następnie wyściskał lekarza, dziewczynę w ciemnych okularach, starego człowieka z czarną opaską, z jego rozpoznaniem nie miał kłopotu, wreszcie ucałował zezowatego chłopca. Żona szła za nim, wciąż trzymając go za ramię, jakby bała się go stracić, a on co chwila odwracał się, by ją objąć. Panie doktorze, ja widzę, wołał. Nie zwrócił się do niego po imieniu, co stało się zwyczajem, lecz po raz pierwszy od dłuższego czasu użył tytułu, jakby odzyskanie wzroku uświadomiło mu dystans, jaki ich dzielił. Czy widzi pan wyraźnie, tak jak dawniej, spytał lekarz, Nie ma żadnej mgły, błysków, Nie, nic, mam nawet wrażenie, że widzę o wiele lepiej, mówiłem panu, przecież nigdy nie nosiłem okularów, zawsze miałem dobry wzrok, Może doczekaliśmy końca epidemii, stwierdził lekarz, wypowiadając to, o czym wszyscy myśleli, ale nikt nie ośmielił się tego powiedzieć na głos, Może wszyscy odzyskamy wzrok. Żona lekarza zaczęła płakać, choć powinna była się cieszyć, czasami reakcje ludzkie bywają zupełnie niezrozumiałe. Ależ oczywiście, że była szczęśliwa, czy tak trudno pojąć, że płakała z nadmiaru nieszczęść, które przeżyła i z którymi jej udręczony umysł wciąż musiał się borykać. Poczuła się jak nowo narodzone dziecko, które wydaje swój pierwszy, niekontrolowany okrzyk życia. Pies pocieszyciel zbliżył się ostrożnie, zawsze zjawiał się, gdy go potrzebowała, i przytulił się do swej pani. Kobieta objęła go mocno, nadal kochała swego męża, chciała, by wszyscy wyzdrowieli, ale nagle ogarnęło ją poczucie straszliwego osamotnienia, ból tak trudny do zniesienia, że mógł go ukoić jedynie pies pocieszyciel, jak zawsze chętny zlizywać jej łzy.

Ogólna radość wkrótce ustąpiła zdenerwowaniu. Co teraz będzie, spytała dziewczyna w ciemnych okularach, Po tym, co zaszło, na pewno nie zasnę, Nikt nie zaśnie, posiedźmy tu jeszcze trochę, zaproponował stary człowiek z czarną opaską na oku, po czym dodał, Musimy czuwać. Tak więc czuwali. Trzy płomyki lampy oświetlały zebrane wokół twarze. Przez pewien czas rozmawiali ożywieni, chcieli wiedzieć dokładnie, w jaki sposób pierwszy ślepiec odzyskał wzrok, czy zmiana dotknęła tylko oczu, czy odczuł również przemianę w myślach. Z czasem jednak rozmowa przestała się kleić. Nieposiadający się ze szczęścia mężczyzna przypomniał żonie, że jutro powinni wrócić do domu. Ale ja nadal jestem ślepa, Nic nie szkodzi, zaprowadzę cię. Dopiero teraz, słysząc swoje słowa, zrozumiał, że ta prosta choć władcza deklaracja zawiera w sobie wszystkie uczucia, jakie żywił dla żony, dumę, czułość. Drugą osobą, która odzyskała wzrok, była dziewczyna w ciemnych okularach. Stało się to w środku nocy, gdy w lampie dogasał płomień, a na dnie została już tylko resztka oliwy. Zawsze chodziła z otwartymi oczami, wierząc, że uzdrowienie nadejdzie z zewnątrz, a nie od wewnątrz. Wydaje mi się, że zaczynam widzieć, powiedziała niepewnie. Należało być ostrożnym, każdy przypadek jest inny, niektórzy twierdzą nawet, że nie istnieje choroba zwana ślepotą, tylko ślepi ludzie, chociaż dawniej zachowywano się tak, jakby istniała choroba, a nie było ślepców. Spośród naszych bohaterów troje zatem już widziało, za chwilę być może wzrok odzyskają kolejne dwie osoby, widzący będą więc stanowili większość. Radość była nieopisana, dla pozostałych ślepców życie z pewnością stanie się łatwiejsze, choć jeszcze tak niedawno stanowiło pasmo udręk. Wystarczy spojrzeć na żonę lekarza, która wygląda jak cień samej siebie, jak złamane drzewo, które nie wytrzymało przygniatającego ciężaru gałęzi. Dlatego to do niej najpierw podbiegła dziewczyna w ciemnych okularach. Pies pocieszyciel nie wiedział, którą z kobiet pocieszać, gdyż obie zalewały się łzami. Potem dziewczyna ucałowała starego człowieka z czarną opaską na oku, nadszedł moment próby, teraz dopiero miało się okazać, co warte były jej przyrzeczenia, cała ta wzruszająca rozmowa, która doprowadziła do cudownego połączenia tych dwojga ludzi. Po raz pierwszy dziewczyna w ciemnych okularach mogła się przyjrzeć staremu człowiekowi, którego wybrała sobie na towarzysza życia. Koniec z wyidealizowanymi wyobrażeniami o nierealnym życiu na bezludnej wyspie, zmarszczki pozostaną zmarszczkami, łysina łysiną, a pusty oczodół zakrywa czarna opaska. Przyjrzyj mi się dobrze, czy rzeczywiście jestem tą osobą, z którą chcesz dzielić swój los, spytał stary człowiek, czując na sobie jej przenikliwe spojrzenie, Tak, znam twoją twarz, jesteś człowiekiem, którego wybrałam, odparła, a te stanowcze słowa i mocny uścisk wystarczyły za wszelkie żarliwe deklaracje. Gdy zaczęło świtać, jako trzeci przejrzał lekarz. Nikt już nie miał wątpliwości, odzyskanie wzroku przez wszystkich było już tylko kwestią czasu. Nie trzeba powtarzać opisu spontanicznej i naturalnej w tych okolicznościach radości, gdyż wystarczająco wiele miejsca poświęciliśmy temu wcześniej, wiemy, że ogarniała ona nie tylko głównych bohaterów tej wiernie opowiedzianej historii, ale wszystkich ślepców odzyskujących wzrok. Gdy ucichły radosne okrzyki, lekarz zapytał, Ciekawe, co dzieje się na dworze. Jakby w odpowiedzi usłyszeli czyjś krzyk na klatce schodowej, Widzę, widzę. Słowa nieznajomego rozniosły się echem po całym mieście, a słońce rozbłysło nad świętującym tłumem.

Śniadanie przekształciło się w wielką ucztę. Co prawda wygląd i smak nędznego posiłku każdemu mógł odebrać apetyt, lecz ogarnięci radosnym uniesieniem biesiadnicy nie zwracali uwagi na takie drobiazgi. Wiadomo, że głód zabija wielkie wzruszenia, ale tą symboliczną biesiadą wszyscy pragnęli uczcić niezapomnianą chwilę. Nikt się nie skarżył, nawet ci, którzy jeszcze nie odzyskali wzroku, radowali się, jakby sami już przejrzeli. Po śniadaniu dziewczyna w ciemnych okularach wpadła na pomysł, by zostawić na drzwiach swego mieszkania kartkę dla rodziców. Napiszę, gdzie jestem, by wiedzieli, gdzie mnie szukać, Pójdę z tobą, odezwał się stary człowiek z czarną opaską na oku, Chcę wiedzieć, co dzieje się na ulicach, My też pójdziemy, zwrócił się do żony mężczyzna, który był pierwszą ofiarą epidemii, Kto wie, może nasz pisarz też przejrzał i zdecydował się wrócić do swego domu, a przy okazji może znajdziemy coś do jedzenia, Ja też się rozejrzę, powiedziała dziewczyna w ciemnych okularach. Kiedy wszyscy wyszli, a zezowaty chłopiec usnął na kanapie, lekarz usiadł obok żony. Pies pocieszyciel ułożył pysk na skrzyżowanych łapach i co pewien czas otwierał sennie oczy, by pokazać swej pani, że wciąż czuwa. Choć znajdowali się na piątym piętrze, przez okno słychać było radosne okrzyki świętującego tłumu, jak echo powtarzało się jedno jedyne słowo, Widzę. Widzę. Powtarzali je ci, którzy już przejrzeli, i ci, którzy właśnie odzyskiwali wzrok. I tak rozpaczliwe wołanie ślepnących stało się już tylko widmem przeszłości. Zezowaty chłopiec szeptał przez sen, Widzisz mnie, widzisz. Może śniła mu się matka. Co się z nim stanie, spytała żona lekarza, Myślę, że kiedy się obudzi, będzie już widział, z czasem wszyscy odzyskają wzrok, tylko naszego biednego staruszka spotka rozczarowanie. Dlaczego, Ponieważ ma zaćmę, a od czasu ostatniego badania bielmo na pewno przesłoniło mu całe oko, Będzie ślepy, Nie, za kilka tygodni, gdy wszystko wróci do normy, postaram się go zoperować, Dlaczego oślepliśmy, Nie mam pojęcia, być może kiedyś się dowiemy, Chcesz wiedzieć, co ja o tym myślę, Oczywiście, Uważam, że my nie oślepliśmy, lecz jesteśmy ślepi, Jesteśmy ślepcami, którzy widzą, Ślepcami, którzy patrzą i nie widzą.

Żona lekarza wstała i podeszła do okna, spojrzała na zaśmiecone ulice, na rozśpiewany, radujący się tłum, po czym podniosła głowę i ujrzała nad sobą białe niebo. Teraz na mnie kolej, pomyślała i ze ściśniętym sercem opuściła wzrok. Miasto nadal tam było.